ROBAT GRUFFUDD

Crac Cymraeg

y Lolfa

Diolch i
Gyngor Celfyddydau Cymru am
ysgoloriaeth tuag at
ysgrifennu'r nofel hon.

RHAN 1: C O F I O

1. Y Milwr
2. Bae Caerdydd
3. Nos Wener
4. Bonded Warehouse
5. Aberdyfi
6. Brecwast
7. Gregg
8. Patsy
9. Croesi
10. Arcadia
11. Lleuwen
12. Llechen Las
13. Cofio

RHAN 2: C H W I L I O

14. Ellis
15. Blaen y Cwm
16. Hugo's
17. Rhonwy
18. Nefyn
19. Crumbles
20. Clychau Aberdyfi

RHAN 3: C A N F O D

21. Millbank
22. Chandlers
23. Wolverley Court
24. Maes Awyr
25. Prifwyl
26. Gayle
27. St.James
28. Naxos
29. Mel
30. Oxwich

"Croeso i'r Crac Cymraeg"

–Bob Delyn

Rhan 1
COFIO

1. Y Milwr

Yn ddirybudd, llifodd stribed o olau i'r ystafell, symud ar draws y wal gefn, ac aros. Cododd Dafydd ei lygaid o'r cyfrifiadur ac edrych at y ffenest. Dim ond yr olygfa arferol: Aberdyfi'n dal yno yn y pellter. Yna safodd ar ei draed a gweld, uwchben y clawdd ar waelod yr ardd, y peth hir gwyn yma yn taflu'r haul yn ôl ato.

Roedd hi'n ddiwedd Mawrth ond yn debycach i Fai. Ehedai heidiau o adar mân yn isel dros y gors tra dringai tractor yn araf i fyny ystlys Bryn Glas. Ar y dde, nyddai llinyn o draffig de-gogledd i fyny'r A486. Yna'r afon Dyfi, yng nghanol y darlun, yn pefrio yn yr haul; ond o dani, y stribyn newydd, dieithr yna o fetel – dyna ydoedd – yn disgleirio i mewn i'w lygaid.

Ond be sy arna i, dim ond to fan yw e!

Ond o flaen ei dŷ ef – pam hynny?

Ond wedyn, pam lai? Falle bod rhywun wedi galw yn y pentre ac aros i gael ffag, llanw taflen amser, cael llwnc o awyr iach: beth oedd yn fwy naturiol ar fore mor braf?

Aileisteddodd wrth ei gyfrifiadur. Y cylchgrawn misol, *Cymdeithas*. Un o'i hoff dasgau cysodi, fel arfer. Ond trwm a hir oedd yr erthygl ar yr Ocitaneg gan ryw ferch fegaddeallus o Aberystwyth. Nid ei fai ef, felly, oedd y methiant i ganolbwyntio...

Roedd yn rhaid i Dafydd chwilio am arwyddion ei fod yn dechrau dod dros drawma'r ymwahanu oddi wrth Menna, a'i ddwy flynedd o uffern bersonol. Rhai wythnosau'n ôl cawsai bwl o Feddwl Positif. Aeth i Leos i brynu pecyn o fagiau plastig du a photel o win rhad. Ei gynllun oedd rhoi pob eitem a'i hatgoffai ohoni HI yn y bagiau a llosgi'r cyfan mewn seremoni bersonol yn nhop yr ardd. Pan ddechreuodd eu hel nhw at ei gilydd, sylweddolodd nad oedd fawr ddim yn y tŷ *nad* oedd yn ei atgoffa ohoni. Nid y tŷ oedd angen sbring-clin yn gymaint â'i benglog ei hun. Ond yfodd y gwin 'run fath.

Ond yn ôl at y cysodi. *Seilir y cwricwlwm newydd a weinyddir gan yr Adran Addysg Daleithiol ar y cysyniad o ddwyieithrwydd cyfartal...*

Yna dau guriad ar y drws. Yn reddfol, safiodd ei waith cyn codi i ateb.

Gŵr byr, cydnerth oedd yno mewn hen ofarôls gwaith, glas, yn cario blwch offer.

"Dafydd yntefe? Alla i ddod mewn?"

Yn frwysg ond heb frys, gwthiodd y dyn heibio i Dafydd. Roedd ganddo wallt a mwstás du, a chroen llyfn, heulog, Sbaenaidd bron. Roedd rhywbeth cyfarwydd ynglŷn â'i wyneb, ond ni allai Dafydd ei leoli.

"Allwn ni fynd trwodd i'r bac?"

"Oes 'na gamsyniad? Does 'na ddim jobyn i'w 'neud 'ma..."

Ond roedd rhywbeth tawel, awdurdodol am y dyn, a dilynodd Dafydd ef i'r gegin gefn. Rhoddodd ei flwch ar lawr, llusgo un o'r stolion brecwast tuag ato, a thanio *Camel.*

"Na, Dafydd, 'smo fi'n blymyr, na sbarci," meddai gan eistedd ar y stôl. "Neb abwyti'r lle 'ma? Y radio 'na'n gweithio?"

"Ydi, ond..."

"Tro fe 'mla'n – yn uchel, OK?"

Gan faglu ar draws soser y gath, trodd Dafydd y set ymlaen a dyma *Gêm am Fargen* yn bloeddio dros y gegin. *Hotpoint Model 007 ar gael am ugain punt yn unig ar Llangefni 203204, cyflwr gwych ond yn gorfod rhoi lle i Twin Tumbler, 'sgynnoch chi bensal rŵan, Llangefni 2-0-3-2-0-4...*

Pwysodd Dafydd yn ôl yn erbyn y stôf, ei law ar y rheilen.

"Felly pa lein o fusnes y'ch chi ynddo fe – os ca' i ofyn?"

" 'Sda ni ddim *visiting cards,* ti'n dyall. Sa i'n lico

melodrama – ond 'ma'r unig ffordd."

"Felly pwy y'ch chi?"

" 'Smo ti'n dwp," meddai gan chwythu mwg allan. "Ti'n gwbod pwy y'n ni."

"Fase fe ddim yn haws i chi ddweud?"

Edrychodd i lygaid Dafydd. "Oes angen?"

"O'r gore. Chi wedodd nad y'ch chi'n hoffi melodrama. Wel beth am 'i dorri e mas? Dwy' ddim ar gael – alla i ddim o'ch helpu chi. Ma' gyda chi'ch ffynonellau, mae'n amlwg. Mae'n rhaid bod chi'n gwybod felly am 'yn sefyllfa bersonol i: ysgariad ar fin mynd trwyddo, brwydr dros y plentyn, tair neu bedair blynedd o lafur caled yn trio codi busnes bach lan. Fel pob cachgi arall yng Nghymru, rwy'n edmygu be chi'n 'neud – ond dwy' ddim ar gael."

Meddai'r dyn yn bwyllog, wedi i Dafydd ymdawelu: "Paid sarnu d'hunan, Dafydd bach. Ti'n gwbod pwy yw'r cachgwn yng Nghymru, a ni'n gwbod. Mae dy record di'n siarad drosto'i hunan."

"Mae hwnna'n perthyn i'r gorffennol."

"Nawr rhaid iti ddyall un peth, Dafydd. Fasen i ddim yn breuddwydio gofyn am dy help di. Lot rhy beryglus, i ni ac i ti. Ti ar gompiwtyrs y slobs, fel pob cenedlaetholwr gwerth 'i halen."

"Pam uffern 'ych chi wedi galw, 'te?"

"Nid help 'yn ni moyn, Dafydd, ond 'bach o wybodeth leol. 'Na i gyd. Rho ddeg muned o dy amser i fi, a bydda i mas o dy fywyd di am byth."

Llusgodd Dafydd un o'r stolion o dan ei din. "Iawn 'te," meddai'n wan. "Taniwch bant."

Dadzipiodd y dyn y boced gangarŵ ym mrest ei ofarôl a thynnu allan sypyn o ddogfennau a'u gwasgaru dros fwrdd y gegin – pan ganodd y ffôn yn y stiwdio.

Cododd Dafydd i'w ateb, yna oedi. Meddai'r dyn: "Gad iddo fe. Fe golli di gwpwl o ffôns. 'Na'r unig bris fydd raid iti dalu."

* * *

"Nawrte, ti'n nabod bachan o'r enw Morgan Lewis, Caederwen?"

"Ydw. Ffarmwr lleol. Cardi. Sa i'n 'i nabod e'n bersonol. Pia tipyn o dir ffordd hyn ac yn codi dau dŷ newydd yn y pentre."

"Dyna ti'r boi, cer 'mla'n."

"Wel 'na hi, wi'n ofni. Ma'r ddau dŷ yna i fyny ond am y toeon. Yn Lôn Afon. Wi'n digwydd nabod un o'r adeiladwyr, yfed tipyn o gwrw 'da fe."

"Galle hynny fod yn handi. Nawr shgwla ar hwn, i ddechre." Agorodd y dyn fap manwl o bentref Llangroes ar y bwrdd, gan golli llwch y *Camel* drosto. "Cynllun Fframwaith y Sir. Y llinell dew yma yw'r *Settlement Limit.*"

Craffodd Dafydd ar y map gan deimlo'n rhyfedd bod dieithryn llwyr yn rhoi gwers iddo am y pentre y bu'n byw ynddo ers naw mlynedd.

"Weli di fan hyn," meddai'r dyn gan bwyntio at ran o'r map: *"Allocated for Future Residential Development."*

"Dyna ble mae'r ddau dŷ newydd. Ydi e am godi mwy o dai fan'na?"

"Na. 'Sdim lle i fwy na phedwar neu bump o dai. Y caeau hyn yw'r broblem," meddai gan bwyntio at ddau gae mawr ar ochr orllewinol y pentre, rhwng yr eglwys a'r môr. "Digon o le fan'na i naw deg o dai *executive* yn gwerthu am £100,000 yr un. Tai does dim eu hangen – tai i Saeson. Dyma sgetsh y pensaer, a chwpwl o *Polaroids* o dai o'r un teip." Craffodd y dyn ar Dafydd, gan wylio'i ymateb.

"Ond mae'r caeau tu fas i'r llinell ddu. Does 'da fe ddim gobaith. Neu oes 'na gais wedi mynd i'r Cyngor yn barod?"

"Oes. *Outline Planning.*"

"Alla i mo'i gredu e. Iawn, mae sôn yn y pentre ers sawl blwyddyn bod Caederwen yn mynd i 'neud rhywbeth â'r tir – ond dim byd fel hyn. Dyw e ddim cymaint o fastard â hynny."

"Wel 'i enw fe sy ar y ffurflen hyn, a fe bia'r tir," meddai gan agor amlen ffwlscap.

"Ond eith e byth trwyddo. Bydd dim pentre ar ôl."

"Ti'n iawn fan'na, Dafydd."

"Eith e ddim trwy'r Adran Gynllunio, heb sôn am y cynghorwyr. Fydd cynghorwyr Ceredigion byth o blaid..."

"Ond nid nhw fydd yn penderfynu, ife?"

"Be ti'n feddwl?"

"Fydd Ceredigion wedi bennu erbyn eith hwn drwodd."

"Ond yr un set fydd ar y cyngor newydd."

Trodd y dyn ei stwmpyn sigarét ar un o'r soseri budron.

"I fod yn deg – ti'n iawn. Nid y cynghorwyr yw'r broblem, ond y Cynllun Fframwaith."

"Ond mae'r Cynllun Fframwaith yn iawn."

"Ydi – yr un yma. Ond bydd y cynghore newydd yn gneud cynllunie newydd, ac ma'r Swyddfa Gymreig wedi hala gorchymyn mas yn eu gorfodi nhw i godi lot mwy o stadau mawr, preifat. *Planning Policy Guidance – PPG20*."

Yn sydyn, teimlodd Dafydd ychydig yn sâl. Caeodd ei lygaid am eiliad a phwyso'n ôl yn erbyn y top cegin.

Gwir neu beidio, doedd dim angen hyn arno nawr. Prin ddechrau dod yn ôl i drefn yr oedd ei fywyd. Teimlodd fel petai amser yn chwarae tric ag ef, ei fod yn ôl yn niwedd y saithdegau. Ysgubodd Dafydd y sbwriel oedd ar y bwrdd – tuniau gwag, hen ddarnau o dost – i'r bin plastig, ac estyn am sosban.

"Alla i gynnig paned?" – ond teimlo'n ffŵl wedi dweud peth mor anaddas o gonfensiynol.

"Amser yn brin, rwy'n ofan."

"Wel mae'n ddrwg gen i os nad ydw i wedi bod o help," meddai Dafydd gan symud i gloi'r drafodaeth.

"Sa i wedi bennu eto. Mae dau beth. Yn gynta, y'n ni ishe gwbod pa gwmni sy tu ôl i'r datblygiad. Mae e'n lot rhy fawr i Caederwen 'i hunan 'i handlo."

"Ond pa ots pa gwmni, os caiff y tai yma'u codi beth bynnag?"

"Nid dyna'r pwynt. Nid ffarmwr yn datblygu ar ei liwt 'i

hunan sy 'da ni fan hyn, a chwilio wedyn am gwmni i 'neud y job. Wedest ti nawr bo' ti'n synnu bod Lewis wedi hala'r cais mewn. Wel ti'n iawn: nid fe wnath."

Ailagorodd y cais cynllunio. "Ond 'i enw e sy fan'na," pwyntiodd Dafydd. *"Morgan James Lewis, Caederwen Farm, Llangroes..."*

"Ond yr enw 'ma sy'n cyfri," meddai'r dyn gan bwyntio islaw. "Yr asiant. *The Dewley Partnership, Planning Consultants, Milliner Row, Chester.* Nhw sy'n handlo'r job ar ran Caederwen. Fel arfer mae e'n bensaer neu'n adeiladwr lleol."

"Holwch nhw 'te. Nethoch chi ddim?"

"Wrth gwrs. Esgus bo' ni o'r Cyngor Sir. Snoten o Saesnes yn ateb. *'We are purely planning consultants and are acting on behalf of Mr Lewis with regard to planning issues only,'* a rhoi'r ffôn i lawr. Pwy roddodd enw'r cwmni i Lewis, 'na'r cwestiwn. Dyw cwmni fel'na ddim yn dod yn tshêp."

"Ond os nad y'ch chi'n gwybod, pa obaith s'da fi?"

"Y'n ni'n amau Berry Homes. Cwmni mawr iawn. Ond rhaid i ni fod yn siŵr, ti'n dyall. Y cyfan wy'n gofyn yw iti gadw clust ar y ddaear. Ti'n gwbod fel ma' pawb yn gwbod busnes pawb yng nghefen gwlad."

"Alla i addo dim. Dyn dŵad ydw i, cofiwch."

Roedd rhaglen Sulwyn wedi dechrau nawr, a rhyw wraig yn cwyno am y newid yn y tywydd ac yn grac am ei bod hi'n braf o hyd. Ysai Dafydd am i'r cyfan ddod i ben.

"I bwy mae dy fêt yfed yn gweithio?" holodd y dyn.

"Morfa Plant. Ar gontract. Y bòs yw Clem Jones, bachan lleol."

"Rhan o West Coast Investments, yntefe? Gwbod amdanyn nhw?"

"Dim llawer. Cwpwl o Gymry Da ar y bwrdd – crwcs wrth gwrs."

"Ti'n iawn ...a sôn am Gymry Da, ti'n nabod boi o'r enw Morse? Pensaer. 'I enw e lawr ar gais dwetha Caederwen, am y ddau dŷ yn Lôn Afon."

"Nabod e'n iawn. Yfed 'da fe hefyd, weithie. Sa i'n licio'r boi, ond dyw e ddim cymaint o fastard â'r lleill."

" 'Sneb o' nhw i'w trysto. Jyst hola o gwmpas, Dafydd. Dyna i gyd wy'n gofyn."

Safai'r dyn o'i flaen fel petai wedi'i blannu yno. Yna taniodd *Camel* arall a chrychu ei fochau wrth sugno'r mwg i mewn. Roedd yn gymysgedd rhyfedd o nerfusrwydd a rhyw arafwch gwneud: fel petai e'n trio chwarae'r dyn cŵl, caled, fel cowboi mewn Ffilm B. Beth oedd e'n disgwyl i Dafydd ei ddweud nawr?

"Fe wna i be alla i," meddai Dafydd o'r diwedd. "Ond sai'n gweld y peth. Reit, bydd 'na Gynllun Fframwaith newydd. Ond dyw datblygu o fewn Cynllun Fframwaith ddim yn gwarantu caniatâd cynllunio, ydi e? Mae'r cyngor yn dal i orfod trafod pob cais. A wnân nhw 'i wrthod e. Mae'n rhy fawr. Does dim un blaid yn mynd i bleidleisio dros gynllun mor niweidiol i fywyd y pentre."

Meddai'r dyn yn hamddenol: "Ti'n iawn, Dafydd. Sa i, chwaith, yn credu yr eith e trwy'r Cyngor."

"So be ffyc ma'r ffys amdano?"

"Nawr gwed 'tho i, Dafydd: be sy'n digwydd wedyn?"

"Duw a ŵyr..."

"Wel, weda i 'tho ti. Bydd y datblygwr yn mynd i apêl. Bydd e'n mynd nôl i'r Swyddfa Gymreig."

"Efalle. Ond yn y byd real, be sy'n mynd i ddigwydd os ceith cynllun fel hyn ei basio? Fydd 'na ddiawl o le. Fydd 'na gynnwrf cenedlaethol. Fe allai wneud drwg i'r Llywodraeth, hyd yn oed."

"Wy'n cytuno 'da ti eto, Dafydd: bydd 'na dipyn o stinc."

"Ond onid dyna y'n ni moyn? Fel cenedlaetholwyr, ry'n ni wastad wedi credu mewn creu tensiwn, codi ymwybyddiaeth. Byddai hynny'n chware i mewn i'n dwylo ni."

"Fel yn Nhryweryn?" meddai'r dyn gan bwyso'i eiriau.

Caeodd Dafydd ei lygaid. O! na, nid hwnna eto. Arglwydd Grist, mae deugain mlynedd wedi pasio, mae bron yn 2000 A.D. Byddai'r Saeson eu hunain yn erbyn y peth heddiw, heb sôn am y Gwyrddion.

"Gollon ni Drywеryn, Dafydd, am byth. Gallen ni golli Llangroes hefyd."

Ochneidiodd Dafydd. "Dyw'r ddau beth ddim yn debyg, o gwbwl. Ond does dim pwynt dadlau, achos does dim byd alla i wneud. Iawn, fe gadwa i glust ar y ddaear, ond alla i ddim addo mwy, ac rwy wedi egluro pam."

Ond daliai'r dyn i rythu trwyddo fel bwbach. Rhaid ei fod wedi clywed y math yna o esgus gannoedd o weithiau ac wedi tynnu'i gasgliadau ei hun am gachaduriaeth y Cymry.

"Dafydd," meddai o'r diwedd, "wy'n gwbod yn berffeth be ti'n mynd drwyddo. Wy' wedi bod trwy ysgariad 'yn hunan. Busnes brwnt iawn. Ond mae 'na rywbeth arall..."

"Rhywbeth *arall?* Ond ddwedoch chi mai deg munud fyddech chi ac mai dim ond gwybodaeth oe'ch chi moyn."

"Paid panico, Dafydd bach: dyw e ddim yn siwto dy steil di... Os nad wyt ti'n hido, fe gymra i'r paned 'na o goffi..."

* * *

Doedd Dafydd erioed wedi deall peiriannau coffi a chymerodd fel oes i ferwi paned hanner llaeth mewn sosban ar y stôf drydan i gyfeiliant Hogia Llandegai yn sgifflo drwy un o'u caneuon cynnar – a galwad ffôn arall nad oedd ganddo hawl i'w hateb. Wir Dduw, ai ffars ai trasiedi oedd yn chwarae allan yma'r bore 'ma?

A dyna brawf o galibr gwan y dyn: y busnes o fynnu sŵn radio i ddrysu dyfeisiadau gwrando. Y teip oedd yn hoffi gajets. A'r gwisgo lan diangen yna: byddai'n haws iddo fod wedi cerdded i mewn yma mewn pâr o hen jins. Ac os oedd e mor ofalus, pam oedd e'n smygu sigaréts oedd yn drewi i Buenos Aires?

Roedd e wedi cwrdd â'r teip yma o'r blaen ar gyrion y mudiad cenedlaethol. Y math difreintiedig nad oedd iddynt *rôle* ym Mhlaid iypïaidd Cymru, nac yn y Gymdeithas, gyda'i phwyslais diwylliannol. Dôi llawer ohonynt o ardaloedd Saesneg y de neu o Glwyd. Ai acen Abertawe oedd gan hwn? Dysgwr tybed? Fel arfer roedd ganddynt broblemau personol neu broblemau gwaith. Doedd neb cytbwys, llwyddiannus yn eu plith. Ar boen ei fywyd, rhaid iddo ofalu peidio â chyfaddawdu'i hun, os *oedd* raid iddo wrando ar weddill ei stori.

"Ti'n cofio *Paradise Playlake*?" ailddechreuodd y dyn. "Y cynllun i adeiladu pentre gwylie ar lan Llyn Tegid?"

"Ydw. Ond aeth e'n ffliwt, on' do?"

"Ddim cweit. Maen nhw'n dal i ddishgwl ateb y Swyddfa Gymreig. Wedyn Glan Hedd. Mae 'na gais mewn fan'na am stad o dai ar lan y Fenai. Nawr y'n ni'n gwbod fel ffaith mai Berry Homes sydd y tu ôl i'r ddau. Ti ddim yn gweld? Ma' 'na batrwm sinistr iawn."

"Sinistr *iawn*?"

"Tri chynllun i godi stadau yn y tair rhan Gymreicia o Gymru: Meirion, Arfon a Cheredigion. Jyst cyd-ddigwyddiad ti'n meddwl?"

"Wel, mi allai fod. Jyst moch mawr ariangar eisie cerfio Cymru lan fel erioed. Ac os ydi deddfau cynllunio'n llacio, bydd 'na fwy byth o'r diawled."

Rhoddodd y dyn ei fyg i lawr. "Ond dyna pam mae'n rhaid inni neud rhywbeth nawr, cyn bydd pethe wedi mynd yn rhy bell. A Dafydd, dy'n ni ddim yn siarad am gerfio Cymru lan: y'n ni'n sôn am 'i bennu hi. Beth yw Cymru heddi? Oes 'na Gymru ar ôl? Cymru Gymraeg wy'n feddwl, wrth gwrs."

"Mae patrwm Cymru'n newid, ydi, fel mae Ewrop i gyd. Mae'r hen ddiwylliant gwledig..." Brathodd Dafydd ei wefus: doedd e ddim am gael ei ddal mewn dadl ddiddiwedd.

"Y'n ni i gyd yn ofan wynebu'r gwir, on'd y'n ni. Dim ond clytie bach o Gymru sydd ar ôl. Yn y byd. Nawr heb y rheini, beth fydde Cymru wedyn? Wel weda i 'tho ti: dim ond syniad," meddai gan daro'i fys ar ei dalcen. "Breuddwyd gwrach. Nawr wyt ti'n dyall pam y'n ni am wbod mwy am gynllunie Llangroes?"

"Ydw – iawn."

Tawelwch eto, fel yr yfai'r dyn y coffi. Ac eto, dim argoel

ohono'n symud.

"Clywch, gyfaill," meddai Dafydd, ar ben ei dennyn. "Ydi e ddim yn bryd i chi ddweud pam y'ch chi wedi galw?"

Cododd y dyn a thaflu gweddillion ei baned i'r sinc, yna mynd at y radio a chodi'r sŵn. "Falle 'i fod e. Y'n ni'n whilo am rywle i gadw jeli. Rhywle sych, saff – 'bwyti ddeg o focsus plastig – ond am sbel go hir: blwyddyn neu ddwy."

"Dy'ch chi ddim yn disgwyl i fi – *yma*?"

"Crist, na. Oes 'na ffarmwr yn yr ardal, un alli di 'i drysto, un sy ddim yn Nashi amlwg, ond sy bia tipyn o dir?"

"Dim un wi'n nabod yn ddigon da."

"Neu wyt ti'n gwbod am ryw hen adfail, chwarel neu felin falle – jyst yr *wybodeth* wy' moyn, ti'n dyall."

"Fel mae'n digwydd," meddai Dafydd â rhyddhad, "mae'r topie 'ma'n drwch o olion melinau gwlân a hen weithfeydd plwm. Mae'r bryniau i'r dwyrain o'r pentre wedi'u rhidyllu â hen dwnelau."

Chwiliodd y dyn ymhlith y domen ddogfennau ar fwrdd y gegin; yn araf, anfanwl, dechreuodd wastatáu map Ordnans. "Ble'n gwmws s'da ti nawr?"

"Lan tua'r mynydde, lan Cwm Elen tuag at Bumlumon... tua chwe milltir lan y cwm. Dyma ni: *Disused Lead Mine.* Gallech chi fynd o dan y ddaear... Yn fan hyn, os wi'n cofio, mae 'na gwpwl o hen adeiladau. Mae 'na hen bwerdy bach – dyma fe, ar ben yr afon. Wi'n digwydd gwybod am hwnna. Wi'n mynd am dro weithie lan y cwm ar bnawn Sul."

"Diddorol. Fe sonia i amdano fe. Dim fi bia'r penderfyniad, ti'n dyall."

Rhythodd Dafydd yn amheus ar y map.

"Paid poeni, mae'r bois yn gwbod eu stwff. Byddan nhw'n ddigon carcus."

Camodd Dafydd yn ôl o'r bwrdd, ei amheuon yn cynyddu. "Ond dwy' ddim yn deall. Sut alla i ddweud... does dim raid i chi ateb hyn, ond sa i'n gweld y pictiwr. Pan neu os bydd y tai lan – faint bynnag fydd ohonyn nhw – wel, mi fydd hi'n rhy hwyr, wedyn, 'yn bydd? Allwch chi ddim chwythu lan stad gyfan o dai."

Chwarddodd y dyn yn dadol. "Na, 'sda ni ddim sgyds, Dafydd."

"Ond pam felly?"

"Cario mas ordors ydw i. Milwr cyffredin. Y Cyngor sy'n penderfynu polisi a pwy sy'n gneud pa job. Dim ond un peth alla i weud 'tho ti: bydd dim codi pais ar ôl piso. Paid cymysgu ni lan â bois y chwedege."

"Digon teg..."

"Ma' dyddie'r hen deip o genedlaetholdeb wedi bennu am byth, Dafydd: cenedlaetholdeb y sbectol dywyll a'r bere. Y'n ni'n chware gêm wahanol nawr, ac enw'r gêm yw Ennill – ennill Cymru'n ôl." Plygodd y map yn araf. "Nage arwyr y'n ni. 'Smo ni moyn sylw. Y'n ni'n neb, dim ond gweision i Gymru yn gneud job sy raid 'i 'neud." Edrychodd i fyny at Dafydd ond trodd yntau ei lygaid draw.

O'r diwedd gorffennodd hel ei bethau ac aeth Dafydd at y drws ond yna meddai'r dyn yn dawel: "Wel – *mae* 'na un peth bach arall, on'd oes e?"

"Dwy' ddim gyda chi nawr."

"Wel, be 'set ti'n clywed rhywbeth am y datblygu, neu rywbeth pwysig arall?"

"Ond wrth gwrs..."

"Dim ond yr wybodeth y'n ni moyn, fel wedes i yn y dechre."

Tynnodd ddisg bach o'i boced, a'i estyn i Dafydd. "Jyst rhaglen sgramblo syml. Bwra fe mewn i'r compiwtyr, teipia'r rhif, dilyn y cyfarwyddiade, wedyn gyrra *e-mail* i'r rhif yma." Sgrifennodd rif ar y rholyn papur cegin, ei rwygo a'i blygu, a'i roi i Dafydd. "Cofia fe, wedyn towla fe."

"Ond alla i ddim hala fe o fan hyn."

"Na, paid. Cer i'r coleg. Gofyn i ryw stiwdent Saesneg 'neud e iti am bris peint."

"Ond be 'se'r slobs yn cal gafael ar y disg?"

"Lot o gême arno fe, Deinosors, World Cyp, pob math o

gachu. Ti'n dyall, mae'n troi Cymrag mewn i fath o Dytsh, wedyn ma'r neges yn mynd trwodd fel ordor i gwmni yn Amsterdam."

"*Amsterdam?*"

"Pam ddim Amsterdam?"

"Ond ydi'r slobs ddim yn gallu traco popeth nôl y dyddiau hyn?"

"Wel, bydden nhw'n gorfod dadsgramblo'r Dytsh a traco fe nôl i'r Stiwdents Iwnion."

"Iawn... ond, wel, be 'sech chi eisie cysylltu â fi?"

"Paid becso, Dafydd: gad ti hynny i ni."

Yn betrus, cymerodd Dafydd y disg, ei droi drosodd, a'i roi yn ei boced. Wedi gwneud yn siŵr fod popeth ganddo, cododd y milwr ei gasyn offer.

Cyn agor y drws, daliodd ei law allan i Dafydd. Cydiodd Dafydd ynddi heb deimlo'r gwrhydri dyladwy. "Dros Gymru," meddai'r dyn gan grensian ei esgyrn; ar y ffordd allan, meddai'n uchel: "Wel, 'sa i'n credu cewch chi fwy o brobleme 'da'r draen 'na, Mr Harris."

"Diolch..." meddai Dafydd yn llipa, ei lygaid yn cau yn erbyn yr haul.

Clywodd sŵn modur yn tanio, a gwelodd y rhimyn metel dieithr yn symud ac yn ymffurfio'n hen fan Sherpa lwyd a besychodd ei ffordd heibio i'r gât ac i lawr i'r pentre.

* * *

Diffoddodd Dafydd y radio ac aileistedd yn ei gadair gysodi. Caeodd ei lygaid yn dynn. Roedd cymaint o bethau na allai eu cymryd i mewn, pethau rhy fawr, rhy sydyn. Dyfodol y pentre, dyfodol Cymru: y job lot.

Ac yntau'n dechrau concro'i orffennol, dyma dalp mawr ohono'n hyrddio'n ôl fel bricsen drwy ffenest ei fywyd. Roedd e'n ddigon cyfarwydd â'r meddylfryd yna oedd mor hoff o'r *conspiracy theory*. Yfodd gannoedd o beintiau â bois fel'na yn niwedd y saithdegau: y math oedd yn chwilio am brawf bod Lloegr am roi'r tro ola yng ngwddw Cymru, heb weld mai arnom ni mae'r bai bob tro am ein cyflwr trist.

Neu a oedd y boi yn iawn? Os oedd e'n iawn – nid yn iawn am y bygythiad, ond yn ddilys ei gymhellion – pa fath o foi oedd e? Ni allai Dafydd amgyffred cyflwr meddwl un oedd yn byw dim ond dros Gymru, ac yn peryglu ei ryddid a'i fywyd drosti. Rhaid ei fod e fel Iesu Grist, yn byw ar ryw lefel stratosfferig, uwchlaw pawb. Ond a oedd y fath bobl yn bod yn y byd real? Ai sant oedd e – neu fethiant, fel ef, yn chwilio am rywbeth i angori ei fywyd wrtho?

Trodd y gadair at y ffenest. Y gwynder eto, Aberdyfi, haul. Roedd e angen haul. Roedd yn demtasiwn i gymryd y pnawn bant, mynd am dro i Aberdyfi, esgus bod yn Sais a chael plowmans yn un o'r gwestai ar y cei. Ond yna canodd y ffôn – bedair gwaith i gyd cyn cinio – ac roedd un o'r galwadau gan y ferch fegaddeallus yna o Aberystwyth a'i hatgoffodd yn llym fod proflenni *Cymdeithas* i fod yn barod erbyn hanner awr wedi pedwar.

2. Bae Caerdydd

ROEDD BAE CAERDYDD yn brysur ar y pnawn Iau cyn y Pasg, a thwristiaid wedi dechrau llenwi'r tai bwyta a'r bariau a'r atyniadau glan-y-dŵr; ond yr oedd yna brysurdeb hefyd y tu ôl i ffasadau gloyw, gwydrog yr adeiladau busnes. Ar ail lawr Watershed 2000, adeilad modern ychydig i mewn o'r canol, yr oedd gweithwyr Delw, y cwmni cysylltiadau cyhoeddus, yn gwneud eu gorau i glirio gwaith a oedd i fod yn barod 'erbyn y Pasg'. Roedd un daflen bwysig i'r Bwrdd Dŵr yn dal heb ei gorffen ond sylwodd Ellis Meredith, un o'r cyfarwyddwyr, â boddhad fod Jeff Mester, ei bennaeth celf, yn cario'r portffolio dan ei fraich: yn amlwg, roedd e'n mynd â'r gwaith adre gydag e dros y gwyliau. Ond roedd Jeff, efallai oherwydd hynny, yn fwy pigog nag arfer.

"Dwy' ddim eisie medal am hyn, Ellis, dim ond llonydd i orffen y job." Tynnodd ei siaced moto-beic oddi ar y bachyn a'i gwisgo fel petai e'n Marlon Brando. Cuddiodd Ellis ei ddirmyg at y ddelwedd *macho*: y siaced ledr ddu, y clustdlws sengl a'r gwallt cynffon-ceffyl a dynnwyd yn ôl dros ei benglog – rhai rhyfedd yw'r bois celf 'ma ar y gorau.

"Nid eisiau ymyrryd ydw i," meddai'n amyneddgar. "Dydi o'n rhoi dim pleser imi. Ond mae weithiau'n anodd tynnu'r llinell rhwng ystyriaethau celf a rhai eraill."

"Mae hynny'n glir."

Yr oedd Jeff ar fin gwasgu botwm y lifft i'r llawr gwaelod pan ddywedodd Ellis: "Mi drefna i eich bod chi'n cael amser i ffwrdd yn lle hyn, Jeff."

"Fase fe ddim yn rhatach gwneud heb yr holl ailgywiro yn y lle cynta? Rwy'n gweld heiffens Cymraeg yn fy nghwsg."

"Dwi'n cydymdeimlo. Ond rydan ni'n dod yn ôl at y Cerdyn Cymraeg. Er gwell neu er gwaeth, mae gallu handlo'r Gymraeg yn gywir yn un o'n *plusses* ni fel cwmni, ac mae'n dod â gwaith i mewn."

" 'Sgin i ffyc ôl yn erbyn yr iaith Gymraeg – na Swahili, nac Urdu. Ond unwaith ma'r cwsmer yn deud OK i'r broflen, rydyn ni'n *covered,* 'dyn ni ddim?"

Roedd yn rhaid i Ellis adael i Jeff ddadlwytho'i bwn. Yna meddai: "Dwi'n gwybod nad ydi o'n gneud sens. Ond yn anffodus mae Cymru'n wlad od. Mae 'na bobol i'w cael wneith feirniadu er mwyn beirniadu. Dim ond trio osgoi hynna ydw i."

"Rwy'n cytuno gyda chi fan'na o leia: bod y wlad 'ma'n blydi od."

Chwarddodd Ellis yn oeraidd. "Mae'n dda ein bod ni'n cytuno ar rywbeth, Jeff... ac un peth ola: ydych chi'n cofio am y cyfarfod dydd Mawrth? Deg o'r gloch. Gregg Associates. Mae'n reit bwysig."

"Pa mor bwysig? Oes raid i mi fod yno?"

"Mi allai olygu mwy o waith i'ch adran chi: gwaith newydd, diddorol. Cymerwch gip ar eu prospectws nhw," meddai gan estyn ffeil las o'i ddesg. "Cwmni o Lundain – arbenigo mewn PR gwleidyddol. Mi allai agor drysau newydd inni."

Edrychodd Jeff yn amheus ar y ffeil, yna'i rholio a'i stwffio i mewn i'w siaced.

"Cadw'r Cerdyn Cymraeg yn y waled dydd Mawrth, 'lly?"

"Be 'dach chi'n feddwl?"

"Chi sy'n sôn o hyd mor handi ydi'r Cerdyn Cymraeg i gael gwaith y Bwrdd Dŵr ac ati. Wel fydd e fawr o iws i gwmni o Lundain, fydd e? Dyna i gyd o'n i'n trio'i ddweud."

Ceisiodd Ellis reoli ei deimladau. Cyn lleied a wyddai Jeff. "Credwch neu beidio, mi *fydd* yn handi. Mae 'na gwmni adeiladu Prydeinig – un mawr iawn – newydd gysylltu â ni am y rheswm yna'n unig. Mi eglura i eto."

"Fel y dywedais i o'r blaen, sticiwch chi at y rheoli, sticia i at y celf," meddai gan gamu i'r lifft. "Mi fydda i'n ddigon hapus ar hynny."

Fel y diflannodd pen Jeff o'i olwg, ochneidiodd Ellis mewn rhyddhad. Roedd yn rhaid iddo gael y gair ola, wrth gwrs. Ond gan mor dda ydoedd wrth ei waith – roedd yn feistr corn ar y rhaglenni cyfrifiadurol diweddaraf – doedd Ellis ddim am warafun iddo'r pleser.

Ond roedd eisiau gras weithiau. Jeff ei hun a gododd bwnc y Cerdyn Cymraeg ac os oedd yna unrhyw bwnc yn ymwneud â rheolaeth yn hytrach na chelf, hwnnw ydoedd. Roedd gan y boi ryw chwiw am y peth, efallai am ei fod yn ddi-Gymraeg, ac yn methu handlo jobs dwyieithog heb gymorth. Diolch byth nad oedd e'n un o reolwyr y cwmni. Bu'n ystyried rhoi cynnig iddo unwaith rhag ei golli i gwmni arall, ond roedd y perygl yna wedi lleihau fel yr oerodd yr hinsawdd economaidd.

Fel sylfaenydd cwmni Delw, cawsai Ellis flynyddoedd o brofiad o ddelio â thensiynau a phroblemau. Gallai hefyd eu hanghofio, o leiaf o'i feddwl effro. Gwyddai y byddai mewn munud yn ymlacio â pheint o gwrw oer ar y cei islaw. Clodd y drws allanol a diffodd y goleuadau. Yna cymerodd gip olaf ar gynnwys ei *brief-case.* Oedd, mi roedd ffeil Gregg Associates yn ddiogel ynddo.

Cyn camu i'r lifft, oedodd am eiliad i edrych yn ôl dros y swyddfeydd agored, braf, tec-uchel a feddai'r cwmni ar lawr cyntaf Watershed 2000. Ar eiliadau prin fel hyn, a'r staff i gyd wedi ffoi am y penwythnos, gallai loddesta ychydig dros yr hyn a gyflawnodd. Mae ychydig o densiynau staff yn bris y mae'n rhaid i bob cyfarwyddwr ei dalu am y cyffro o reoli a'r pleser o gyflawni.

Camodd allan o'r adeilad gwydr i'r haul a'r awyr iach a llyncu llond ysgyfaint ohono.

* * *

Cerddodd ar hyd ymyl y cei at dafarn y *Wharf*, ei siaced gotwm yn chwifio o'i ysgwydd. Yn bnawn Iau neu Wener, roedd yna ryddhad yn niwedd swyddogol yr wythnos waith. Wedi awr neu ddwy yn awyrgylch braf y Bae, byddai'n symud ymlaen at *Chandlers*, bistro ar bier Penarth. Yno câi fwynhau swper hir yng nghwmni Menna, ac yna Menna ei hun. Er bod bron dwy flynedd oddi ar iddi symud i lawr ato o Langroes, roedd meddwl am gael ei chwmni a'i sylw llawn yn dal i'w gynhyrfu.

Gweithiai Menna hefyd i Delw gan gynrychioli'r cwmni yn Llundain dridiau'r wythnos, a byddai ei gyfarfodydd gwaith yntau yn llusgo'n aml i berfeddion nos. Er bod rhai o'r rheini mewn amgylchedd dymunol bistro neu far gwin, roedd y pwysau busnes yn dal yno. Roedd y penwythnos felly'n amser gwerthfawr i'r ddau ohonynt, a phenwythnos hir yn bleser arbennig.

Byddai'n ôl yn ei fflat erbyn hanner awr wedi saith, cawod a newid, ac yna i'r Merc, a Menna'n gyrru. Ond yn awr câi ddwyawr iddo'i hun. Mi fyddai'r broses o ddadweindio wastad yn cynnwys adolygiad anfwriadol ac anhrefnus o brif ddigwyddiadau'r dydd a'r wythnos. Wedi rhoi ei ddyfarniad personol iawn arnynt – bôls llwyr yn fan'na, cyfle yn fan arall, paid â chredu'r sbrigyn yna byth eto – byddai'n eu cau a'u parselu ac yna'n eu taflu ar y belt yna a'u cludai allan o'i ben.

Cynhwysai'r wythnos arbennig hon y gybolfa arferol o fethiannau, tensiynau, a llwyddiannau bychain. Roedd eu perthynas â Telewales yn dal yn fregus, ond daeth gobaith o waith newydd o gyfeiriad annisgwyl: fore Mawrth derbyniodd lythyr personol gan gyfarwyddwr un o brif gwmnïau adeiladu Prydain Fawr, Berry Homes. Dyna pam yr oedd y cyfarfod â Maurice Gregg mor bwysig...

Gyda'i hoff beint o *Boddingtons* pwysodd ar reilen bres y bar ac amsugno naws yr hen warws gyda'i luniau o longau stêm a fu'n palu'r tonnau rhwng Caerdydd a Bryste. O dan y ffenest gron ym mhen arall yr ystafell, eisteddai criw llawen yn llewys eu crysau: gweision sifil o bencadlys De Morgannwg, yn dathlu, fel yntau, ddechrau'r penwythnos hir. Llusgodd ei esgid yn ddioglyd drwy'r blawd llif plastig ar lawr, a chodi sgwrs â'r barman.

"Prysur?"

"Dim felly. Diolch byth am y labrwrs ar y ddau seit newydd."

"Sincio cwrw dwi'n siŵr… ro'n i'n sylwi bod y sgiwyr dŵr yma gyda'u *jetskis*."

"Ydyn, maen nhw allan pan mae'n braf."

"Ond beth am y bara menyn? Pobol fusnes? Gweithwyr swyddfa?"

"Mae'n gwella'n ara' bach. Cynyddu 'neith hi fel mae'r Bae'n datblygu."

"Dyna rydw innau'n 'i gredu hefyd," ategodd Ellis yn frwd. "Roedd gen i f'amheuon yn y dechrau. Ges i dipyn o waith perswadio'r cyfarwyddwyr eraill i symud. Ond rŵan, maen nhw'n cymryd y clod eu hunain!"

"Fel'na mae. Rhaid i rywun neidio i mewn gynta."

Cofiai Ellis yr helynt yn iawn. Roedd e wedi disgwyl trafferth gyda Fenwick, eu cyfarwyddwr ariannol. Ceisiodd rwystro'r symudiad yn gorfforol, bron, gyda'i domenni o brintowts ariannol, ond bu Wyn yn anodd hefyd. Ef oedd y trydydd cyfarwyddwr, recriwt newydd ond profiadol o HTV. Hapus erbyn hyn, wrth gwrs: asgwrn cefn y cwmni. Ond ni allai anghofio'r dadlau taer, hwyr y nos, pan froliai Wyn rinweddau'r 'hen' Gaerdydd. A'r alwad ffôn dyngefennol yna pan fygythiodd ymddiswyddo. Yn wir, oni bai ei fod yn newydd i'r cwmni, gallasai fod wedi troi'r drol.

Gan ddrachtio'r cwrw dyfrllyd ond blasus, diolchodd Ellis fod y cyfnod yna drosodd.

Cynyddai rhialtwch y criw yn y pen pellaf. Fel y dechreuai ymlacio, sylwodd Ellis ar y ffenest gron, llyw-llong a'r lliwiau a nyddai'n ôl a blaen rhwng ei breichiau. Fflachiai coch neu felyn yn sydyn, tra cropiai lliwiau eraill yn arafach ar draws yr olwyn: y sgiwyr dŵr.

"Wyddoch chi rywbeth am y *jetskis* yna? Faint maen nhw'n gostio?" gofynnodd i'r barman yn y man.

"Dwn 'im. Prynwch un ar y cwmni, chostith e ddim i chi wedyn."

" 'Sgynnoch chi un?"

"Na. Mae gan ffrind imi un ond 'sgin i ddim diddordeb yn bersonol."

"Ydi hi'n cymryd amser i ddysgu?"

"Dim mwy na dysgu reidio beic modur."

"Dwi'n credu yr a' i allan i'r haul i wylio'u castiau nhw. Falle y dysga i rywbeth – ac mi ga' i beint arall rŵan, sbario dod nôl. Dw i angen hobi corfforol newydd: dwi'n mynd yn hen – mi fydda i'n hanner cant mewn tair blynedd."

"Faswn i fyth wedi dyfalu, wir syr."

Camodd allan i'r haul llachar. Doedd dim sedd wag ger y cei erbyn hyn, felly rhannodd fainc â dwy Swedes hirgoes oedd yn pori dros fap o Gymru. Sylwodd fod beic tandem yn pwyso'n erbyn polyn gerllaw. Rhoddodd Ellis ei *brief-case* ar lawr, a thynnu allan ffeil Gregg Associates. Ond dwrdiodd ei hun. Trodd ei gefn ar y ffeil a'r merched, a gwylio campau'r dynion ar y dŵr.

Hyll oedd y logos ffliworesent ar y peiriannau Kawasaki, Suzuki ac ati, ond fe'i mesmereiddiwyd gan y ffigurau wyth gosgeiddig a blethai'r dynion ar wyneb y dŵr. Torrai un ohonynt gŵys unigol gan gerfio tonnau o ewyn gwyn o'i gwmpas. Rhaid ei fod yn deimlad ffantastig.

Oedd e, Ellis, yn rhy hen, tybed? Oedd yna dinc ffuantus yn llais y barman gynnau fach? Gas ganddo'r 'Syr' taeog yna. Doedd e ddim yn rhy hen i sgïo, nac i gnychu; er, petai'n hollol onest, byddai'n rhaid iddo gyfaddef mai lled anwastad oedd ei berfformiad technegol yn y ddeubeth. Âi am bythefnos bob Ionawr i'r Alpau gyda chriw o ffrindiau o'r byd teledu ond ar y *gluhwein* y bu'r pwyslais bob tro. Methodd fynd eleni o achos symud swyddfa o Ffordd yr Eglwys Gadeiriol i'r Bae, a chollodd y llynedd oherwydd newid cartref.

Dyna'r strach fwyaf oll, wrth gwrs. Hyd yn oed ar adegau hapus fel hyn, mynnai Molly dresmasu ar ei feddwl, fel cydwybod ddrwg. Wedi'r sioc cychwynnol – ef ei hunan a dorrodd y briodas, nid hi – addasodd hi'n syndod o gyflym. Doedd ganddyn nhw ddim plant; ei gyrfa fel therapydd oedd y peth pwysig yn ei bywyd. Ond, wedi hynny, bu'n ffiaidd o hunanol a chyfrwys (yn nhyb Ellis), gan adael catalog o broblemau o'i hôl, yr oedd y fwyaf – perchenogaeth y tŷ – yn dal heb ei datrys.

Bu Ellis mor naïf â rhoi ei hen dŷ – un braf, Fictoraidd ger Parc y Rhâth – yn ei henw hi, am resymau busnes. Doedd Delw ddim yn gwmni cyfyngedig yn y dechrau. Roedd eu cytundeb llafar yn hollol glir, a chyfraniadau'r ddau'n gyfartal i'r morgais, ond fe hawliodd hi nid yn unig y tŷ, ond popeth oedd ynddo, o'r doili mwyaf diwerth i'r *Compaq* newydd sbon. Ei unig lwc oedd iddo brynu nifer o bethau'n ddiweddar, yn cynnwys y *Compaq* yna a'r hen Ferc, yn enw'r cwmni. Pan âi'n ôl i'r fflat heno, roedd e'n hanner disgwyl gweld un arall o amlenni llwyd Luce & Bruce ar y mat. Roedd e eisoes wedi talu hanner gwerth y tŷ iddi ond roedd hi'n dal i hawlio'r gweddill. Efallai y byddai'n rhaid mynd i lys: mwy fyth o arian i'r blydi cyfreithwyr, ac i ŵr busnes fel ef roedd hynny'n brifo'n waeth na dim.

Trawodd ei beint i lawr yn galed gan daflu diferion o gwrw dros fap y ddwy Swedes. Wrth droi i'w sychu gyda'i benelin, disgynnodd y ffeil las ar lawr. Ymddiheurodd am ei flerwch.

"You OK?" holodd un ohonynt yn gonsyrniol.

"Absolutely perfect," atebodd Ellis. *"Just a sudden, horrible vision of my ex-wife. It comes to me at the least expected moment, like the Curse of Frankenstein... You on holiday? Do you like Wales?"*

Edrychodd y ddwy ar ei gilydd, a giglan: *"Yes, very nice: we like."* A sugno eto ar eu caniau *Lilt* ac edrych y tu hwnt i Ellis ar y dynion siwtiau rwber yn dawnsio ar y dŵr.

* * *

Yn sydyn, syrthiodd un o'r dynion i'r tonnau, a diflannu dan yr wyneb am amser hir. Brawychodd Ellis – ond o'r diwedd dyma'i ben yn ailymddangos, yna'i gorff, ac roedd ei law yn dal ar y dolennau. Erbyn hyn, roedd sgïwr arall wedi cyrraedd ato ac yn cynnig ei dynnu'n ôl at y lanfa. Gwrthododd y cyntaf, a chydag un hwb gan y llall, mynnodd ailgychwyn ei hunan o'r dyfnder.

"Bravo!" clapiodd y merched. Cododd Ellis yntau ei wydryn at ei geg. Dyna'r ysbryd.

Dyna'n union a wnaeth Delw: ailddechrau yn y dwfn, concro amheuon ac ofn. Edrychodd draw at adeilad Watershed 2000 ac at y llawr cyntaf. Roedd hi'n dechrau machludo a threiddiai pelydrau'r haul isel drwy'r adeilad gan greu panelau bychain o olau anwadal. Teimlai Ellis eu bod yn wincio'u cytundeb ato dros y dŵr. I ramantydd, ie'n sicr, ond i ŵr busnes hirben hefyd: oedd yna well safle yng Nghymru i gwmni cysylltiadau cyhoeddus wynebu'r unfed ganrif ar hugain?

* * *

I gwmni, fel i gynllun y Bae ei hun, mae'n rhaid wrth ffydd i lwyddo – a lwc, a mesur o styfnigrwydd dall. Synnai at ddiffyg diddordeb y Cymry Cymraeg. Fel corff o bobl, doedd gan Ellis ddim gormod i'w ddweud wrthynt. Oni allent weld bod un o gynlluniau datblygu mwyaf cyffrous Ewrop gyfan yn digwydd yn eu prifddinas hwy eu hunain?

Fel yn achos dinasoedd harddaf y cyfandir, roedd gweledigaeth eang, gyhoeddus yn llywio twf ardaloedd preswyl, busnes a hamdden. Byddai'r argae rhwng penrhyn Penarth a'r dociau yn creu llyn mawr, dramatig o hardd, a fyddai'n adfer yr amgylchedd naturiol. Yna fe roddid un perl hardd yn y goron sef Tŷ Opera, ac wedyn, pwy a ŵyr – efallai ynghynt nag y tybia neb – y diemwnt: Senedd Gymreig...

Trawodd lygad dros yr adeiladau o'i gwmpas a theimlo

ton o lonyddwch annisgwyl. Am eiliad hudol teimlodd i'r adeiladau newydd fod yma erioed, a'i fod ef ei hun hefyd *i fod* yma ac *i fod* i fwynhau'r eiliad yma o weledigaeth...

Hoffai Menna ei gyhuddo o fod yn rhamantydd. Ni fyddai'n gwadu'r cyhuddiad. Mae'n siŵr bod elfen o hynny yn ei ddewis heno o fwyty'r *Chandlers* ym Mhenarth a'i olygfa wych dros y Bae.

"Rhamantydd yw pob gŵr busnes llwyddiannus," atebodd Ellis unwaith.

"– ac aflwyddiannus," ychwanegodd Menna. Doedd ganddi chwaith mo'i ffydd ef yng nghynllun y Bae. "Mae'r hinsawdd economaidd wedi newid. Mae'r cyfnod o dwf ar ben. All cwmnïau ddim fforddio symud, ac all y wlad ddim fforddio'r strwythur, yr hewlydd, yr argae. Mae oes newydd wedi dechrau, Ellis, un ôl-ddiwydiannol."

"Os ystyr diwydiant ydi gwaith. Wyt ti'n dweud felly na fydd 'na ddim economi?"

"Ac wyt ti'n hollol siŵr dy fod ti *moyn* i'r cynllun lwyddo? Ti'n sylweddoli y bydd 'na draffordd yn rhedeg reit drwyddo? Mae'r syniad yn hen ffasiwn yn barod. Mae oes aur y car drosodd..."

Ac yn y blaen. Mor wahanol oedd cwmni Menna i Molly! Gallai'r ddwy fod yn bur sgeptig, ond roedd ymateb Menna'n heriol, nid yn negyddol sbeitlyd. Wedi dadlau ag ef, byddai Molly'n troi oddi wrtho i'w byd bach ei hun. Heb os, roedd ganddi dalentau creadigol, ond dim ond wedi cyfarfod â Menna y sylweddolodd Ellis cymaint yr oedd bod yn Gymraes yn cyfri, o safbwynt rhannu diddordebau.

O dan ddylanwad gormodedd o win, cofiodd Ellis ei hun yn cyfaddef wrth Menna ryw dro: "Beth os wyt ti'n iawn? Beth os bydd y cynllun yn methu? Efallai bod pob cynllun yn methu pan gaiff ei gyflawni. Yn y cynllunio mae'r cyffro, ac yn y tyfu. Y daith sy'n bwysig, nid y cyrraedd. Falle mai nawr yw'r amser gorau oll, tra bo'r freuddwyd yn dal yn fyw..."

Yn sydyn, deffrôdd Ellis o'i ymson. Sylwodd ar ddyn yn camu'n gyflym tuag ato o gyfeiriad y dafarn: y barman.

"Rhywbeth yn bod?" holodd gan godi.
"Neges ffôn i chi, syr. Eich gwraig, rwy'n credu."
"Rhyw neges?"
"Dim ond gofyn i chi ei ffonio'n ôl ar unwaith."
Trawodd ei beint ar y fainc, a'i sblasio eto dros fap y ddwy Swedes.

* * *

"Menna?"
"Mae hi'n amhosib, Ellis. Weles i hi 'rioed yn waeth. Mae'n gwbod ei bod hi'n ddiwedd wythnos. Ti'n cofio nos Wener ddiwetha?"
"Dydi hi ddim yn *dal* i sôn am Langroes?"
"Yr un hen stori."
"Dratia, a finna'n meddwl ein bod ni'n dechrau dod i ddeall ein gilydd."
"Roedd y tro diwetha'n fistêc, ei gadael hi mor hir lan 'na. Mae'n rhoi cyfle i Dafydd ddylanwadu arni."
"Ond elli di ddim osgoi hynny os ydan ni'n cytuno i'r syniad yma o fynd i Langroes ddwywaith y mis."
"*God*, Ellis, dwy' ddim am ddadlau am hynna i gyd nawr."
Allai Ellis ddim cytuno mwy. "Wel, pa mor amhosib ydi amhosib?"
"Ma' Penarth allan o'r cwestiwn. Rwy 'di cael gwin hefyd."
Meddyliodd Ellis yn galed. "Yoko'n dal yna?"
"Fydde fe ddim yn deg, Ellis."
"Jyst am un awr. Mi allen ni gael pryd yn y *Steamship*, fyny'r llofft yn y *Wharf* 'ma. Mae'n reit braf. Mi archeba i'r bwyd rŵan: fydd dim rhaid inni ddisgwyl. Mae'n rhaid iti fwyta rywbryd heno, Men – dywed wrth Yoko y gwnawn ni ei ffonio hi *half-time*."
" 'Sda fi mo'r galon i ofyn iddi. Beth am nos fory: cadwa fwrdd nawr ac fe siarada i'n neis 'da Yoko."
"*Chandlers* felly?"
"Beth bynnag. Wela i di yn y munud."

Dan regi, ffoniodd Ellis i ohirio'r bwrdd yn y *Chandlers* tan nos Sadwrn. Yna dychwelodd at weddillion ei beint. Roedd yn benderfynol o orffen hwnnw mewn hedd.

Roedd y ddwy Swedes yn dal yno, ond erbyn hyn roeddent yn dal dwylo a syllu i lygaid ei gilydd. Gan geisio ymddwyn fel petai hynny'r peth mwyaf naturiol yn y byd i gyd, ailsefydlodd Ellis ei hun o'u blaenau.

O leiaf fyddai eu perthynas nhw ddim yn esgor ar broblemau fel Siani, merch un ar ddeg oed Menna a Dafydd. Mor syml oedd pethau i'r ddwy: gallent dorri neu ddechrau perthynas fel rasal o lân, heb gymhlethdodau plant ac eiddo. Gobeithio i'r nef y byddai Siani yn ei gwely erbyn iddo ddychwelyd i'r fflat.

Un o'r pethau a gymhlethai'r sefyllfa ymhellach oedd ei fod yn ei hoffi, er na allai fyth fod yn siŵr o'i hymateb. Ceisiai ei diddanu yn yr oriau prin pan allai, a'i hanrhegu'n gyson. Yn ddi-blant ei hunan, nid oedd wedi meiddio codi'r testun o blanta gyda Menna. Nid oedd yn optimistaidd, ond os codi'r cwestiwn o gwbl, byddai'n rhaid iddo wneud hynny cyn bo hir, a Menna newydd droi'r pymtheg ar hugain. Ar rai adegau fe dybiai fod Siani ac yntau'n deall ei gilydd yn well na hi a'i mam. Ond wedyn, ar noson fel heno – neu weithiau, yn ei chwsg, pan glywai hi'n galw am ei thad – gwyddai nad oedd dyfodol iddi yng Nghaerdydd.

Taflai'r haul hwyrol gysgod yr adeiladau uchel dros y dŵr o'i flaen. Roedd hi'n dechrau oeri, a'r sgiwyr wedi penderfynu ymhél â phleserau eraill. Wel, meddyliodd Ellis, dyw 'mhen i fawr cliriach ar unrhyw fater, cha' i mo'r pleser o fwyta allan heno, ond mae gen i fy nghartref newydd, braf ac mae gen i Menna.

"Ni cheir y melys heb y cwrw chwerw," chwarddodd yn ffôl wrtho'i hun gan wagio'i wydryn ac ychwanegu'n heriol o farddonllyd: "... a pho chwerwaf y chwerwder, y melysaf y melyster."

Cawsai Ellis bwl o brydyddu flynyddoedd yn ôl, pan

oedd yn y chweched dosbarth. Ac yntau'n awr mewn canol oed teg, teimlai weithiau – yn arbennig wedi tripheint o Boddingtons ar stumog wag, ar ôl wythnos galed o waith, ac yng nghwmni dwy Swedes mewn cariad – ei fod yn dal yn llencyn chweched dosbarth, a'r byd wrth ei draed.

3. Nos Wener

"The mild is mild tonight," meddai Dafydd yn llon, ond fel y llithrodd y geiriau dros ei wefusau sylweddolodd iddo ddweud peth hollol dwp.

"That's exactly as it should be, Daffyd, isn't that so, boyo?"

"Sorry – I mean it sounds daft in English..."

"Don't worry about it, man. You just keep on drinking it, Daffyd boy."

Keep on paying for it oedd e'n feddwl, wrth gwrs. Pam oedd e'n trafferthu i godi sgwrs 'da'r mwlsyn? Trodd Rudge ei gefn ato a gweini ar y ddau ffarmwr cefnog oedd newydd ddod i'r lolfa. Eto, ni allai Dafydd gasáu'r dyn: Sais o'r dosbarth gweithiol, 'peiriannydd' fel y'i galwai'i hun, ond trin carthffosydd fuodd e nes ymddeol yn gynnar. Wedi oes yn dargyfeirio cachu Saeson, pwy allai ei feio am chwilio am dafarn yng nghefn gwlad Cymru?

A hithau'n wyth o'r gloch ar nos Wener, ni allai Dafydd gwyno ar ei fyd. Roedd wedi bachu ei hoff safle yn Y Groes – y stôl uchel yng nghornel y bar – a theimlai fod y byd hwnnw'n dal yn sylfaenol grwn, er gwaethaf digwyddiadau'r wythnos. Pwysodd yn ôl yn erbyn y wal a chymryd llwnc arall o'r ddiod: roedd y mwyn *yn* fwyn. Abnormalrwydd oedd ymweliad y Milwr. Roedd iddo'i le yn y patrwm eang wrth gwrs – ond hyn oedd yn normal ac yn real ac yn aros: Rudge yn flin, y ffermwyr yn sipian chwisgis yn y cefn, yfwyr y cyntedd yn dwyn eu peintiau trwy'r hatsh ochr, Dai yn pwno'r perfedd mas o'r peiriant ffrwythau...

Bois y cyntedd oedd y gwir gymeriadau, wastad yn sefyllian ar waelod y stâr, yn rhy annibynnol i eistedd mewn peth mor gaethiwus â sedd. Roedd pethau eraill hefyd fel y buon nhw erioed: yr hen fflags carreg ar lawr, y setl ddu gyferbyn. Wrth gwrs roedd yn rhaid i Rudge drio 'gwella'r' lle. Caeodd yr hen dân agored a rhoi un nwy yn ei le gydag arwydd uwch ei ben, *This Is a Gas Fire, Do Not Throw Rubbish Into It.* Hoeliodd bedolau aur hwnt ac yma a drych ffug henffasiwn dros y pentan.

Crwydrodd llygaid Dafydd at y posteri – *Carnival/Carnifal* y Morfa ym mis Mehefin, hysbyseb i'r Amgueddfa Gwaith Mwyn, ac un uniaith Gymraeg y Gymdeithas Difa Llwynogod. Uwchben yr hen setl ddu, yr oedd dau lun gan ffotograffydd *Llais y Llan*, y papur bro: un o dîm pêl-droed y pentre yn ôl yn 1979 (yr unig dro iddynt ennill y bencampwriaeth), a'i ffefryn, llun a dynnwyd tua'r un pryd o rai o hen gymeriadau'r dafarn yn eistedd gyda'u peintiau ar yr hen setl ddu. Cawsai Dafydd gwmni pob un ohonynt, ond buont farw i gyd ond dau yn ystod y naw mlynedd y bu e'n byw yn y pentre.

Ond pwy gerddodd i mewn drwy'r drws yr eiliad honno ond Shag Harris ac Enoc Tŷ Hir; ie – nhw – y ddau oedd ar ôl! Bellach yn eu hwythdegau hwyr, rhaid bod y gwanwyn cynnar wedi eu tynnu i lawr o'r topiau. Rhoesant eu cotiau'n barchus ar fachyn y drws.

Am funud, ceisiodd Dafydd gredu i'r naill beth achosi'r llall – iddo edrych ar y llun ac i hynny beri'r ymweliad – ond roedd hynny'n wirion.

"*Two pints of mild beer, please...*"

"*With pleasure, gentlemen...*"

"Dy'ch chi ddim am fentro ar y *bitter* heno 'ma?" pryfociodd Dafydd.

"Dim cwrw 'di *bitter*, wasi, fel gwyddost ti'n burion," meddai Shag gan amneidio at y cwrw tywyll yng ngwydryn Dafydd ei hun.

"Iechyd da, gyfeillion," meddai Dafydd, wrth ei fodd. "Iechyd da pob Cymro..."

Yna eisteddodd y ddau ar y setl, o dan y llun ohonynt eu

hunain: Shag yn fyr, sgwarog, blewog ei amrannau ac Enoc yn dal, trwynog a moel. Sipient eu cwrw'n ddrygionus; yna dywedodd Enoc, fel pe bai'n darllen meddwl Dafydd, "Edw i ddim yn hoffi'r hen lun gwirion ene, wyt ti Shag?"

" 'Neud inni edrych yn ffylied, braidd..."

"Fel rhyw bethe o'r oes o'r blaen," – gan fflemio i mewn i'r tân nwy.

Yn y man daeth Gwyn Tai i mewn a sefydlu'i hun wrth y bar ar ôl cyfarch y ddau hynafgwr. Yna meddai'n dawel wrth Dafydd, wedi drachtio'i lwnc cyntaf o gwrw: "Dyna nhw iti: yr ola o'r hen Gymry."

"Yr ola o'r hen gymeriade, falle."

"Yr ola o'r Cymry wedes i, Dafydd."

Byddai Gwyn wastad yn delfrydu'r gorffennol. Yn hanner cant a phump, roedd bron ugain mlynedd yn hŷn na Dafydd. Fyddai Dafydd, fel arfer, ddim yn rhoi pwys mawr ar ei osodiadau adweithiol. Ond nawr trodd rhywbeth y tu mewn iddo wrth glywed adlais o eiriau'r Milwr. Cofiodd am ei addewid i holi am y blydi gwaith adeiladu, ond nid dyma'r amser i wneud hynny.

"Dangos nhw i fi 'te," heriodd Gwyn. "Dy Gymry di. Drycha rownd y bar 'ma a dangos i fi ble maen nhw."

"Wel, beth am rheina wrth y bwrdd darts? Cymry lleol i gyd." Roedd criw o fechgyn ifanc o'r tai cyngor yn taflu picellau rownd y gornel iddynt.

"Gwranda ar eu hiaith nhw, Dafydd bach."

Trodd Gwyn at Enoc. "Chi'n cofio'r *extension* godoch chi i fyngalo Mrs Henry Hughes, Bryn Seilo?"

"Mi weithiais i ar gannoedd o dai yn 'y nydd, gyfaill, ond chodais i'r un fricsen er lles y wraig arbennig yna."

"Ond dyna be rwy'n ddweud," meddai Gwyn gan chwerthin#. "Roech chi'n brin o frics rhyw bnawn Gwener, a phawb bron â marw eisie gorffen y job, a mynd adre. A gawsoch chi brein wêf – cael un o'r bois i lanw'r wal â glo o'r byncyr a'i blastro fe drosodd yn gwic reit tra oeddech chi'n yfed te gyda Mrs Hughes yn y parlwr!"

Doedd Enoc ddim yn gwerthfawrogi'r hanes, ac aeth Gwyn ati i adrodd – dim ond wrth Dafydd y tro hwn – y stori am Shag, a'r gêm brag a chwaraewyd am ddillad Sali'r barmed un nos Sul flynyddoedd yn ôl, pan oedd yr hen Fullins yn dafarnwr yma.

Fel yr adroddai Gwyn yr hen chwedlau, archwiliodd Dafydd gynnwys y bar drosto'i hun. Ar y chwith, Eddie, boi o Lanelli yn gweithio gyda Gwyn ar dai newydd Caederwen; dau bâr nad oedd e'n eu nabod a neb yn siarad â nhw – ymwelwyr i lawr dros y Pasg; Donald Dysgwr – neb yn siarad 'dag e chwaith: byddai'n sleifio i'r lolfa mewn munud; a John Êl, alci'r pentre. Yna gwenodd wrth weld Humphrey Lloyd-Davies, y methdalwr lleol, yn cerdded i mewn yn dalp o urddas; ac roedd yna fyrddaid o hipis ger y ffenest.

"Wyt ti o'r un farn â fi erbyn hyn 'te?" meddai Gwyn a fu'n gwylio Dafydd.

"Ddim o gwbwl. *Mae* yma gymeriade."

"Ma' Dafydd yn cweit reit fan'na, Gwyn. Iesu, wyt ti'n gymeriad dy hunan y diawl," meddai Eddie, yn gwyro tuag atynt.

"A mae 'na gymeriade ymhlith y Saeson hefyd, petaet ti'n hollol onest," meddai Dafydd.

"Yn hollol onest? Wi 'di bod yn 'u tai nhw, yn trwsio'u toeon nhw. Jyncis yw'r rhan fwya yn byw'n fras ar gefn y wlad, ond digon o arian 'da mami a dadi pan ma' baco'n mynd yn brin. Drycha ar honna nawr yn 'i bangls a'i bids a'i phyjamas pinc, a hwnna nesa ati gyda'r *pony-tail*: Crist o'r nef, beth yw peth fel'na, gwêd: dyn neu fenyw?"

"Ond dy'n nhw ddim yn faterol. Rhaid iti roi hynny iddyn nhw."

"Ond gallan nhw fforddio peidio bod! Gwed wrtha i, ydi rigowt fel'na'n dy 'neud ti'n gymeriad? 'Drycha ar Shag ac Enoc, mor barchus y'n nhw: gallen nhw fod yn ddiaconied mewn capel. Nhw yw'r cymeriade, nhw yw'r bobol real, nid y sothach yna sydd â phopeth ar yr wyneb."

"Dy'n nhw ddim i gyd 'run fath. Weli di honna," meddai Dafydd gan bwyntio at un ferch arbennig a eisteddai ger bwrdd arall mewn grŵp o bedwar. "Ma' hi'n dysgu Cymraeg, a'i merch fach yn cael gwell marciau yn yr ysgol na phlant y crach i gyd."

"Pa iaith ma' hi'n siarad nawr 'te, gwed?"

Allai Dafydd ddim gwadu mai Saesneg oedd iaith y cwmni.

"Ond wi'n siarad Cymraeg 'da hi," mynnodd Dafydd. Roedd e wedi ffansïo Patsy o hirbell ers tro: yr unig ferch, oddi ar ymadawiad Menna, y byddai'n caniatáu iddi aflonyddu ar ei feddwl. Un dal, denau, gwallt cochfrown, wastad yn gwisgo gwisg frethyn laes at ei thraed, myfyriwr 'aeddfed' yn byw mewn tŷ teras yng nghanol y pentre gyda'i merch, Terra. Hi oedd ysgrifenyddes newydd yr Ysgol Feithrin ac roedd hi wedi gofyn i Dafydd wneud posteri iddi. Roedd e'n gobeithio gorffen y job dros y Sul.

"A beth amdanyn nhw, dy fois darts di?"

Ysgydwyd Dafydd yn ôl i'r presennol. "Sa i'n deall y peth. Am ryw reswm, pan maen nhw mas 'da'i gilydd..."

"Ma' nhw'n fois ôl reit iti," cyfrannodd Eddie eto. "Bois y werin. 'Sdim pawb gallu siarad Cwmrâg fel llyfyr. Falle bod un o' nhw â dim Cwmrâg gatre. Elli di ddim beio nhw. Bydd yn realistic, Gwyn."

"Sa i'n eu beio nhw," meddai Gwyn. "Y cwbwl wi'n ddweud yw nage nhw yw Shags ac Enocs y dyfodol."

Yna cafodd Dafydd syniad anghysurus. "Falle na ddôn nhw ddim lawr 'ma eto. Falle mai heno yw'r noson ola y gwelwn ni nhw."

Gorffennodd Gwyn ei beint yn araf gan edrych dros dop ei wydryn ar y ddau gymeriad yn mwynhau. "Ti'n iawn, Dafydd. Ychydig iawn o bobol sy'n gallu godde'r gwir am y pentre 'ma, nac am ddim byd arall, wir. Yr un peth 'to?"

Rhoddodd Dafydd ei beint yntau ar y bar, wedyn Eddie.

"Tri pheint o gwrw mwyn."

Trodd Dafydd ei ben wrth glywed yr archeb Gymraeg. Kylie oedd yna'n gweini, a Rudge wedi ymddeol i'r cefn.

"Hei, Kylie, shw ma'r achos?"

"Oh, iawn, Dafydd," gan wenu'n sydyn a chynnes.

"Neis dy weld ti'n ôl. Trueni na 'se'r hen Rudge yn cadw'n glir o'r bar. Ti'n cael llonydd 'da'r mochyn nawr?"

"Mae e wedi dysgu'i wers, rwy'n credu."

Pishyn ifanc, smart oedd Kylie, gwraig un o'r bois darts, a'i cholur trwm yn rhoi rhyw olwg ddinesig iddi. Bu stori ar led i Rudge geisio'i thrin yn hwyr un noson ac i'w gŵr wedyn droi ar Rudge – a ddihangodd am bythefnos i Majorca. Y pethau sy'n digwydd mewn pentre...

"Cofia un peth, Gwyn," meddai Dafydd wedyn. "Dim y bar yma yw'r pentre. Dyna iti'r rebels sy'n yfed ar waelod y stâr; wedyn y crach yn y cefen."

"A'r crach Saesneg."

"A'r ffermwyr, cofia. 'Da ti dipyn o bentre ar ôl o hyd. Mae 'na gic o hyd yn yr hen Langroes 'ma."

"Paid â chamddeall, Dafydd: sa i'n dweud bod y pentre ar ben. Ethen i byth o 'ma. Ges i 'ngeni a'm magu yma. A dyna falle'r broblem. Yn wahanol i ti rwy'n gweld y gwahaniaeth rhwng fel mae e ac fel buodd e."

Tra oedd y tri ohonynt yn ailafael yn y mater o yfed, tybiodd Dafydd, yn ei hwyliau gwell, y byddai hyn yn gyfle cystal â dim i gael cwestiwn y Milwr oddi ar ei frest. Byddai wedyn wedi cadw ei air.

"Y'ch chi'n gwbod rhywbeth am gynlluniau Caederwen? Maen nhw'n gweud bod 'da fe gais cynllunio i mewn."

"Wyddwn i ddim," meddai Gwyn.

"Mae e yn y *Cambrian News* wythnos hyn," meddai Eddie. "Dyw e ddim big sicret."

"Pwy sy tu ôl iddo fe?" holodd Dafydd eto. "Fe'i hunan, neu rywun arall?"

"Boi, ti'n gofyn cwestiwn da fan'na."

Canodd Rudge y gloch amser cau. *"Last orders ladies and gentlemen and would you please draw the curtains."*

Cododd un o'r hipis i gyflawni'r seremoni'n llawen gan wybod mai gwag oedd y bygythiad i derfynu gwasanaeth. Daeth un o'r dartwyr at y bar i archebu pedwar peint o lager a phedwar paced o grisps blas *Vindaloo*. Yna daeth yr hipi yn y pyjamas pinc draw ag archeb dipyn mwy cymhleth, a chario llond hambwrdd o ddiodydd amryliw yn ôl at ei ffrindiau o gwmpas y bwrdd crwn yn y ffenest.

Yn y cyfamser roedd rhai o'r rheini'n ymestyn o dan eu cadeiriau am ryw flychau duon. Cydiodd un mewn tabwrdd, un arall mewn banjo bychan a'i diwnio ar ei chlust.

" 'Ma'i ffycin diwedd hi nawr," rhegodd Gwyn. "O'n i'n meddwl ma' nos Iau o'dd eu noson nhw, nid nos Wener."

"Gŵyl Banc, ti'n gweld."

" 'Sen i'n gwbod, 'sen i ddim wedi gadael y tŷ." Trodd ei gefn ar Dafydd a phori yn y *Sun* oedd ar y cownter.

Yn raddol, meddiannwyd yr ystafell gan sain annelwig: rhyw grwndi undonog, dwyreiniol bron – ond yna cyflymodd y curiad a thorri'n rhydd fel ebol i mewn i jig Wyddelig. Rhedodd ias i lawr cefn Dafydd: rhyw ffrwd drydanol, ymlaciol. Gallai'n hawdd fod mewn tafarn yn Iwerddon – roedd yn arwydd bod y Crac yn agosáu...

" 'Da ti ragfarn ddiawledig," meddai gan brocio cefn Gwyn. "Ti byth wedi trafferthu gwrando. Beth bynnag ddwedi di am y miwsig, dyw e ddim yn Anglo-Americanaidd."

"Dim jyst eu sŵn nhw sy'n ddrwg, ond eu mwg nhw," atebodd Gwyn heb godi'i ben o'r *Sun*.

"Beth 'sen nhw'n Gymry? Yn erbyn cyffuriau wyt ti neu yn erbyn Saeson?"

"Y ddau: maen nhw'n mynd 'da'i gilydd."

Tua hanner awr wedi un ar ddeg, sylwodd Dafydd ar resiad o bobl canol oed ifanc, llewyrchus a deniadol ond anffurfiol eu gwisg yn martsio heibio i'r hatsh: pump o ddynion a dwy ferch. Cododd Gwyn, hyd yn oed, ei aeliau wrth wylio'r ferch olaf – blonden fer, bert – yn pasio heibio i ddrws agored y bar. Arhosodd hi yno am eiliad yn y drws a chododd Dafydd ei law arni. Goleuodd ei hwyneb wrth iddi ei adnabod.

"Rhaid iti ddod drwodd i'r cefn weithiau, Dafydd. Y'n ni'n

colli nabod arnat ti."

"Ti'n iawn, Lleuwen. Rwy braidd yn rhy hoff o'r hen stôl 'ma."

"Yn hollol. *Syrciwletio*. Rhannu dy hunan mas. Ry'n ni i gyd ishe tamed bach ohonot ti."

"Yr unig broblem yw, sa i'n siŵr faint o'n hunan sy ar ôl."

"Digon i'n cadw ni'n hapus."

"Bydd yn rhaid i fi newid 'yn arferion, mae'n amlwg."

"Yn hollol..."

Wedi iddi fynd, cododd Gwyn ei ben o'r papur. "Dim peryg i neb gawlio honna am ddyn, Dafydd."

"Ydi, mae'n arbennig, on'dyw hi."

"Fel'na o'dd Duw wedi bwriadu menyw i fod. Honna ddylet ti lygadu, nid y beth hir hyll yna, os wyt ti moyn menyw."

"Ond ma' hi'n briod â Morse y pensaer."

"Ei phroblem hi yw hynny."

Gwenodd Dafydd. Doedd Morse ddim yn boblogaidd: cwdyn tew, hyderus â thafod brathog – neu ry onest: doedd e ddim yn ddrwg i gyd. Bodlonodd ar ddweud: "Ar ôl popeth rwy 'di bod drwyddo, rwy'n credu y cadwa i'n glir o fenywod priod."

Plygodd Gwyn y *Sun* yn ei hanner, a llyncu gweddill ei beint ar ei dalcen. "Call iawn. Ro'n i'n gwamalu nawr. Wyt ti wedi bod trwy uffern. Ti wedi ennill dy ryddid ac wedi talu'n hallt amdano fe. Fy unig gyngor yw: trysora dy ryddid, beth bynnag wnei di. Does dim trysor mwy i ddyn."

Gwisgodd Gwyn ei siaced a throdd Dafydd ei sylw'n ôl at y gerddoriaeth ryfedd, hupnotig, ddigyfnod yna. Meddai wrth Gwyn cyn iddo ddiflannu drwy'r drws: "Wyddet ti fod Dafydd ap Gwilym ei hunan wedi bod yn rhedeg ar ôl menyw o'r pentre 'ma?"

"Be ddiawl wnaeth iti feddwl amdano fe nawr?"

"Lleuwen, am wn i. Soniodd Menna unwaith – o'dd hi'n dysgu Cymraeg. Mae 'na gywydd sy'n enwi'r lle 'ma, nid Llangroes wrth gwrs ond rhyw dai ar lan yr afon."

"Taw â sôn."

"Beth bynnag ddwedi di, mae rhywbeth am y miwsig 'ma sy'n mynd â dyn ganrifoedd nôl mewn amser."

"Nôl i Oes y Cerrig neu i Affrica rywle. Do'n nhw ddim yn mwmial jync fel hyn yn 'i amser e. Y delyn oedd yr hen Gymry'n chware."

"A'r crwth wrth gwrs."

"Synnen i daten. Adar oedden nhw, fel yr hen gymeriade."

Sobrodd Dafydd yn sydyn. "Maen nhw wedi mynd. Y ddau ohonyn nhw. Sylwest ti?" *A sylwodd neb?*

Gadawodd Gwyn a throdd Dafydd ar ei stôl i ailwynebu'r hipis a'r merched diddorol yn y gwisgoedd llaes.

"Rwy'n iawn ynglŷn ag un peth," meddai'n uchel wrtho'i hun. "Mae 'na bentre ar ôl 'ma o hyd."

Trodd Patsy ei phen wrth glywed ei lais, a gwenu. Cyfarfu eu llygaid. Yna chwalodd Eddie – o ble daeth e? – yr hud yn yfflon trwy ddweud: "Ti'n ffycin iawn fan'na, Dafydd, a'n job ni yw ffycin cadw e."

"Os ti'n dweud 'ny..." meddai Dafydd yn sych gan droi ei sylw'n ôl at y gerddoriaeth.

"A dim ond un ffor' ni'n mynd i 'neud e," meddai, gan dynnu ei stôl tuag ato.

Ond roedd Dafydd yn dal i drio gwrando.

"... cadw'r Saeson mas – a'u cwmnïe nhw."

"Cwmnïe? Pa gwmnïe?"

"Paid dishgwl mor dwp, Dafydd bach. Ti ofynnodd nawr pwy oedd tu ôl i blanie Caederwen. Wel, weda i 'tho ti: *Berry Homes*."

"Pwy yn hollol y'n nhw, 'te?"

"*Berry Homes*! Mae'u henw nhw bobman. *Head office* yn Chester. Ti bownd o fod wedi gweld 'u seins nhw abwyti'r lle."

"Ond sut wyt ti'n gwybod?"

Oedodd Eddie am eiliad cyn dweud: "Wel, welest ti ddim o'u syrfeiors nhw'n mesur mas y caeau? O'n nhw 'na am ddou ddydd, 'bwyti mis yn ôl."

"Felly oe't ti'n gwybod amser hynny?"

"Na, ond wi'n gwybod nawr. 'Bach iawn o sicrets yng

nghefen gwlad, Dafydd."

"O, felly," meddai Dafydd yn gloff – gan sylweddoli iddo gael cadarnhad rhyfeddol o hawdd o amheuon y Milwr. Allai'r peth fod yn fawr o gyfrinach os oedd hyd yn oed Eddie'n gwybod. Ar ôl pethau eraill, pwysicach yr oedd y Milwr, wrth gwrs...

Ceisiodd Dafydd ailhoelio'i sylw ar y miwsig, ond am ryw reswm roedd yr hud wedi mynd. Hen dôn werin fecanyddol oedd hi'n awr, heb ddim addewid dirgel o hwyl mawr i ddod.

4. Bonded Warehouse

GOLLYNGODD Y TACSI nhw gyferbyn â gwesty'r Celtic Bay.

"*Cognac* bach i orffen?" cynigiodd Ellis gan dynnu Menna ato.

"Syniad da ond basen i'n mwynhau e'n well ar ôl setlo Yoko. Gawn ni un gartre, El."

"Dyna wnawn ni..."

Hoffodd Ellis y ffordd y defnyddiodd hi'r gair *gartre* mor naturiol. Mewn un gair bach, syml, dyna'r cyfan oedd e'n dymuno ganddi. Ond wedi dwy flynedd o gyd-fyw, oni ddylai gymryd hynny'n ganiataol? Ac yn arbennig felly heno, wedi noson mor llwyddiannus. Bu'r gohirio'n fendith gan fod y ddau ohonynt, ar nos Sadwrn, cymaint yn llai blinedig ac yn gallu ymroi'n llawnach i holl seremonïau pryd estynedig o fwyd.

Cydiodd Ellis yn dynnach yn Menna wrth ei thywys drwy un o'r twnelau a arweiniai at y cei ac at eu fflat yn Bonded Warehouse. Cerddasant drwy'r agoriad bwaog tuag at ddyfroedd tywyll yr hen ddoc. Dawnsiai goleuadau'r lampau a ffenestri'r fflatiau ar wyneb y düwch aflonydd. Arhosodd Ellis – y noson, y gwin, melyster y cyfan yn codi'n chwil i'w ben.

Gafaelodd yn ysgwyddau noeth Menna, a'i throi'n arw yn erbyn mur y twnel. Slipiodd ei fysedd dan strapiau main y ffrog ddu a'u gwthio dros ei hysgwyddau a'i chusanu'n wyllt ar ei gwddf, ei gên, ei bronnau. Gollyngodd Menna ei bag, ailosod ei ddwylo crwydrol yn daclus am ei chanol, a'i gusanu'n ysgafn, ymataliol ar ei wefus.

"Allwn i dy fwyta di, Menna..."

"Ti wedi cael dy swper."

"*Starter* oedd hwnna," meddai Ellis gan chwarae â'r strapiau du.

"Ddim yma, Ellis. Mae 'na bobol o gwmpas."

"Mae wastad pobol o gwmpas," meddai Ellis, yn gollwng ei afael.

"Ei di ddim yn bell hebddyn nhw."

"Ei di ddim yn bell iawn gyda nhw."

"Ti'n snob."

"Ti hefyd, Menna."

Yn awr, ger ymyl y cei, arhosodd Ellis i edmygu'r olygfa: y dŵr o danynt, silwét yr adeiladau, y goleuadau ynddynt yn diffodd o un i un. Drwy'r bwlch heibio i adeilad y Watershed gallai weld y môr mawr, ac yn hongian uwch ei ben, siâp tenau, croen lemwn y lleuad newydd.

"Nid Fenis," meddai Ellis, "ond eto..."

"Na: nid Fenis."

"Ond yr un syniad sylfaenol o fyw a gweithio ar y dŵr..."

"Ti wedi dweud hynna sawl gwaith o'r blaen."

"Rhaid bod rhyweth ynddo fo, felly..."

Chwarddodd Menna, yna tynnodd Ellis hi ato a'i chusanu'n flysiog, a'i llywio'n erbyn polyn lamp.

"Ond y'n ni dan y golau!" protestiodd Menna. "Wyt ti am roi sioe am ddim i bawb?"

"Ti'n poeni am bobol eto," meddai Ellis gan lithro'i ddwylo i lawr at ei phenôl, a'i thynnu ato.

"Paid!" meddai Menna'n chwyrn. "Fan'na mae'r fflat. Wir, rwyt ti fel adolesent weithiau, fel taset ti heb gyffwrdd â menyw erioed o'r blaen."

Ildiodd Ellis yn anfodlon, a cherdded ymlaen. "Dyna'r effaith rwyt ti'n gael arna i – ac ar ddynion eraill. Ro'n i'n eu gweld nhw'n edrych arnat ti heno gyda'u llygaid llo. Roeddet ti'n edrych yn dda ac ro'n i'n methu credu mai fi oedd pia ti."

Gafaelodd Menna yn ei law o'r diwedd, ond sefyll draw yn ddireidus fel y cerddent ar lan y dŵr. Yna meddai'n llon: "*Dwyt* ti ddim pia fi."

"Wrth gwrs na..."

"Petaen ni'n briod, hyd yn oed. A gan nad y'n ni ddim, dwi'n ddwbwl rydd."

"Ga' i dy bia di jyst am heno, Menna? Gawn ni dorri'r rheolau?"

"Na, nid 'y mhia fi, chwaith."

"Ond dy gael di?"

"O'r gore. Tan ddydd Mawrth."

"Pam dydd Mawrth?"

"Achos dyna pryd rwy'n mynd i Lundain."

"Blydi Llundain!"

"Tasen i ddim yn gorfod mynd i Lundain, mi gaet ti fi drwy'r wythnos."

Trodd Ellis ati a difrifoli. "Mi drefna i hynny. Yn fuan – dwi'n addo." Yna, yr un mor ddirybudd, llonnodd eto. "Ond dwi'n deall yn hollol sut rwyt ti'n teimlo. 'Run fath â rhywun sy'n byw yn Fenis, ac yn gorfod teithio i blydi Rhufain o hyd."

Chwarddodd Menna. Dyna pam roedd hi'n hoffi Ellis. Er gwaetha'i wendidau, ei ramantiaeth bachgennaidd, ei addewidion gwag, gallai faddau'r cyfan am ei ddawn i ddweud pethau gwirion fel'na. Er nad oeddent ond decllath o ddrws eu fflat, hi afaelodd ynddo ef y tro hwn, a'i gusanu'n gynnes a gwlyb.

* * *

Roedd Siani'n cysgu'n drwm wedi dydd a noson o chwarae caled ond roedd mam Yoko'n hwyr yn dod, a thra oeddynt yn disgwyl amdani roedd yn rhaid gadael i Yoko weld diwedd y fideo *Star Trek*. Gwyddai Ellis fod *Nuit d'Amour* ar un o'r sianelau eraill, ond erbyn i Yoko fynd dim ond pum munud o hwnnw oedd ar ôl.

Chwipiodd Ellis drwy'r sianelau lloeren tra oedd Menna'n gorweddian ar y soffa liwgar, glytiog. Cododd hi'r gwydryn brandi'n ddioglyd i'w gwefusau. "Pryd wyt ti'n mynd i gael y soser Ffrangeg yna? Gawn ni ffilmiau da bob nos wedyn."

"Pan ga' i amser i'w gwylio nhw. A chyn hynny mi fydd yn rhaid i mi ffindio'r amser i ddysgu Ffrangeg yn iawn. *Bon appétit!*" meddai Ellis gan godi'i wydryn.

"*Santé!* ddylet ti ddweud, gyda diod."

"*Santé!* felly. Biti nad wyt ti'n cael mwy o gyfle i ddefnyddio dy Ffrangeg. Wir, mi wna i rywbeth ynglŷn â hyn y tro nesa'r a' i i'r ddinas."

"Ond mae 'da fi lai o amser na thi i wylio teledu."

"Ond mi fasa'n braf, weithiau, yn hwyr y nos."

"Mae'n wir y buase fe'n safio ni rhag gorfod gwylio hysbysebion Telewales."

"A Telewales ei hun. Sianel blentynnaidd i bobol blentynnaidd... Pam yn hollol gwnest ti Gymraeg yn lle Ffrangeg?"

"Sa i'n siŵr. Y dewis hawdd? Bydde blwyddyn ym Mharis wedi bod yn braf."

Oedodd Ellis cyn gofyn: "Ond dwyt ti ddim yn dyfaru gadael dysgu, wyt ti?"

"*Je ne regrette rien.*"

"*Rien?* Wyt ti'n hollol siŵr?"

"*Absoluement!*"

Cyffyrddodd eu gwydrau yna pwyntiodd Ellis y zapiwr at y teledu ac oedi, yn y man, ar lun o ferch dal, Amazonaidd yn araf ddadbilio nicer main o gotwm coch. Gadawodd i'r cerpyn syrthio i'r tywod a'i gicio i ffwrdd â bawd ei throed. Edrychodd Ellis draw yn amheus at Menna: doedd e byth yn hollol siŵr beth oedd ei daliadau ffeministaidd yn ei ganiatáu.

"Gad e 'mla'n os yw e'n troi ti 'mla'n."

"Dwi ddigon 'mla'n yn barod, paid poeni," gan roi ei law ar ei chlun.

"Fel'na rwy'n teimlo yn Llundain pan rwy'n gwerthu'n hunan – fel y ferch yna."

"Ty'd o'na. Gwerthu gofod rwyt ti, nid ti dy hunan."

"Oes 'na wahaniaeth? *God,* gwerthu gofod i Telewales, dyna dynged i rywun."

"Ti'n gneud llawer mwy na hynny," meddai Ellis yn ddifrifol.

"Gofod yw lle gwag," aeth Menna ymlaen pan gododd Ellis i nôl mwy o iâ. "Absenoldeb rhywbeth, rhywbeth y mae angen ei lanw. Mewn gair, twll."

Arllwysodd Ellis y ciwbiau i wydryn Menna. "Math o lenwi twll ydi popeth yn y byd – neu ei wagio – fel y dywedodd rhywun."

"Ond *gwerthu'r* twll ydw i, nid ei lenwi!"

"Felly *rwyt* ti'n dyfaru gadael dysgu?"

"Mae dyfaru'n ddiystyr ac yn wastraff amser. Jyst dweud rydw i 'mod i fel yr hwren yna, yn gorfod edrych yn berffaith a bod yn neis i lot o ddynion *boring*."

"Dy'n nhw ddim i gyd yn ddynion ac yn bendant dy'n nhw ddim i gyd yn *boring*. Mae rhai ohonyn nhw'n alluog iawn."

Yn awr ymddangosodd Tarzanddyn ar y traeth Canoldirol, fel rhyw dduw yn camu o'r tonnau, ei ewynnau'n tonni fel y tynnai'r camera i mewn at ei dorso tyn. Yr oedd ei nicer bychan yntau'n orlwythog fel dau bwys o winwns buddugol ym Mhreimin Môn (fel y tybiai Ellis).

"Neb fel fe, felly?"

"Dim gobaith caneri. Wir Ellis tro'r blydi rybish 'na bant. Sut allwn ni siarad yn gall..."

"Oes raid inni siarad yn gall?" atebodd Ellis gan gyffwrdd â gwegil Menna a diffodd y set yr un pryd. "Sarah Vaughan yn well syniad," meddai gan glicio ar y Bang & Olufsen a gostwng goleuadau'r ystafell.

"Dyna welliant," meddai Menna gan ymateb i'r llais synhwyrus, siocledaidd.

"Does dim i guro'r hen ganeuon."

Pwysodd ei phen ar ei ysgwydd. "Sori, El, do'n i ddim wedi bwriadu mynd ymlaen am y job. Nid y job 'i hun yw'r broblem, nid y gwerthu gofod. Rwyt ti'n lwcus. Dim ond un peth y mae'n rhaid i ti fod: Rheolwr Cwmni."

"Dwi'n trio, weithiau, bod yn ŵr a thad hefyd. Un digon gwael, rwy'n cyfadde... Falle hoffwn i fod yn dad iawn, rywbryd..."

Ni wyddai Ellis pam yn hollol y dywedodd hynny ar yr eiliad arbennig honno.

Eisteddodd Menna i fyny.

"Am beth od i'w ddweud *nawr*. Wyt ti o ddifri?"

"Ydw," meddai toc, " – ond dweud oeddwn i beth yr hoffwn i fod, nid beth y mae'n rhaid i mi fod."

"Diolch am hynny."

"Pam?"

"Wel dyna'r union bwynt ro'n i'n trio'i wneud. Mae disgwyl i ferch fod yn gymaint o bethau. Yn fam; yn Media Rep; yn athrawes, pan oeddwn i; yn wraig tŷ; yn hwren; yn gwmni da; ac yn fi fy hun, sy ddim yn un o'r rheina."

"Wyt ti ddim yn gwmni da chwaith?"

"Sa i'n teimlo fel bod yn gwmni da bob amser, mwy na tithe. Weithiau rwy'n teimlo fel bod yn gwmni drwg."

Yfodd Ellis ei frandi'n dawel. Rhy blydi gwir, meddyliodd.

"Rwy'n fam wael; rwy'n Media Rep ganolig iawn – prin yn cyrraedd y targedau; ro'n i'n athrawes well na Rep, 'sen i'n onest; a does dim lot o ddyfodol i fi fel hwren, ddim ar ôl gweld honna heno."

"Rhaid iti ddewis felly..."

"Yn hollol. I ddechrau, alla i ddim bod yn Media Rep ac yn fam yr ail waith: mae *hynna'n* bendant."

Penderfynodd Ellis mai doethach fyddai gadael y trywydd yna am y tro. Gadawodd iddi gario 'mlaen yn y gobaith y byddai'r caneuon sentimental a'r alcohol yn ei mwyneiddio. Yna meddai: "Menna: fe ddwedais i 'mod i'n mynd i setlo mater y repio yma. Mae gen i gynlluniau hollol bendant. Fe ddangosa i nhw iti fory. Maen nhw ynghlwm wrth y cyfarfod â chwmni Gregg Associates dydd Mawrth."

"Dwy' ddim am fod yn gas, Ellis, ond rwy wedi clywed am dy blaniau mawr di o'r blaen. Rwy wedi gweithio i Delw ers dwy flynedd nawr, a be sy wedi newid?"

"Chwarae teg rŵan: beth am y symud i'r Bae?"

"Ond mae'r *big break* wastad rownd y gornel. Yr eiliad y'ch chi'n datrys rhyw broblemau, mae rhai newydd sbon yn dod yn eu lle nhw."

"Y'ch *chi* ddwedaist ti: y'n *ni* rwyt ti'n feddwl."

"Cyfeirio at y cyfarwyddwyr ydw i."

"Ond felly y mae hi gyda phob busnes. Gair arall, gwaelach am gyfle ydi problem."

"Ti'n chwarae â geiriau eto. Falle mai greddf menyw yw e, ond dwy' ddim yn teimlo bod pethe'n iawn. Wnei di'n ateb i'n hollol onest: *ydi* pethe'n iawn? Yn ariannol?"

Dyheai Ellis am fynd i'r llofft. Sut aflwydd y cododd yr holl bynciau 'ma heno? Meddai'n bwyllog: "A'r economi fel y mae, all dim un busnes ddweud bod pethau'n 'iawn'. Os ydyn nhw, maen nhw mewn trwbwl. Ond rydan ni'n mynd ers pymtheng mlynedd rŵan. Mae'n rhaid ein bod ni'n gwneud rhywbeth yn iawn. A'r rhywbeth yna ydi arbenigo. Rydan ni'n gwmni *niche,* yn cynnig gwasanaeth *niche* i gwsmeriaid *niche*."

"Geiriau eto, Ellis: PR – a sa i'n amau dy dalent PR di. Am arian rwy'n sôn, nid am ansawdd y gwaith na'r staff."

"Clyw, mae petha *yn* iawn, ac mi brofa i hynny iti fory. Yn y cyfamser, mae gen i un cais i'w wneud," – roedd Ellis ar ben ei dennyn.

"Ie, Ellis?" gan droi ato'n syn.

"Fyddi di'n hwren imi heno?"

* * *

Agorodd Ellis lenni'r llofft. Fe wnâi hynny'n aml; ni ddeallai Menna pam. Safodd yn y ffenest yn noethlymun. Chwaraeai'r un gerddoriaeth chwerwfelys drwy'r ystafell hon. Edrychodd allan dros brydferthwch y Bae oddi tano. Am beth roedd e'n meddwl, dyfalai Menna. Ai ymestyn hapusrwydd yr oedd e, ymestyn y paratoad ar ei gyfer, neu beth? Ar ôl y fath bwysau rhywiol, peth od na neidiodd arni'n syth, fel y gwnaeth yn y twnel yna.

Fel y griddfanai sacsoffon unig o dan linell y melodi, ciledrychodd Menna arno o'r gwely. Roedd yn ffigwr digon golygus o'r cefn, gyda'i sypyn o wallt tonnog, os brith. Pwysleisiai'r golau egwan ei siâp gwrywaidd. Doedd ei broffeil o'r ochr ddim mor berffaith, ond nawr, gallai fod yn gerflun Groegaidd. Ond nid hynny oedd ei apêl ef iddi: yn dawel fach, gobeithiai y byddai'r rhyw drosodd yn weddol fuan heno.

Beth oedd ei apêl? Doedd hi ddim yn siŵr. Ai'r ffaith ei fod yn hollol wahanol i Dafydd? Gwelodd ef gyntaf mewn lawnsiad ffilm yr oedd Delw wedi'i drefnu yn Aberystwyth – aethai yno gyda ffrind a fu'n actio ynddi; yr ail dro ar gwrs sgriptio yng Nghaerdydd – y ddau ohonynt bryd hynny â dyheadau llenyddol. Yn ei ddillad llac, ffasiynol, roedd yn ffigwr diddorol, soffistigedig. Roedd y ddau ohonynt, am wahanol resymau, yn barod am antur ac am newid. Roedd ganddo feddwl agored, agwedd iachus o sgeptig at bopeth, dim o'r hen hangyps Cymreig. Fel rheolwr cwmni roedd ganddo bŵer ac yn wir yr Allwedd Aur a fyddai'n ei rhyddau hi o garchar Llangroes. Daeth i ddysgu wedyn nad oedd ei bŵer yn ddiderfyn, a sylweddoli hefyd fod yna, o dan yr wyneb, ryw feddalwch hyd yn oed. Ai dyna pam roedd e'n oedi'n awr?

Arswydodd wrth feddwl y gallai fod yr un apêl gwaelodol ynddo ef ag yn Dafydd; iddi gael ei denu gan rywun sylfaenol hawddgar – ond gwan. Rhoddai Dafydd argraff allanol gryfach a garwach nag Ellis. Ond a oedd rhywbeth diniwed yn y ddau, y ddau yn credu mewn pethau nad oeddynt, yn y pen draw, yn dal dŵr? Roedd y ddau yn rhai yr oedd hi wedi gobeithio y byddai'n caniatáu iddi fod yn hi ei hun, yn llawn; ond nid dyna a ddigwyddodd ac ni wyddai ai arnyn nhw, neu arni hi, yr oedd y bai.

Yn bendant, doedd hi ddim yn dyfaru gadael Llangroes. Roedd popeth am y bywyd pentrefol, ei gulni a'i glepgarwch, wedi dod i gau amdani fel hunlle glawstroffobaidd, a doedd dim dihangfa chwaith yng nghulni gwahanol bywyd Seisnig, colegol y dref gyfagos, Aberystwyth. Roedd yr ysgol yn llanast, yr amgylchiadau gwaith yn warth, ei thalentau'n gweiddi am fynegiant, ei henaid yn sgrechian am ryddid – a nawr wele roddwr y rhyddid yn camu tuag ati gan flysu ei chorff.

Ond eistedd a wnaeth Ellis ar erchwyn y gwely. "Dal i feddwl?"

"Fel ti."

"Wnei di ddim hwren dda iawn, felly."

"Mwy nag y gwnei di garwr da iawn."

"O ie?"

"Carwr da *iawn iawn* rwy'n feddwl – y gorau'n y byd, fel Casanova neu rywun. Dwyt ti ddim eisie bod fel Casanova, wyt ti?"

"Dim o gwbwl. Rwy'n hapus â'r ferch sy gen i."

Rholiodd y *duvet* i lawr gan araf ddinoethi bronnau Menna. Rhoddai'r golau gwan, melynaidd wawl seliwloid i'w chroen. Gwleddodd Ellis ar y bronnau, eu gwthio ynghyd a'u troi a'u gwasgu fel darnau o does. Yna crwydrodd ei ddwylo o dan y gorchudd, i lawr asgwrn ei chefn ac i fyny at y meddalwch melys. Taflodd y *duvet* i ffwrdd, gwahanu ei choesau, plannu ei ben rhyngddynt a gweithio'n gelfydd â'i dafod yn y cyfrin fannau. Dechreuodd Menna ymlacio, ochneidio ac ymateb iddo gan bontio'i chefn ond fel y cymerodd Ellis egwyl manteisiodd Menna ar y cyfle i'w dynnu i fyny ati.

Ac yntau'n gorwedd arni cyhuddodd Menna ef yn chwareus: "Ti oedd lawr yna'r holl amser, felly?"

"Na," atebodd Ellis, "rhywun arall."

"Pwy felly?"

"Dwn i'm. Rhywun oedd eisiau dy gorff di."

"A dwyt ti ddim eisiau 'nghorff i?"

"Ti dy hunan rydw i eisiau, Menna," – a'i chusanu'n ysgafn ar ei thalcen.

5. Aberdyfi

Casglodd Dafydd ei bapur Sul ynghyd, a'i blygu'n barsel er mwyn medru ailymosod arno ar un o'r meinciau o flaen y *Dovey Boatman*. Roedd y prynhawn hwn i fod yn un diog ac roedd yn benderfynol o'i gadw felly. Croesodd y ffordd, pendroni, a dychwelyd i brynu hufen iâ mewn siop gyfagos cyn ailanelu am y fainc yr oedd wedi ei llygadu ers tro trwy ffenest y gwesty.

Wedi darllen erthygl hir a deifiol rhyw Sais am gyflwr ofnadwy St. Petersburg (o bobman), a chael pleser anesboniadwy o hynny, sylwodd ar sŵn chwythu a bustachu islaw iddo. Yno, yn y dŵr, safai dau Sais a'u gwragedd. Mewn anoracau unffurf, morwrol, nefi blŵ, ymdrechent i ddadfachu cwch bychan oddi ar fwlyn tin Ford Granada oedd wedi bacio i lawr y lanfa.

Gwaeddodd yr arweinydd: *"Now all together: one-two-three-HEAVE!"* Gyda rhoch a rhech cyfunol, llwyddwyd yn y dasg. Ond doedd dim gwên ar wyneb neb; ac yn awr yr oedd llu o dasgau eraill i'w cyflawni fel datgysylltu'r cwch oddi ar ei gludydd, cau'r bachau, pacio'r straps, parcio'r car ac ati.

Dduw mawr, galle'r rhain ailgodi'r *Titanic*, meddyliodd Dafydd wrth ailafael yn ei bapur a chwilio am y colofnydd economaidd yna oedd wastad mor ddeifiol am y Torïaid.

Yn nes ymlaen, a'r pedwarawd Seisnig allan ar y môr, sylwodd Dafydd ar Sais arall, eitha hen, yn peintio streipen werdd, lachar ar ochr ei gwch, yr *Harry O*. Roedd ei amynedd yn ddiddiwedd. I beth, mewn difri calon? Pryd fyddai'r cwch ar y môr? Sawl gwaith mewn haf? Ond wedyn sylweddolodd Dafydd mai eiddigeddus oedd e, mewn gwirionedd, ohonyn nhw i gyd.

Dôi'n aml i Aberdyfi gyda Siani, a dweud wrthi, "Cofia, ni bia'r lle 'ma. Rhaid i ni ddim cadw draw achos y Saeson."

Yn bentre glan-môr pert o fewn cyrraedd hwylus i Langroes, safai yn union gyferbyn â'u cartref, Trem-y-Ddyfi. Smotyn bach llwyd oedd y tŷ yn rhywle yn y gwyrddni uwchben traeth Ynyslas, yr ochr draw i'r aber. Byddai Siani'n mwynhau chwilio amdano drwy'r hen sbienddrych Zeiss a brynodd Dafydd flynyddoedd yn ôl yn strydoedd cefn Abertawe. Byddai hefyd yn chwilio am adar, cychod, llamhidyddion ac Iwerddon. Wrth edrych dros ei hufen iâ i'r un cyfeiriad, dyheai Dafydd heddiw, wedi wythnos mor aflonydd, am ryw sbienddrych arall a allai adfer ei wrthrychedd.

Gwyddai cyn dod y byddai'r tro yn ailddefro atgofion am Menna a'r dyddiau hafaidd, teuluol, celwyddog o hapus yna. A oedd yr holl hapusrwydd yna'n gelwydd, am i Menna ei fradychu wedyn? Mor llwyr y mae digwyddiadau'r presennol yn lliwio'r cof am y gorffennol.

Yn awr, fel sawl tro o'r blaen, roedd Dafydd yn oedi'n ddiffrwyth rhwng dwy ysfa: i drio cofio'n iawn, i ymbalfalu am oleuni drwy gaddug y ddwy flynedd ddiwethaf, neu i anghofio'r cyfan – y dewis hawdd, ond amhosib. Nid problemau na chwestiynau clir oedd ganddo ynglŷn â'r tor-priodas, ond cymylau o wasgfa yn mynd a dod fel camdreuliad ar ôl pryd Indiaidd, neu fel cofio apwyntiad deintydd yr wythnos nesa, neu'n gywirach, fel cofio'n sydyn am salwch neu farwolaeth rhywun agos.

* * *

Taflodd y papurau Sul i fin sbwriel. Prynodd ail hufen iâ ac edrych eto dros yr aber tua Cheredigion. Yno, ar y llethrau gwyrddlwyd, yr oedd y tŷ y dewisodd y Milwr alw ynddo am hanner awr wedi deg fore Mercher diwethaf. Roedd wedi cynllunio'r peth yn ofalus: yr amser, y wisg, yr hen fan Sherpa lwyd, ddi-nod. Gwyddai'n berffaith y byddai ef, Dafydd, i mewn; ac yn bwysicach, y byddai'n ei groesawu.

Gwyddai'r Milwr am ei drafferthion personol. Nid syndod a fynegodd, ond cydymdeimlad. Gwyddai wrth gwrs am ei dipyn 'record' – er nad oedd ddim 'gwaeth' nag un cannoedd o rai eraill a fu'n wleidyddol fywiog yn ystod dyddiau coleg. Treuliodd dipyn o'i flwyddyn olaf yn Aber yn swyddfa'r Gymdeithas: y rheswm, yn ôl Menna, am ei radd trydydd dosbarth. Parhaodd i helpu'r achos wedyn ar ambell benwythnos yn ystod ei gyfnod yng Nghaerdydd. Tra oedd yno, yn '80, y cyflawnodd ei unig drosedd 'ddifrifol' pan ddringodd fast teledu gyda thri arall yn sgil bygythiad Gwynfor i ymprydio i farwolaeth dros Sianel Gymraeg. Cafodd £300 o ddirwy, ond dim carchar: mwy na digon o aberth, fe dybiai heddiw, dros sefydlu Telewales.

Iawn, roedd modd deall pam y dewisodd y Milwr ef fel targed yng nghanolbarth Cymru. Beth arall oedd i'w ddeall?

Gwybodaeth Eddie, wrth gwrs. Roedd hynny'n abswrd. Ddwy noson wedi cais dramatig y Milwr fe gafodd y wybodaeth yn rhwydd. Os oedd Eddie'n gwybod pwy oedd y tu ôl i'r datblygu doedd hi fawr o gyfrinach. Abwyd oedd y cais i ddal diddordeb Dafydd, a'i baratoi a'i feddalu ar gyfer prif bwrpas yr ymweliad, sef trafod y ffrwydron.

Cwestiwn Dafydd nawr oedd: a ddylai gysylltu â'r Milwr a rhoi iddo, trwy gyfrwng y blydi disg twp Boi Sgowt yna, y wybodaeth a gawsai gan Eddie? Roedd yr holl sefyllfa'n amheus. Mewn difri, a oedd gwybodaeth am y cwmni adeiladu (ar gyfer cynllun oedd mor annhebyg o lwyddo) yn bwysig o gwbl? Go brin bod y blydi asiant yna yn defnyddio disgiau sgramblo i gysylltu â Berry Homes. Ac onid oedd gan Berry Homes swyddfa mawr yng Nghaer? Roedd eu henw mor gyffredin â Wimpey ar draws y wlad. Mater hawdd iawn i fudiad proffesiynol, parafilwrol fyddai treiddio i mewn i'r swyddfa yna.

Ffolineb oedd y cyfan, os nad trap bwriadol i'w ddal naill ai gan y Milwyr neu'r heddlu cudd. Gallai Eddie fod yn slob cudd, yn hawdd. Be wyddai Dafydd amdano? Dim ond ei fod yn ffrind i Gwyn, yn gweithio i Morfa Plant ers tua blwyddyn, yn dod o Lanelli ac yn byw mewn llety yn Aberystwyth. Roedd y ffaith ola'n awgrymog. Oedd e'n symud o gwmpas, o job i job? Oedd ganddo deulu? A pham yfed yn Y Groes mor aml? Beth yn hollol oedd ei gysylltiad â'r pentre? Onid oedd degau o dafarnau yn yr ardal, ac yn Aberystwyth ei hun, iddo'u noddi?

Po fwyaf y meddyliai am y peth, mwya tebygol oedd e. Slob cudd, comic opera, o'r hen deip: gorwerinol, gwrthseisnig, amrwd, twp. Y tro nesa, fe anogai Eddie ymlaen, dim ond i weld ei adwaith. Gêm beryg, wrth gwrs, ond cawsai brofiad ohonynt yn y saithdegau. Dim ond cadarnhad seicolegol oedd e'i angen, nid tystiolaeth fel y cyfryw.

Wrth orffen ei hufen iâ, trawyd Dafydd â syniad arall. A allai'r 'Milwr' ei hun fod yn slob cudd? O ran anian: na, ddim o gwbl. Roedd yna bethau bach amdano ef a'i agwedd oedd yn plycio rhyw hen dannau yng nghof Dafydd; ond wedyn, oherwydd blerwch, mi allasai'r heddlu fod wedi cael gafael arno, a'i adael i grwydro'n rhydd ar yr amod ei fod yn eu bwydo nhw â gwybodaeth. Annhebyg, ond posibl: gwyddai o brofiad personol fod y peth *wedi* digwydd.

Roedd cwch y Saeson bach diwyd bellach yn diflannu tua'r môr agored, ond yr hen ddyn yn dal i beintio'r streipen werdd. Roedd gan Dafydd, yntau, ei gwch bach brau: ei ofalon, ei fusnes. Roedd ganddo bethau i'w setlo ar frys – ei ferch Siani, y tŷ – a bywyd cyfan, yn wir, i'w ailadeiladu. Tyngodd lw na adawai i'r un Milwr na Slob ei hudo at y creigiau.

* * *

Ei waith oedd y peth a'i cadwai'n gall: busnes bach cysodi a dylunio pedair blwydd oed. Cawsai ei daflu ar y clwt wedi saith mlynedd o weithio i'r coleg yn Aberystwyth, yn swyddfa graffeg yr Adran Ddaearyddiaeth. Dilewyd y stiwdio yn sgil ad-drefnu a defnyddiodd yr arian diswyddo i brynu offer cyfrifiadurol. Roedd ganddo gysylltiadau personol yn y coleg ac yn y mudiad iaith a'i helpodd i gael gwaith, ond doedd pethau ddim yn hawdd yn yr hinsawdd economaidd Arctig oedd ohoni. Dechreuodd ei briodas chwalu yn fuan wedi sefydlu'r busnes ond cyd-ddigwyddiad, fe dybiai, oedd hynny.

Fel athrawes Gymraeg yn ysgol Penaber roedd Menna'n ennill bron i ddwbl ei gyflog pan adawodd hi, ond nid hynny oedd y broblem, na hyd yn oed ymddangosiad Ellis Meredith ar y llwyfan. Ni allai Dafydd odde'r math yna o ddyn sebon ond roedd ei dewis yn dweud llawer amdani. Os nad ef, buasai hi wedi cwympo am ryw gyfryngi neu *Prince Charming* arall a fuasai wedi ei hudo i mewn i'w deyrnas o dinsel. Roedd e'n amau ei bod hi, yn gynnar iawn yn eu priodas, yn chwilio am rywbeth arall tra oedd ef yn sylfaenol fodlon ei fyd.

Bu'n ddigon hapus i fod yn was cyflog er na fyddai'n dymuno mynd yn ôl i hynny'n awr. Arllwysodd botel *Becks* yn araf i wydryn. Ar nos Sul fel heno mi fyddai, yn yr hen ddyddiau, yn gwylio chwaraeon a ffilm hir heb iot o gydwybod. Roedd i'r wythnos ei rhuthm cyson, cynnes: awr ginio wrth un o'r byrddau snwcer yn y Pier, un hirach dydd Gwener yn y Clwb Staff, cyfarfodydd hir yn yr Adran a'r stiwdio, a phob penwythnos yn hollol rydd.

Nawr, doedd dim cwestiwn o orweddian o flaen y teledu. Roedd yna dri jobyn diolch-yn-fawr i'w gorffen yn cynnwys y poster i Patsy. Roedd yn rhaid iddi ei gael heno: roedd y Ffair Sborion nos Wener nesa. Efallai am ei fod yn gweithio o gartref, doedd y rhan fwyaf o bentrefwyr Llangroes ddim yn sylweddoli bod ganddo swydd yr un mor ddilys â nhw, yr un angen am ei ddau cant yr wythnos. Galwent yn aml am gymwynasau, yn eu plith Alan Blaid, Lleuwen, gwraig Morse, a Patsy – nad oedd yn wraig i neb. Yn wahanol i Menna, oedd wedi'i thiwnio'n dynn fel feiolin, roedd hi braidd yn ddidoreth, ac eto wedi dysgu'r iaith mewn amser byr. Roedd Dafydd wedi ei hoffi o'r funud y daeth i'r ardal, ond chawsai e mo'r gyts, nac yn wir yr awydd, i ddweud bod ei hoffter yn fwy na chymdeithasol.

Y gwir oedd bod ganddo esgus gwych i alw arni heno. Byddai'n siŵr o fod gartre ar nos Sul – neu fyddai hi'n mynd i'r dre i'r clwb ffilmiau? Mi fyddai i mewn yn hwyrach, yn bendant. Rhuthrodd i glirio'r tri jobyn gyda chymorth mwy o *Becks* ac un o hen dapiau Jarman; stwffiodd ddwsin o gopïau o'r poster i amlen fawr, slamio'r drws o'i ôl, a brasgamu i lawr y llwybr tua'r pentre.

Un o'r tai teras yr ochr isa i'r garej oedd tŷ Patsy. Llamodd ei galon wrth sylwi bod yna olau isel yn un o'r llofftydd. Tua deg oedd hi; aethai hi ddim i'r ffilm wedi'r cyfan. Tybed oedd hi yn y gwely? Ond na, roedd rhyw gerddoriaeth yn chwarae. Neu ai dyna oedd e? Roedd y sŵn mor fain. Clustfeiniodd wrth y ffenest. Efallai bod rhyw ddyn 'da hi. Eto doedd e ddim wedi ei gweld gyda neb ar wahân i'r criw hipis.

Petrusodd. Teimlai fel adolesent yn tindroi fel hyn. Onid oedd hi braidd yn hwyr am sgwrs gall? Oedd e *am* ei gweld hi? A ruthrodd e i orffen y gwaith mewn gobaith cudd *na* fyddai hi gartre? Am un eiliad fer, lachar gwelodd Dafydd holl ffolineb yr ysfa rywiol. Y fath ffŵl mae'n ei wneud o bawb, yn tanseilio callineb, cydbwysedd, eglurder, effeithiolrwydd. Yn union fel y blydi Milwr, yn deffro llond cist o hen ofnau ac ysfaoedd.

Plygodd yr amlen yn ei hanner, ei gwthio drwy'r drws a throi'n ôl ar frys am Drem-y-Ddyfi. Gwyddai fod yna botel o win yn oeri yn y ffrij. Fe gâi ei mwynhau i gyfeiliant ffilm wael. Ond wrth gerdded i fyny'r lôn am adre, gofynnodd: be ddiawl oedd wedi digwydd i'w hen ddawn o joio a phoeni dam? I ble'r aeth yr hen Ddafydd, y cesyn o Rydaman, y blaenwr ail reng, caled?

* * *

Wrth nôl y gwin sylwodd fod yna *pizza* sbâr yn y ffrij ac fe'i taflodd i mewn i'r peiriant ping. Chwiliodd am fanylion y ffilmiau hwyr ar y teletestun: dim ond cachu Americanaidd. A'r *pizza* ar ei lin, triodd ladd ei holl gyneddfau beirniadol, a methu. Roedd yn rhy graplyd i fod yn wir. Rhoddodd un o'i hen dapiau Cymraeg ymlaen, Hergest y tro hwn. Yn gerddorol, doedd dim byd anhygoel am yr hen ganeuon, ond roedd rhywbeth amdanynt a'i cynhesai, a'i lonyddu hyd yn oed.

Ond ni allai ymlacio heno. Ai Patsy oedd y rheswm – neu'r Milwr eto fyth? Oedd, roedd hwnnw'n dal yno, yn dal i hanner byw fel bwci bo yn seler ei ymennydd. Ond onid oedd wedi bod yn meddwl am y diawl trwy'r pnawn, a dod i'r casgliad mai oferedd llwyr – a pherygl mawr – fyddai gwneud dim byd â'r boi? Yna'n sydyn, deallodd beth oedd yn ei boeni: Ofn Diwedd. Dyna'r emosiwn cyntefig y bu'r Milwr yn chwarae arno. Dyna pam y methodd ddadlau'n gall ag ef a chytuno mor lloaidd i dderbyn y disg gwirion yna. Ofn Diwedd yw sail pob mudiad eithafol, parafilwrol neu grefyddol. Gall fod yn Ddiwedd Byd, Bywyd, Bro, Cenedl neu Iaith: dewiswch chi. Mae gwrthod cydweithredu'n gyfystyr â brad ac â dweud bod 'da chi ddim ots am ddiwedd Cymru – er enghraifft.

Diwedd yr Ysgol Feithrin, Diwedd y Papur Bro, Diwedd y Dafarn Ddwyieithog, a Diwedd ei Job: bu'r sgerbydau yna i gyd yn dawnsio yn ei ben. Beth oedd pwrpas cysodi cylchgronau Cymraeg os byddai'n byw mewn rhyw anialwch Milton Keynesaidd? Ond dyw'r Diwedd ei hun, wrth gwrs, byth yn dod. Aeth y sectau crefyddol yna i ben y mynyddoedd i ddisgwyl am sawl Dydd Barn na ddaeth. Blydi ffyliaid. Byw sy'n anodd. Dyna'r wir frwydr – ac mae'n para tra pery bywyd.

Peth rhyfedd iddo gymryd cyhyd i weld peth mor syml. Yna cofiodd am un profiad a gafodd o Ddiwedd Iaith.

Roedd criw ohonynt wedi bod dros y ffin yn gwylio gêm bêl-droed ac wedi aros ar y ffordd yn ôl mewn hen dafarn wledig o'r enw *The Cross Inn*. Lle crand, pedair canrif oed gyda phlaciau hanesyddol ar y waliau. Fel yr oeddent yn mwynhau peint cyn bwyd digwyddodd Dafydd sylwi ar blac uwchben y ffenest yn cyfeirio at yr arwydd gwreiddiol, 'Y Groes' – yr un enw â'i dafarn gartre.

Gorweddai'r hen lythrennau pren yn bentwr mud a blêr y tu mewn i'r ffenest. Fel dylunydd roedd e'n hoffi llythrennau beth bynnag. Cofiodd rythu arnynt mewn braw: hen lythrennau geirwon Cymraeg yn cyfleu oriau a blynyddoedd o gymdeithas a hwyl, ond nawr yn ddim ond gimic i oglais twristiaid. Yn ei gyflwr syn, sobor-feddw, teimlai eu bod nhw'n trio siarad ag e dros fwlch y canrifoedd...

Gorffennodd y tâp: gwely amdani nawr. Ond roedd ei feddwl yn dal i gordeddu. Ar y ffordd i'r llofft, sylweddolodd y rheswm pam. Nid gofid am Gymru, ond rhywbeth llawer symlach: y blydi disg peryglus 'na. Roedd yn rhaid iddo'i ddifa. Dyna'i linyn cyswllt â'r Milwr ac â phopeth a gynrychiolai. Byddai'n rhaid iddo'i ddistrywio cyn y gallai fod yn rhydd eto.

Aeth i lawr i'r stiwdio. Trodd y golau ymlaen a chwilio yn un o'r casys plastig. Roedd e yno yng nghanol ei ddisgiau gwaith. Yr unig eiriau arno oedd *Park Games &c.*, mewn ysgrifen plentyn, fel petai rhywun wedi copïo gêmau un o'i ffrindiau ysgol. Dim byd i dynnu sylw ond petai'r heddlu yn gwybod beth yn union i chwilio amdano (naill ai trwy glyfrwch neu o ganlyniad i *tip-off* gan y Milwr/Slob), wel byddai'r dystiolaeth yna, i'w gondemnio.

Roedd ar fin ei daflu i'r bin sbwriel yn y gegin pan ailfeddyliodd. Roedd e'n nabod ei hun yn rhy dda. Efallai y byddai'n dyfaru yn y bore ac yn chwilio amdano. Roedd yn rhaid iddo falu'r peth nawr. Plygodd e'n ei hanner â nerth dwrn, craciodd y plastig, ond roedd y disg – cylch du o ffilm tenau – yn dal yn gyfan. Methodd dorri hwnnw a gorffennodd y job â siswrn cyn ei stwffio i waelod y bin. Yna'r rhif e-bost yna. Roedd wedi'i sgriblo ar gefn rhyw docyn raffl yn y drâr-pob-peth. Daeth o hyd iddo'n weddol hawdd, yna torrodd e'n fân a'i daflu i'r un bin â'r disg.

6. Brecwast

Am wyth o'r gloch fore Mawrth, roedd Menna'n mwynhau *croissant* ffres gyda sleisen denau o gaws Jarlsberg a phaned o goffi digaffîn. Yn y dull cyfandirol, byddai hi ac Ellis yn helpu eu hunain i ddetholiad o gawsiau a selsig ysgafn. Drwy ffenest y gegin gallai weld adeiladau newydd, ystadau ar hanner eu codi, a'r strydoedd llydain a arweiniai i'r ddinas. Er nad mor hardd â'r olygfa o'r tu blaen tua'r môr, byddai Menna'n mwynhau gwylio'r egni a'r prysurdeb boreol.

Hoffai gymryd ei hamser dros frecwast. Chwaraeai miwsig clasurol Radio 3 yn dawel yn y cefndir. Pan ddeuai Ellis i lawr wedi ei hanner awr yn yr ymolchfa, byddai'n ei droi'n syth i'r newyddion. Y cyfnod yma – wedi ymadawiad Siani i Ysgol Glantaf a chyn dyfodiad Ellis – oedd ei hoff adeg o'r dydd, a'r unig amser a gâi yn llwyr iddi hi ei hun. Lloffodd yn frysiog trwy'r *Guardian* ond ei adael er mwyn edrych ar ffeil Gregg Associates. Roedd wedi bwriadu gwneud hynny neithiwr ond ar y funud olaf penderfynasant fynd â Siani i sioe yn y Theatr Newydd.

Yn anfoddog, dechreuodd ddarllen broliant euraid Maurice Gregg i'w gwmni ei hun.

"... through our well established contacts with leading London agencies we are able to offer a full range of commercial PR services but our main expertise lies elsewhere... Money spent on PR and Advertising is wasted unless the environment for your product or interest is favourable, politically and economically, in the longer term... We offer an in-depth political consultancy service and thirty years' experience of dealing with the civil service at the most senior level... Our

daily Monitoring Service checks all movements potentially affecting your interests... expertise in the discreet exercise of the Direct Political Lobby at Westminster..."

Cododd Menna i arllwys mwy o goffi. Hm, swnio'n fwy diddorol na gwerthu gofod dros Telewales. Hobnobio go iawn, mae'n siŵr, yng nghlybiau St. James ac yng nghoridorau'r adeiladau mawr gwyn yna sy'n agosach at Stryd Downing na'r senedd ei hun. Ond welai hi mo'r cysylltiad â Delw nac â'i swydd. Darllenodd ymlaen:

"...the transfer of functions to Europe cannot be ignored... We have our own permanent Brussels office and links with Eastern Europe... Our service is wide-ranging and absolutely legal encompassing your long-term security while also attending to specific short-term objectives... Please note that unlike some companies we do not service conflicting interests and reserve the right to decline any particular proposal... Our method is to draw out a short, clear and sensibly worded initial Agreement with a basic Invoice over an agreed period of representation; our out-of-pocket expenses are then separately invoiced on a monthly basis..."

O'r diwedd daeth Ellis o'r ymolchfa yn ei drôns polca-dot, a'i wyneb yn disgleirio o sebon, persawr a brwdfrydedd. "Ble roiais i'r ddau grys newydd 'na?" gofynnodd.

"Sut fasen i'n gwbod?" meddai Menna ond yn dawel fach roedd hi'n falch fod Ellis yn cymryd cymaint o ofal o'i olygon, a byddai'n mwynhau edrych arno'n perfformio mor hyderus mewn cyfarfodydd busnes. Daeth yn ôl yn llewys ei grys newydd, Eidalaidd ac meddai Menna: "Hei, ma'r dyn yma'n swnio'n hynod o trici-dici! Wyt ti am fynd yn Aelod Seneddol neu beth?"

"I'r Cynulliad Cymreig falle..." pryfociodd.

"Wel, fydd Gregg ddim yn gallu dy helpu di fan'na."

"Paid â bod mor siŵr. Drycha ar y rhestr cwmnïau ar y tudalen ola."

Taflodd Menna gip dros y rhestr hir o enwau cyfarwydd ac yn wir, ymhlith cwmnïau fel British Aeroworks a'r

Japanese Federation of Motor Manufacturers roedd The Welsh Investment Agency a Polypower Wales.

"Diddorol. Ond os ydi e mor bwerus, sut nad ydw i wedi clywed amdano fe?"

Arllwysodd Ellis goffi iddo'i hun. "Mae cadw proffeil isel yn rhan o'r gêm. Cysylltiadau personol yw popeth gyda'r cwmnïau *Public Affairs* 'ma. Maen nhw i gyd yn dweud eu bod nhw'n ffrindiau 'gosa efo'r Canghellor, ond maen nhw'n dweud mai dim ond galwadau ffôn Gregg fydd y Canghellor yn codi o'r bath i'w hateb."

"Stori ma' fe'i hunan wedi'i lledu, fentra i."

"Eitha posib. Brysia, Men, gwell iti ddechrau ymbryd-ferthu ar ei gyfer o. Bosib iawn y bydd yn rhaid iti ymwneud rhywfaint â'r boi."

Aeth Menna i fyny i'r ymolchfa. Gollyngodd ei gŵn nos i'w thraed a chamu i'r gawod. Gafaelodd yn y chwistrell a'i anelu at bob rhan o'i chorff; a'r dŵr yn gynnes, câi effaith *massage* ysgafn. Wedi ymlacio drwyddi, camodd allan a thylino hufen – un o rai newydd Body Shop – dros bob modfedd o'i chnawd. Edrychodd yn feirniadol yn y drych, a chodi'i gwallt y tu ôl i'w phen. A'i breichiau i fyny, cymerodd hanner tro. Roedd ei bronnau'n syndod o siapus ond roedd Menna wedi hen benderfynu nad pandro i ddynion oedd edrych ar ôl ei chorff, ond modd i'w trin yn haws.

Safodd o flaen y drych a chribo'i gwallt a'i osod i lifo'n dwyllodrus o rydd. Roedd hi'n awr yn barod i wynebu gwryw o ba gwmni neu goridor bynnag.

* * *

"Ges i sgwrs efo J.P. yr wythnos diwetha," meddai Ellis wrth i'r ddau ohonynt frasgamu ar hyd y cei tua Watershed 2000.

"John Peris? Pennaeth Telewales?"

"Y dyn ei hun."

"Wnest ti ddim sôn wrtha i."

"Rhaid dy fod ti yn Llundain ar y pryd. Ie, pnawn Mercher diwetha oedd hi, yn yr Apollo, derbyniad bach awr ginio gan reolwr newydd Banc Cymru. Beth bynnag i ti ges i lasiad gydag o ar ôl i bawb arall fynd. Dwi'n ei nabod ers dyddiau Bangor wrth gwrs."

"Glasied? Ydi pwysau'r job yn golygu ei fod e'n dechrau yfed alcohol o'r diwedd fel pawb arall?"

"Dim ffiars. Roedd y ddiod yn ei wydryn yn hollol glir a dwi'n siŵr nad *gin* oedd o. Mae o'n rhy brysur fel arfer ond fe arhosodd ar ôl ac yn annisgwyl braidd, mi ddechreuodd sôn am ei bryderon am ddyfodol Telewales."

"Faint ohonoch chi oedd 'na?"

"Dim ond ni'n dau a Meic Calder, ei Bennaeth Ariannol. Yn ôl J.P., mae dau beth yn digwydd. Fel wyt ti'n gwybod maen nhw'n cael eu pres o'r Trysorlys: trigain miliwn. Ond dydi'r arian yna ddim ar gael am byth. Mae yna fwy a mwy o bwysau ar Telewales i ariannu'u hunain trwy bres hysbysebion, gwerthu rhaglenni, mentrau masnachol, nawdd preifat. Ac mi rydan ni – neu mi rwyt ti, ddylwn i ddweud – yn gwneud dy ran fan'na."

"Rhan fach iawn."

"Efallai. Ond petai'r Trysorlys yn cau'r tap ar hyd yn oed hanner yr arian, buasai Telewales yn cau fory nesa."

"Ond fentren nhw fyth! Byddai'n wleidyddol amhosib."

"Tybed? Faint o seddau yng Nghymru fasen nhw'n eu colli? Mae J.P.'n dweud bod y Toris am olchi'u dwylo o Telewales. Un opsiwn 'di rhoi'r cyfrifoldeb i Frwsel. Un arall 'di rhoi'r bai ar y chwyldro digidol. Mi fydd yna ugeinia o sianeli yn y man."

"Ond mi ddyle hynny olygu bod dyfodol Telewales yn saffach."

"Mewn gwlad normal, mi fasa hynny'n wir. Ond dy'n ni ddim yn byw mewn gwlad normal, ond un sydd ar ei chefn. Yr *utilities* wedi'u gwerthu, yr oel wedi sychu i fyny, y balans masnachu'n gwaethygu bob mis: os oes 'na arian i'w gael o werthu sianelau, y bidiwr uchaf aiff â hi. Maen nhw hyd yn oed yn sôn am werthu'r BBC."

"Ydi pethe mor ddrwg â hynny?"

"Felly maen nhw'n sôn."

Cerddasant ymlaen mewn tawelwch. Meddai Menna yn y man: "Nawr rwy'n dechre gweld ble mae Gregg yn dod mewn."

"Dyna pam ofynnodd J.P. i mi aros ar ôl. Dim ond pysgota oedd o, gweld beth allwn i gynnig. Nid dim ond y digideiddio sy'n ei boeni, ond yr holl sefyllfa. Wyt ti'n gweld, mae'r hen syniad o PR yn farw hoel. PR gwleidyddol mae pawb eisiau rŵan: dylanwad tymor-hir nid ymgyrchoedd tymor-byr. Mae J.P.'n chwilio am gwmni all ddylanwadu'n uniongyrchol ar fandariniaid yr Adran Etifeddiaeth a'r Trysorlys."

"Ond Gregg sy'n nabod rheina i gyd. Fase fe ddim yn haws i J.P. fynd at Gregg 'i hun?"

"Yn anffodus, rwyt ti'n berffaith iawn. Ond yn ffodus, mae'n erbyn y rheolau. Petai enw Telewales ar y rhestr ar gefn y Prospectws, mi fasa 'na gwestiwn yn y Senedd. All corff cyhoeddus ddim gwario arian y wlad i ddwyn pwysau ar gorff cyhoeddus arall. Rhaid i'r gwariant fod yn gudd."

"Ydi hyn ddim yn drewi braidd?"

Arhosodd Ellis, a dweud yn daer wrth Menna: "Ond weli di ddim: dyma'n cyfle ni. Petaen ni'n gallu cynnig PR gwleidyddol i J.P., mi allan ni guddio'r costau'n weddol hawdd o dan y PR arall: hybu, hysbysebu ac ati."

"Yn hawdd? Buase hynny'n dwyll." A hwythau o flaen Watershed 2000, gofynnodd Menna: "Ellis, wyt ti'n hollol siŵr dy fod ti'n gwybod beth wyt ti'n 'neud? Ti'n gallu handlo hyn i gyd?"

"Nid dyna'r cwestiwn; y cwestiwn ydi, allwn ni fforddio peidio? Ac nid jyst am Telewales dwi'n sôn. Mae 'na gyrff eraill sy'n chwilio am yr un sgiliau... 'Dan ni'n byw mewn cyfnod o ansicrwydd mawr. Nid dim ond pobol sydd ar gytundebau byr, ond corfforaethau hefyd, yn ofni am eu dyfodol drwy dwll eu tinau."

"Ie, ond mae hynny'n cynnwys Delw ei hun."

"Ydi, mae o. Ansicrwydd: medru handlo hynny ydi'r gêm. Dyna sy'n mynd i wahanu'r dynion oddi wrth y bechgyn, yn mynd i wahanu Delw oddi wrth y cwmnïau eraill i gyd. Ansicrwydd," meddai gan daflu'i fraich i fyny, " – taflwch o ata i!"

Yr oedd ar fin rhoi cusan sydyn i Menna pan sylweddolodd eu bod nhw'n rhy agos i'r swyddfa a bod yn rhaid iddynt ymddwyn fel dau berson ar wahân, a bodlonodd ar gyffwrdd â'i llaw.

7. GREGG

EDRYCHODD MENNA draw at Wyn a winciodd ef yn ôl arni – cystal â dweud, dwi chwaith ddim yn siŵr be uffar sy'n mynd ymlaen 'ma. Ymunodd Wyn â'r cwmni ddwy flynedd yn ôl: un o'r rhai a adawodd HTV yn sgil y chwalfa fawr. Roedd ganddo brofiad eang o fyd teledu, a llu o gysylltiadau defnyddiol, ond ei gaffaeliad mwyaf i Delw, ym marn Menna, oedd ei agwedd bwyllog 'bydd popeth yn iawn yn y diwedd'. Roedd ganddo jôc lan ei lawes fel arfer ac yr oedd yn antidôt angenrheidiol i oregni Ellis a gorofal Fenwick. Syniad nodweddiadol o ran Ellis oedd cael pwyllgor paratoadol am ddeg gogyfer â dyfodiad y Dyn ei Hun – Maurice Gregg – ymhen awr wedyn.

Yn ystafell Ellis felly yr eisteddai pawb, yn mwynhau paned yn y dysglau tsieina *regulation*: un arall o syniadau Ellis. Tra oedd ef a Fenwick yn trafod sut i gyflwyno'u hachos, edrychodd Menna drwy'r ffenest lydan a rhyfeddu unwaith eto at yr olygfa ysblennydd o'r Bae, yn ymestyn o hen ddociau Penarth i forfeydd gorllewin Gwent. Yma yr hoffai weithio drwy'r amser, nid bod ar dramp o hyd. A hithau'n fore Mawrth, byddai'n rhaid iddi ddal y trên i Lundain yn y man. Hoffai fedru credu addewidion Ellis ond ei gwneud yn llai, nid yn fwy gobeithiol a wnaeth ei gyflwyniad brwd ychydig ynghynt i ddirgelion 'PR gwleidyddol'.

Am bum munud wedi un ar ddeg tynnodd Daimler du i mewn i'r maes parcio islaw ac allan ohono camodd dyn canolig ei faint, gweddol denau, mewn siwt ddu. Dilynwyd ef, o gam neu ddau, gan wraig dal, ganol oed, ychydig yn grwm. Arhosodd y *chauffeur* yn y car nes sicrhau bod ei feistri wedi'u croesawu.

Wedi'r gwaith o gyflwyno pawb i'w gilydd aed â'r gwesteion o gwmpas yr arddangosfa yn y cyntedd, a ddarluniai ymgyrchoedd pwysicaf Delw dros y pymtheng mlynedd ddiwethaf. Cyfunai dorion o'r wasg, enghreifftiau o waith dylunio, a rhai eitemau doniol a beirniadol. Gosodwyd y byrddau a'r goleuadau yn igam-ogam rhwng llwyni o ddail a blodau. Yn uchel ar y mur gwydr rhwng y dderbynfa a'r swyddfeydd, ysgythrwyd logo Delw.

Edrychodd Gregg yn feirniadol ar y proffeil o ben Rhufeinig a'r llythrennu clasurol o dano. "Dwi'n dweud wrthych chi nawr, dwi ddim yn ffansïo chwarae rownd o golff yn erbyn y boi yna!"

Y cam nesaf oedd tywys Gregg a'i ysgrifenyddes drwy'r adrannau celf, cyfryngau, a rheoli. Tynnwyd eu sylw at y rhes *Power Macs* newydd sbon yn yr adran gelf, y pwysleisiwyd eu manteision yn annisgwyl o frwd gan Jeff, yn ei rigowt arferol o ddenim a du.

"Nid yr offer ei hun sy'n ein gwneud ni'n wahanol wrth gwrs," camodd Ellis i mewn, "ond sgiliau a phrofiad ein staff, safon greadigol eu gwaith a'r sylw personol y gallwn ni, fel tîm, ei roi i bob un o'n cwsmeriaid."

"Wrth gwrs, wrth gwrs," meddai Gregg gan graffu ar y job ar sgrin y cyfrifiadur. "I bwy mae hwn felly?"

"I'r Bwrdd Dŵr," atebodd Ellis yn syth. "Maen nhw wedi prynu nifer o westai ac am eu troi nhw'n gadwyn o gasinos efo delwedd Gymreig."

"Rwy'n sylwi bod y gwaith yma'n ddwyieithog. Ydi'r galw am Gymraeg yn rhoi mantais i chi dros gwmnïau eraill?"

"Ddim ar ben ei hun, ond mae'n gerdyn pwysig yn ein pac ni. Mae disgwyl i brif sefydliadau Cymru allu delio â'r ddwy iaith a dwi'n reit falch o'r berthynas dda sy rhyngon ni a nhw."

"Da iawn wir," meddai Gregg yn orsebonllyd ac awgrymodd y dylid dechrau ar y cyfarfod go iawn gan fod ganddo gyfarfod arall yn Llundain ddiwedd y prynhawn.

Eisteddasant yn y rhan o'r ystafell *media* ble byddid yn croesawu cwsmeriaid a daeth dwy o'r merched harddaf ar y staff i mewn atynt gyda chyflenwad o goffi a brechdanau ffres. Gallent yn hawdd fod newydd ddod nôl o fis yn Ynys Capri gan mor euraid eu colur ac roedd Gregg wrth ei fodd gyda'u sylw.

Ond doedd dim modd gohirio ymhellach y drafodaeth ddifrifol. I Fenwick y rhoddwyd y gwaith o osod y cefndir ar ran Delw. Yn ei siwt ffurfiol a'i sbectol aur *bifocal*, nid oedd yn siaradwr naturiol rugl, ond roedd yna awdurdod tawel yn ei ymdriniaeth ofalus o'r ffeithiau a'r ffigyrau, a gwrandawai Gregg yn astud arno. Ond bu'n rhaid i Ellis dorri i mewn wedyn.

"Yn y pum mlynedd diwethaf," meddai, "y newid mwyaf trawiadol ydi trawsffurfiad yr hen gyrff cyhoeddus i fod yn gorfforaethau preifat ac mae hynny'n cynnwys ein prif gleientau ni: Dŵr Cymru, Tai Cymru a World Wide Wales. Mae'r cefndir gwleidyddol yn gyfarwydd i bob un ohonon ni, ond dim ond yn ddiweddar yr ydan ni wedi sylweddoli oblygiadau uniongyrchol hyn ar natur ein gwaith PR."

"Yn eironig," meddai Fenwick, "mae'r cwmnïau honedig fasnachol hyn yn fwy gwleidyddol sensitif na'r hen gyrff cyhoeddus."

Meddai Wyn: "Mae'n arbennig o wir am y byd teledu lle bûm i'n gweithio. Yn yr hen ddyddiau medrai'r BBC a HTV wneud fel y mynnen nhw ond nawr maen nhw'n hollol ddibynnol ar chwiw y Llywodraeth ynglŷn â theledu lloeren, teledu piben, a'r sianelau newydd digidol wrth gwrs."

"Beth yn hollol yw'ch perthynas â Telewales?" holodd Gregg.

Atebodd Ellis: "Ry'n ni'n rhannu eu gwaith PR cyffredinol gyda rhai cwmnïau eraill ac y mae Ms Parri fan hyn," – edrychodd Gregg draw at Menna gyda diddordeb: yn sicr creai argraff drawiadol gyda'i gwallt hir, golau, ei sbectol fawr ffasiynol, a'i siwt hufen chwaethus – "yn eu cynrychioli ar yr ochr hysbysebu. A dweud y gwir mae hi'n mynd i Lundain pnawn heddiw i weld TMM, Television Media Marketing."

"Diddorol..." Trodd Gregg at Menna. "Mae gen i gyfarfod fy hun yn Llundain ddiwedd y pnawn. Dwi'n siŵr eich bod chi'n sylweddoli 'mod i'n anghyfarwydd iawn â chefndir Cymreig eich cwmni. Alla i fod mor hy â chynnig lifft i chi, Ms Parri?"

"Awgrym ardderchog," meddai Ellis ar unwaith.

Gwenodd Menna'n ffurfiol. Doedd dim rhaid i Ellis ateb drosti, ond buasai wedi derbyn y gwahoddiad beth bynnag. Roedd rhywbeth ynglŷn â Gregg a'i diddorai. Doedd e ddim yn gonfensiynol olygus: dros ei hanner cant, wyneb cul a thrwyn hir, talcen uchel, gwallt arian a dim gormod ohono, llygaid aflonydd yn gwibio i bobman. Ond dewisai ei eiriau'n ofalus. Yn llygad ei meddwl gwelai ef yn cyflwyno pobl yn foneddigaidd ffraeth mewn awyrgylch swper neu glwb. Gwelai ef yn trefnu, cynllwynio, cyflwyno, cocsio, diddanu, a'r cyfan yn effeithiol, bwrpasol, hyderus heb wastraffu amser nac ynni ar emosiynau negyddol.

Synhwyrai'r holl gysylltiadau cudd, personol oedd yn gefn iddo a'r llu o ddrysau a allai eu hagor petai angen. Gweithiai ei ymennydd ar ddwy lefel: y llygaid yn bradychu'r prysurdeb cudd, ond y llais yn fwriadol hamddenol ar gyfer y perfformiad allanol. Nid person i'w hoffi, fel y gallai hoffi Ellis, a siaradai'n awr mor rhwydd ac agored. Yn ei grys llac Armani chwifiai ei sbectol fel baton wrth ddadlau achos Delw:

"Yn syml iawn, rydan ni eisiau medru mynd at ein cleientau a dweud wrthyn nhw, '*Relax* – fe edrychwn ni ar ôl eich anghenion chi i gyd: beth bynnag, lle bynnag...' Mae gynnon ni fel dau gwmni sgiliau *complementary*. Fe welsoch ein cryfder syniadol a chelf ac fe wyddoch am ein cysylltiadu clòs â rhai o brif sefydliadau Cymru..."

Gadawodd Gregg iddo orffen yr achos dros yr erlyniad; o'r diwedd daeth ei dro ef i ymateb. Dododd ei gwpan tsieina i lawr ar y bwrdd gwydr isel, y 'clac' yn atsain drwy'r tawelwch. Edrychodd ar ei ysgrifenyddes ffyddlon a fu'n cymryd nodiadau gydol y cyfarfod.

"Fel y soniais i, mae yna lawer yr hoffwn i ei ddysgu

amdanoch ac yn sicr mae'n rhy gynnar i ddod i benderfyniad pendant. Ein bwriad yw troedio'n ofalus. Ry'n ni'n ddau gwmni gwahanol iawn, yn gweithredu mewn meysydd gwhanol. Rhaid gofyn y cwestiwn: oes yna fantais mewn cydweithio ffurfiol – gyda'r holl gymhlethdodau gweinyddol ac ariannol – chwaethach cydweithio ar wahân?"

Edrychai Menna ar wyneb tyn Ellis. Roedd y lleill hefyd yn ddifrifol heblaw am Jeff, oedd yn edrych allan drwy'r ffenest.

Meddai Ellis: "Cystal i ni fod yn hollol onest â'n gilydd. Y cwestiwn ydi, ydych chi'n teimlo bod gennyn ni lai i'w gynnig i chi na *vice versa?*"

"Heb wybod mwy, alla i ddim eich ateb chi."

"Mae'n amlwg ein bod ni'n gwmni bach iawn yn nhermau Prydain ac Ewrop. Ond petaen ni'n gallu cynnig i chi agoriadau ar y lefel yna..."

"Am beth yn hollol y'n ni'n sôn nawr?" meddai Gregg yn anniddig braidd.

Turiodd Ellis i'w gês a dod â llythyr allan. "Rwy'n pwysleisio bod hyn yn hollol gyfrinachol. Dim ond llythyr rhagarweiniol ydi o. Do'n i ddim wedi bwriadu sôn amdano. Mae'n siŵr eich bod chi wedi clywed am Berry Homes and Estates, un o gwmnïau adeiladu a datblygu mwyaf yr ynysoedd yma?"

"Wrth gwrs."

"Wel yn ôl y llythyr yma, maen nhw ar fin ehangu ar raddfa fawr yng Nghymru. Mae ganddyn nhw gynlluniau ar gyfer dwy stad newydd anferth yn y canolbarth a'r gogledd, ac rwy'n dyfynnu nawr:... *that could generate opposition from some minority groups. We are looking for a well established and suitably connected company able to handle a wide-ranging, effective but low-key PR campaign in Wales..."*

"Digon teg, ond ry'n ni'n dal i sôn am waith cyfyngedig i Gymru, nid gwaith Prydeinig," meddai Gregg.

"Mae hynny'n berffaith wir, ond ry'ch chi, o bawb, yn

gwybod sut mae pethau'n gweithio ym myd busnes, sut y gall un peth arwain at y llall..."

"Rwy'n cydnabod eu bod nhw'n gwmni mawr iawn, ac ry'ch chi'n gywir i awgrymu y gallai'r cysylltiad fod yn ddefnyddiol."

"Does dim wedi'i gytuno eto ond rydw i eisoes wedi cael un cyfarfod â Smyth, y Rheolwr Gyfarwyddwr, yn eu pencadlys yng Nghaer ac mae pethau'n addawol."

Wedi gorffen ei goffi, sychodd Gregg gorneli ei wefusau â'i hances. "Dwi ddim am greu argraff rhy negyddol. Rwy'n ofni bod fy ngwybodaeth am Gymru'n ddiffygiol. Ond petawn i'n gallu llanw ychydig ar y pictiwr gyda chymorth eich staff, rwy'n siŵr y medra i ddod yn ôl atoch chi gydag ateb mwy defnyddiol."

Ar y fordd allan, a hithau wedi casglu ei phethau ac yn camu i sedd ôl y Daimler, methodd Menna osgoi winc fawr Wyn, a safai y tu ôl i Ellis. Hanner gwenodd yn ôl ond roedd hi'n llawn amheuon pan gyrhaeddon nhw'r M4, a'r gyrrwr yn mynnu dangos be allai'r Daimler 4-liter ei gyflawni ar y lôn allanol.

8. Patsy

"Trem-y-Ddyfi..." meddai Dafydd yn gryg. Roedd hi'n fore Sul a'r ffôn wedi ei ddeffro o drwmgwsg melys a ddaeth wedi noson hir, aflonydd.

"Helô Dafydd. Patsy yma."

"Y... Patsy?"

"Patsy Meads. Gobeithio yn bod e'n OK."

"Wrth gwrs."

"Arhosais i nes deg o'r gloch."

"Iesu, mae'n hynny'n barod?"

"Dafydd, mae gen i problem bach gyda'r posteri. Roeddwn i yn mynd gyda nhw rownd y pentre prynhawn ddoe – mae'n ddrwg gen i, roeddwn i'n hwyr iawn."

"Duw, peidiwch poeni."

"... a gwelais i bod mae dyddiad nhw ddim yn iawn. Dechreuais i newid nhw fy hun, ond roedden nhw'n hyll iawn, a meddyliais i yn bod e'n hawdd iawn i ti newid nhw ar y *computer*."

"Fy mai i oedd e, eu gneud nhw ar shwd frys."

"Mae'n ddrwg gen i, Dafydd. Rydw i'n rhoi gwaith i ti o hyd, a does dim llawer o amser: mae'r Ffair ar nos Wener."

"Dim problem o gwbwl, Patsy," meddai'n gynnes, ac effro bellach.

"Rhaid i ti anfon bil."

"Na, ddim i'r ysgol feithrin. Fe ddo' i â nhw lawr i chi nes ymlaen."

"Na, Dafydd, gallaf i ddod i fyny."

"Rwy'n mynd lawr i'r pentre beth bynnag. Does 'da fi ddim dropyn o laeth na bara yn y tŷ..."

"Wel rhaid i ti alw i mewn am ychydig o win cartre a beth yw'r gair Cymraeg am *sandwich*: rydw i'n anghofio o hyd."

"Brechdan."

"*Brechdan* wrth gwrs! Mae e'n air da."

"Y... bydd tua wyth yn iawn?"

"Bendigedig."

"Mae hwnna'n air da hefyd."

Dododd y ffôn i lawr yn grynedig. Felly roedd ganddo oed 'da Patsy! Waw! Neidiodd, chwifio'i ddwrn, yn methu credu'r peth. Mor hawdd, a heb yr holl embaras o ofyn rhywun allan. Un peth yn cael cyfle i arwain yn naturiol i'r llall, hyd yn oed os *oedd* y gwin a'r brechdanau'n fawr mwy na chymwynasgarwch.

Fel cadach trwy fangl, tynnodd y papur Sul drwy dwll y drws, gwneud coffi du iddo'i hun, a mynd nôl i'w wely. Trodd y radio ymlaen: y boi 'na 'da'r llais gwely-angau ond y record nesaf oedd Mozart. Gyda'r nodau'n dawnsio'n ei ben, sgipiodd yn ddiamynedd trwy'r papur, a phenderfynu cael bath hir. Agorodd y tap dŵr poeth a gadael i'r stêm lanw'r lle...

Gynnau fach, roedd ei ben fel swejen, ond nawr wedi'i garboneiddio fel *Perrier.* Taflodd ei dronsyn at y wal fel maeswr o Bacistan yn taflu pêl at wiced Sais. Anhygoel: jyst oherwydd camsyniad bach ar boster – noson mas 'da Patsy.

Ymsuddodd i'r dŵr, a dechrau ffantaseiddio amdani, ei chorff tal, ystwyth yr oedd ei dillad llaes, hipïaidd wastad yn ei guddio, ond byth yn cuddio'i siâp. Roedd hi'r un mor ffasiynol, yn ei ffordd ei hun, â gwragedd Uwchgymry'r pentre ond nad oedd gan y rheini'r synnwyr o ddirgelwch sy'n perthyn i'r gwirioneddol erotig. Dyma'i gyfle cyntaf i sgwrsio â hi'n breifat – pwy oedd i wybod pa mor hir y parhâi'r noson? Cododd lluniau gwarthus yn ei ben, ohono ef yn datod botymau a llinynnau, yn cyffwrdd â chnawd cudd; ohoni hi'n ei gyffwrdd ef...

Trodd y dŵr oer ymlaen ar frys. Dechreuodd y stêm glirio, a'i feddwl dawelu. Gwelodd yn glir: unwaith y câi ei hyder â merched yn ôl, fe ddôi popeth arall i drefn hefyd. Sychodd ei hun yn ffyrnig â hen dywel. Mor bwysig oedd bod yn bositif: gwneud be allai, anghofio be na allai. I ddechrau, fe ymosodai ar yr amlen a ddaeth ddoe oddi wrth gyfreithiwr Menna: llythyr hir, contog, Saesneg ynglŷn â chostau cynnal Siani. Ynghlwm wrth y llythyr roedd ffurflen wyth tudalen, o dan ryw ddeddf newydd, ynglŷn â'i amgylchiadau ariannol personol.

Fe ffôniai Burke & Jones am naw o'r gloch bore fory er mwyn trefnu apwyntiad rhyngddyn nhw a'i gyfrifydd; ac fe wnâi un alwad ffôn arall bore fory, hefyd – i Adran Gynllunio Cyngor y Canolbarth. Roedd chwarter tudalen o *Cymdeithas* yn wag. Fe luniai eitem fach ffeithiol am sefyllfa cynlluniau datblygu Llangroes o dan bennawd fel *Gwyliwch y Gofod Gwag.*

Roedd e'n ddyn rhydd ers chwalu disg y Milwr: gallai ddweud a gwneud fel y mynnai heb ofni'r oblygiadau cudd. Ni fu'r wythnos diwethaf yn un rhy hawdd, rhaid cyfaddef: cymerodd tan y bore 'ma iddo gael ei wobrwyo am ei benderfyniad i fod yn rhydd – gwahoddiad i win 'da Patsy Meads! A brechdan...

* * *

Hanner awr wedi saith. Edrychodd Dafydd yn feirniadol arno'i hunan yn y drych – nid peth a wnâi'n rhy aml. Yn hollol wrthrychol: chwe troedfedd (bron), gwallt cyrliog cochfrown, wyneb rhychiog braidd, corff blaenwr (hen un, ail reng): Bachan Caled, Cesyn, Sowthyn. Cydli hefyd, hyd yn oed (mynnai rhyw hen gariad wirion, un yr oedd mor awyddus i'w hanghofio â Menna, ei alw'n Riwpyrt).

Ar y llaw arall, o edrych yn fwy beirniadol: lembo di-siâp, garw, gwladaidd, araf, fawr o steil: breuddwydiwr, methiant. Heno, tueddai at y farn gyntaf. Roedd wedi trin ei wallt â dau hylif gwahanol, ac wedi gwisgo siwmper weddol ffansi a brynodd yr *ast Menna* iddo, ac wedi sblashio tipyn o afftyrshêf ar draws ei weflau.

Mae'n dibynnu'n llwyr ar y llygaid a'r osgo, onid yw hi – y

gwahaniaeth rhwng rhywun sy'n denu a rhywun sy ddim. Arbrofodd â gwahanol ystumiau, yna teimlo'n ffŵl. Am eiliad, tybiodd ei fod yn colli'i bwyll. Hyn i gyd, dim ond i fynd â bwndel o bosteri ysgol feithrin at yr ysgrifenyddes. Ond cyn mentro allan cymerodd swig sydyn o hen botel *ouzo* a fu'n hel llwch yn y cwtsh dan stâr: anrheg o Greta gan ryw ffrindiau, a'r unig wirod yn y tŷ. Cymerodd lwnc hegar, tagu arno, a'i boeri allan. Taflodd y botel i'r bin a gofyn eto: oedd e'n colli'i goconyt?

* * *

Curodd ar ei drws. Dim ateb. Curodd eto. Dechreuodd ei galon suddo. O na, roedd hyn fel dyddiau caru Dosbarth Dau. O'r diwedd, agorodd y drws yn araf. Patsy oedd yno, yn dal i glymu ei gwregys – un lledr, tew – am ei chanol, dim sgidiau am ei thraed na sanau, ei chrys cotwm yn flêr ac ar agor. A'i geg fel pysgodyn, methodd Dafydd ffindio'i lais.

"Mae'n ddrwg gen i," meddai hi, yn dal mewn breuddwyd. "Dewch i mewn, Dafydd – anghofiais i."

Dilynodd Dafydd hi drwy'r cyntedd, a bapurwyd o'r top i'r gwaelod â hen gardiau post.

"Cysgais i yn y bath," eglurodd. Taflodd ei phen yn ôl a chribo'i dwylo drwy ei gwallt hir, gwlyb, yna ysgwyd ei phen i ddeffro'i hun. "Rydw i'n cael *complete switch-off* dydd Sul: *sort of total mental lock-in*... Eisteddwch i lawr," gan bwyntio at gadair frwyn. "A tynnwch eich cot, wrth gwrs. Mae'r posteri gennyt ti? Da iawn."

Cymerodd hwy oddi arno a'u gosod ar ganol llawr y cyntedd. "Dydw i ddim eisiau anghofio nhw eto! Nawr te, pa un wyt ti eisiau yfed, Dafydd: gwin *parsnip* neu bersli? Mae Terra a fi wedi tyfu'r llysiau ein hunain: *Château* Tŷ Cnwc, ynte. Nawr beth yw *Château* yn Gymraeg?"

"Wel *castell* am wn i: yr un gair yw e."

"Hm: Gwin Castell Tŷ Cnwc. Nawrte, Dafydd, pa un?"

"Gadawaf y dewis i'r gwinllannwr..."

Tra oedd Patsy'n nôl y gwin o rac pren yn rhan geginol yr ystafell hir, cynllun agored, cafodd Dafydd gyfle i edrych o'i gwmpas. Roedd yna blanhigfa o wydr yn y cefn, ac eitemau ecsotig ym mhob man. Ffan mawr Tsieineaidd ar sil y ffenest a lampau papur Tsieineaidd yn hongian o'r nenfwd; masg mawr Aztec yn ei wylio o ben y silff lyfrau, a rhes o *Buddhas* bach boliog yn gwenu i lawr arno o ben y grât hen ffasiwn gyferbyn. Ar ben hen focs dal sebon (oedd hi'n trio gwneud pwynt?) roedd hen set deledu du a gwyn, a'r tu ôl iddo, wal gyfan yn llawn o beintiadau amrwd, lliwgar gan Terra, ei merch, mae'n debyg.

Yn ei chwrcwd, roedd Patsy'n astudio labeli'r gwahanol winoedd ac roedd Dafydd yn dechrau cynhyrfu. Oedd ei ffantasi'n dod yn wir? Dywedodd iddi 'anghofio' ond roedd yr ymddygiad yma mor blydi awgrymog.

"*Vintage* 1994 neu 1995?"

"1995 yn bendant! Blwyddyn dda i bersli... haul hwyr mis Hydref wedi dala'r dail ar y stadau deheuol."

Edrychodd Patsy draw arno'n amheus. Dwrdiodd Dafydd ei hun: rhaid iddo beidio bod yn rhy wamal. Cododd Patsy a dod â'r botel ato o ben draw'r ystafell. Gallai hon fod ar *catwalk*, meddyliodd Dafydd, gyda'r swae naturiol, llewpartaidd yna. Cofiodd am ferch o gorffolaeth debyg yn Rhydaman slawer dydd – un dal, athletig, yr oedd ei newyn rhywiol yn chwedl ymhlith ei gyfoedion.

Dododd Patsy'r botel ar y bwrdd bach pren, crwn a straffaglu i wthio corcsgriw i'w gwddw.

"Gadewch i mi..." cynigiodd Dafydd.

"Na, dim diolch," meddai'n bendant, "gallaf i."

Fel yr oedd hi'n bustachu o'i flaen, meddai Dafydd: "Terra wnaeth y lluniau 'ma?"

Yn sydyn, neidiodd y corcyn yn rhydd a thaflu Patsy'n ôl gan agor ei chrys a styrbiwyd Dafydd ymhellach pan blygodd hi i arllwys y gwin o dan ei drwyn, y bronnau bychain yn llenwi wrth bwyso'n erbyn y cotwm. Doedd e ddim wedi bod mor agos at fron fenywaidd ers, wel, blwyddyn a hanner...

"Maen nhw'n dda iawn, Dafydd, wyt ti'n cytuno?"

"Arbennig."

O leiaf roedd y gwin yn well na'r *ouzo*. Roedd blas hwnnw'n dal i sarnu ei geg fel y tro hwnnw y bu mor ffôl â thrio sugno petrol allan o un tanc car i'r llall. Roedden nhw wedi bod yn malu arwydd ar ben rhyw fynydd a'r blydi car arall yn gwrthod cyffro. Cymerodd wythnosau iddo gael gwared â'r blas.

" 'Stafell ddiddorol iawn 'da chi."

"Rydw i'n hoffi casglu pethau, Dafydd. Bob tro rydw i'n mynd ar wyliau, rydw i'n dod â rhywbeth bach yn ôl."

"Ond y masg Aztec yna: fuoch chi ddim lan yr Andes?"

"Rydw i'n casglu unrhyw beth sydd ag *inner meaning* i mi, sy'n dweud rhywbeth wrthyf i'n bersonol. Ond credwch neu beidio des i â'r ceflun yna yr holl ffordd o Ynys Lesbos. Welwch chi hi, y ferch Roegaidd?"

"Nid mewn awyren?"

"Na – mewn *mini van*."

Doedd Dafydd ddim wedi sylwi ar y cerflun o'r blaen. Safai rhwng y dail yn y blanhigfa yn y cefn, mewn llafn o olau. Syrthiai ei toga dros ei bron chwith gan adael i'r un dde herio'r elfennau ar ei phen ei hun. Oedd e'n gwallgofi? Roedd bron o garreg yn ei gynhyrfu heno! Gan ddefnyddio techneg a ddysgodd gan ei fam ar gyfer *Cod Liver Oil*, taflodd gegaid o'r gwin yn ôl dros ei dafod.

"Aethoch chi ddim yr holl ffordd i Roeg mewn fan mini?"

"Roeddwn i ychydig bach yn wyllt flynyddoedd yn ôl, Dafydd. Gyrrodd pedair ohonom yr holl ffordd o Lundain i Piraeus, gadael y fan yn yr harbwr a hwylio rownd yr ynysoedd i gyd. Gwelais i y ferch druan yn gorwedd mewn cae, a chwympais mewn cariad â hi'n syth."

"Neis iawn ... ac mewn Groeg y'ch chi wedi graddio, fel o'n i'n deall?"

"Do, y llynedd. Graddiais i mewn *Classical Civilization*, ac fe gefais i 2:1 – nawr beth wyt ti'n meddwl am hynny, Dafydd? Ddim yn ddrwg i hen wraig tri deg pedwar oed?"

"Rhaid i ni yfed i hynny..."

"Wrth gwrs – mae'n ddrwg gen i, doeddwn i ddim wedi sylwi yn bod ti'n wag."

"Iechyd da... diawch, dyna i gyd y'ch chi'n yfed?"

"Dydw i ddim eisiau llawer, wir. Mae'n rhaid i mi fynd â'r posteri o gwmpas nes ymlaen."

"Duw, bydd bore fory'n ddigon buan."

"Na! Rhaid i fi beidio anghofio nhw y tro hwn!"

"Felly ry'ch chi'n gallu siarad Groeg yn ogystal â Chymraeg?"

"Na, nid yn yr iaith oedd y radd ond yn y *civilization* ei hun."

"Debyg iawn..."

"Roeddwn i wedi meddwi ar yr ynysoedd. Ond rwy'n dysgu Cymraeg yn iawn. Beth wnest ti, Dafydd?"

"Daearyddiaeth. Trydydd. Wnes i ddim rhoi'r oriau i mewn. Potshan â phrotestio ac yfed gormod o gwrw – neu dyna'r esgus. Falle mai jyst twp o'n i."

"Ond rwyt ti'n *graphic artist* da iawn, Dafydd," meddai'n llawn parch. "Est ti i *Art Coll*?"

"Wnes i gwrs blwyddyn yng Nghasnewydd, ond dysgu dim byd o werth nes mynd i swydd wedyn yng Nghaerdydd..."

"Ond wrth gwrs! Pwrpas addysg yw mwynhau ac ehangu'r meddwl, yntê?"

"Ie... felly pam wnaethoch chi ddysgu Cymraeg?"

"Dim er mwyn addysg, ond er mwyn byw. Rydw i eisiau defnyddio Cymraeg. Gyda Terra, gyda phawb, ond mae pobol yn troi i siarad Saesneg o hyd. Rwy'n mwynhau siarad Cymraeg gyda ti nawr, Dafydd. Yn wir!"

"A finne," cytunodd Dafydd yn frwd.

"Hefyd, rydw i'n ymarfer dysgu eleni. Efallai y byddaf i'n gallu dysgu trwy'r Gymraeg."

"Ie, rwy'n gweld nawr..."

"Rwy'n gwybod beth wyt ti'n meddwl, Dafydd. Mae'n ddrwg! Dwyt ti ddim yn iawn. Dydw i ddim yn dysgu Cymraeg er mwyn cael swydd. Rydw i'n Gymraes nawr – ac mae Terra'n fwy o Gymraes na fi!"

Wedi ysbaid o dawelwch, meddai Dafydd: "Ry'ch chi'n lwcus bod 'da chi Terra."

"Ydi, mae hynny'n wir... ond rydw i wedi gorfod ymladd yn galed, hefyd. Dydi e ddim yn hawdd codi plentyn ar ben eich hun, nid mewn pentre bach *busybody* fel Llan-groes. Rhaid i ti, Dafydd, hefyd ymladd i gael Siani'n ôl."

"Ti yw'r fam, cofia. Mae'n haws i'r fam nag i'r tad."

"Ond yma mae ei chartref a'i ffrindiau. Roedd hi mor hapus yn yr ysgol. Mae Terra'n gofyn am Siani weithiau, o hyd... Mae'n ddrwg gen i, Dafydd. Dim ond eisiau helpu ydw i."

Roedd yr ystafell yn dechrau troi a rhoddodd Dafydd ei law ar ei dalcen.

Edrychodd Patsy arno'n dosturiol, a'i gyffwrdd ar ei fraich, gan greu trydan a saethodd trwy'i gorff. "Daw hi'n ôl, Dafydd – os wyt ti'n gryf..." Yn awr aeth at y gramoffon a rhoi record ymlaen. "Gwanda ar y gân hon. Mae wedi rhoi llawer iawn o gryfder i fi. Mae'n sôn am y nerth sy'n dod allan o'r ddaear. Efallai bydd e'n swnio'n rhyfedd y tro cyntaf, ond rhaid i ti ymlacio i mewn iddo fe, rhoi dy hunan i gyd iddo fe..."

Yn sydyn, llanwyd yr ystafell â chordiau eang, cosmig yn codi a gostwng yn ddirybudd a symud yn fygythiol rhwng un blwch stereo a'r llall – wedyn daeth nodyn uchel, hir, treiddiol a allasai fod yn llais merch neu yn llif drydan yn trio torri trwy PVC... A'r ystafell yn dechrau troi o ddifri, caeodd Dafydd ei lygaid.

Caeodd Patsy ei llygaid hefyd.

Yna meddai'n dyner: "Wyt ti'n teimlo fe, Dafydd? Ing y ddaear, ond y nerth mawr dwfn, a'r gobaith?"

"Siŵr Dduw."

"Os wyt ti'n grefyddol, dyna ydi e, wrth gwrs."

Gafaelodd Dafydd yn ochr ei sedd fel mewn car *dodgem* yn mynd allan o reolaeth. "Dylanwad y dwyrain... Tsieina, Japan?"

"Na, Bolivia. Y Crappa Banyanas."

"Ah, *Bolivia*... ond nage grŵp gwerin yw'r rhain?"

"Wel ie, *sort of folk-techno*."

"Ond wrth gwrs – ond o'n i'n meddwl mai at y Dwyrain o'ch chi'n tueddu?" meddai Dafydd gan bwyntio at y *Buddhas*.

"Amser maith yn ôl roeddwn i'n isel iawn, yn mynd trwy amser drwg iawn a chefais lyfr ar I Ching gan hen gariad. Fe yw tad Terra: rydyn ni'n ffrindiau da o hyd. Dysgais i bod dim byd yn aros yn yr un lle. Does neb *yn* unrhyw le, *yn* unrhyw beth: nid beth wyt ti sy'n bwysig ond *rhwng* beth wyt ti: mae pawb yn symud o hyd rhwng dau beth."

"Cweit reit... fel y sŵn yn symud rhwng y stereos – neu ni'n symud rhwng y sŵn," meddai Dafydd yn obeithiol.

"Wel, efallai nad wyt ti'n deall nawr. Ond yn fwy pwysig: wyt ti yn eisiau deall, Dafydd?"

Aeth wyneb Dafydd yn wyn fel blawd. Cododd i rwystro'i hun rhag chwydu. "Y... y miwsig 'bach yn gryf i fi. Angen switsho mewn iddo fe'n slo bach. Switsh on, tyrn in, switsh off ac yn y bla'n."

"Rwyt ti wedi cymysgu eto... Wyt ti'n iawn?" gofynnodd yn gonsyrniol.

"Perffeth, perffeth... Y, dim record Cymra'g 'da ti?"

Edrychodd hi eto arno'n feirniadol, yna plethu ei dwylo mewn euogrwydd. "Dim eto, rwy'n ofni." Yna bywiogodd: "Dyna beth rydw i yn edrych ymlaen ato mor fawr. Mae'n fyd newydd arall i mi ei brofi. Dafydd, rhaid i ti dysgu popeth i mi am gerddoriaeth Gymraeg."

"Unrhyw bryd, Patsy," meddai'n frwd gan drio llywio'i gorff yn ôl i mewn i'r gadair frwyn. " 'Da fi gasgliad eitha da: Edward H i gyd, stwff cynnar Hergest, Tebot Piws... Rhaid i chi ddod draw i'w clywed nhw."

"Tebot Piws! Dyna enw diddorol yn wir," meddai Patsy wrth ddiffodd y gerddoriaeth. A'i chefn ato, bachodd Dafydd ar y cyfle i arllwys mwy o win iddo'i hun ond gwnaeth hynny'n araf a thrwsgwl a daliodd Patsy ef.

"Dafydd," meddai'n llym. "Rydw i'n credu bod ti wedi cael digon iawn o win... fy mai i oedd e, ces i *blank* am y brechdanau. Beth bynnag, mae'n rhaid i fi yn mynd nawr. Mae gen i lawer o waith i'w wneud heno."

"Trueni..."

"Trueni amdanat *ti*, Dafydd. Rwy'n ofni bod y gwin yn llawer rhy gryf i ti. Dewch nawr."

Diffoddodd Patsy'r goleuadau, gwisgo'i chot, a rhoi'r rholyn posteri dan ei braich.

"Hei," meddai Dafydd, yn eistedd yn y tywyllwch, "mae HI wedi diflannu!"

"*Oh God*, beth nawr, wir?"

"Y cerflun Groegaidd hardd, hyfryd o Fenws neu ife Affrodite?"

"*Come on*. Dafydd, mae rhaid i fi yn mynd â'r posteri."

"O'r gore," meddai gan godi mewn cyfrwystra meddw. Safai Patsy yn y drws, ei bys ar y swits ond fel y pasiodd Dafydd hi, gafaelodd yn yr arddwrn oedd ar y swits, yna'r llall, a'u dal yn erbyn wal y cyntedd a gwasgu ei gorff trwm yn erbyn ei chorff hi.

Cwympodd y posteri ac fel y llaciodd Dafydd ei afael arni, trawodd hi ei phen-lin yn ei gerrig a gafael yn ei wegil gan drio'i hyrddio allan â chodwm braich ond roedd Dafydd yn rhy drwm iddi, a'r cyntedd yn rhy gul, a chwympodd y ddau ar draws ei gilydd allan i'r palmant.

Gan fwytho'i gleisiau, dechreuodd Dafydd godi'n araf. Safai Patsy drosto, yn dal y posteri ac yn edrych i lawr arno.

"Clefar... Karate ife?" gan frwsio'r baw oddi ar ei got, a gafael yn ei fraich friw.

"Nage, Kung-fu, y math Tsieineaidd."

"Ond wrth gwrs. Ddylen i fod wedi gwbod. Twp, on'd o'n i? Uffernol o dwp. Ddim i wybod mai dyna'r math Tsieineaidd."

Dywedodd Patsy: "Efallai wir. Ond dwyt ti ddim yn deall. Rydw i allan o'r *scene* yna i gyd, OK, ers llawer iawn o amser."

"Pa *scene?*"

"Yr holl beth *hetero*. Dyna pam rydw i'n byw fy hunan. Cefais i ddigon ar yr holl *hassles*. Roedd pethau fel hyn yn digwydd o hyd a dyna pam ddysgais i Kung-fu. Ac nid *Venus* na *Aphrodite* yw'r ferch ond *Sappho*."

"Y?"

"Barddones enwog iawn o Ynys Lesbos yw hi. Dyna lle ces i'r cerflun."

"Sa i'n deall..."

"Dyna'n union beth ddywedais i, Dafydd: nos da."

9. Croesi

Aeth Dafydd ddim allan nos Wener, am y tro cyntaf ers tro. Roedd e am osgoi Patsy ond wedyn doedd hi ddim tebycach o fod allan nos Wener nag unrhyw noson arall. Treuliodd awr ym mhlygion llyfr newydd Frederick Forsyth ond ildiodd i wendid munud olaf a tharo i lawr i Leos i logi fideo pinc a chwpwl o ganiau o Skol. Gwyddai mai chwaer Kylie fyddai wrth y cownter ac nad oedd hi'n becso dam.

Methodd fwynhau'r lager na'r fideo. Saethwyd hwnnw ar fyjet o £500 mewn dau ddydd mewn coedwig yn Sweden gyda dau ddyn hynod o seimllyd ac annymunol tua deugain oed na fuasech yn prynu bwcedaid o dywod ail-law ganddynt, a dwy fyfyrwraig dlawd a despret na welodd Dafydd fwy na dwy funud (cyfanswm) o'u croen noeth. Y rhestr props oedd un cwt pren, *sauna*, un hen *Buick* – y peth gorau yn y ffilm – a gwerth tua hanner canpunt o fwg egsôst.

Byddai'n rhaid iddo wynebu Patsy rywbryd, wrth gwrs. Y fath ffŵl a fuodd, yn camddarllen pob arwydd. A oedd e mor ddiawledig o naïf gyda menywod, neu ai diffyg ymarfer oedd e? Rhaid ei bod yn edrych arno fel bymcin Cymraeg o Frest Pen Coed gyda gwair yn tyfu mas o'i glustie. Buasai gymaint yn haws petai hi'n Saesnes i'w chasáu nag yn rhywun deallus oedd yn cyfrannu at fywyd Cymraeg y pentre.

Roedd hi'n braf dydd Sadwrn. Talodd am wastraffu'r noson cynt trwy weithio fel slaf drwy'r bore. Aeth â rhai parseli i'r dre ddechrau'r pnawn ac wedi dau goffi mewn dau gaffe dychwelodd i Langroes. Ni allai wynebu mwy o waith ac ymlwybrodd yn gynharach nag arfer i lawr i sgwâr y pentre. Ond doedd e ddim yn sychedig. Aeth am dro byr cyn setlo ar fainc o flaen Y Groes gyda sudd oren, paced o gnau, sbectol haul a'r llyfr a adawsai ar ei hanner.

Er bod bron wythnos oddi ar y ffradach â Patsy, mynnai luniau o'r peth fflachio ar draws sgrin deledu ei feddwl fel hysbysebion sêl Comet ar draws rhaglenni mis Ionawr. Y munud y byddai'n dechrau dygymod ag un llun arbennig o ffôl (gan esgusodi'i hun ar sail alcohol, efallai) byddai golygfa arall yn cymryd ei le gan gynnig ongl newydd a llachar ar ei ffolineb unigryw.

Ceisiodd ganolbwyntio ar y llyfr, un am Ryfel y Culfor. Digon diddorol ond bod y cyfeiriadau mynych at wasanaethau cudd, terfysgwyr, ac yn y blaen, yn mynnu ei atgoffa o'r Milwr. Doedd e ddim yn deall pam roedd hynny'n ei boeni, ac yntau wedi distrywio'r disg mor derfynol. Yn yr un modd, byddai darllen am faterion rhywiol yn ei atgoffa o'i ddiffygion yn y maes hwnnw. Crist, dylai fod wedi dod lawr ag un o'i lawlyfrau cyfrifiadurol.

Llifai traffig trwm i lawr y briffordd. O'i gwmpas roedd arwyddion di-nod o fywyd pentrefol: cwpwl o wragedd yn cario mopiau a blodau i'r eglwys gyferbyn; fan y cigydd yn canu corn o flaen Rhes Isaf, yr ochr draw i'r afon; hen wreigan, wedi cael paned hir yn Pantri'r Pentre, yn cerdded yn araf i fyny at Leos: siopa yn fan'na fyddai ei gwefr fawr olaf am yr wythnos. Camodd dau Fohican di-waith o'r tai cyngor heibio iddo ac i mewn i'r bar – yna breciodd Tacsi Ted o flaen y fainc lle'r eisteddai i godi tair merch ifanc hwyliog, bowdrog o'r dafarn i'r dref.

"Hei, Dafydd," gwaeddodd un ohonynt – merch Gwyn Tai – wrth swingio i'w sedd yn goesau i gyd, "Dere mewn gyda ni."

"Lot rhy beryglus."

"Gei di eistedd ar 'y nglin i!"

"Siawns ethen i ar dân."

"*Fire extinguisher* 'da Ted!"

Gwenodd Dafydd fel y rhuai'r tacsi i ffwrdd, a'i hwyliau ychydig yn well. Ond ymhen rhai munudau daeth Volvo mawr gwyrdd i gymryd ei le, a chuddio'i olygfa o'r eglwys a'r sgwâr. Roedd sticer mawr ar y ffenest ôl, *I Love Lead Free.* Camodd dyn mawr allan ohono a dadsticio'r trowsus allan o dwll ei din. Gwisgai drowsus rib a math o wasgod ledr, amlbocedog. "*Looks really old,*" meddai gan droi'n ôl at ei wraig yn ei dillad carthen, "*and unspoilt too.*" Dilynodd ei deulu niferus ef i mewn i'r dafarn.

A'i olygfa o'r sgwâr wedi ei dwyn oddi arno, cododd Dafydd i grwydro tua'r bont. Cerddodd ar draws y llain las ac heibio i'r arosfa bws. Safodd wrth y bont a syllu i ddŵr yr afon Elen: arferiad ofer cynifer o bentrefwyr Llangroes.

Ie, y Sais yna â'r Volvo gwyrdd. Doniol mewn ffordd. Wrth chwilio am dafarn heb ei sbwylio, sbwylio'r olygfa ei hun. Mor ddidostur yw ymchwil y Sais am yr *unspoilt*. Fe griba'r ddaear, fe sguba'r nef. Dringa fynyddoedd, gyrra mewn *Jeeps* 4-Trac ar draws parciau saffari, nofia'n borcyn yn y traethau puraf, pellaf. Ond dyw e byth yn hapus, mae 'na wastad rywle gwell a phurach a phellach…

Ond howld on, stopiodd Dafydd ei hun, ydi'r senoffobia 'ma'n hollol deg? Oni fuest ti dy hun yn crwydro cefn gwlad Iwerddon yn chwilio am – beth? Am rywbeth dilys, heb ei sbwylio. Am gymeriadau, am hwyl, am fiwsig, am Grac? Beth yw hynny, ond chwilio am ryw nef – yn union fel y Sais?

Byrlymai'r dŵr o dan y bont lydan, yna troi a throsi fel petai i gasglu nerth ar gyfer neidio'r rhaeadr ymhellach i lawr. Roedd gan y dŵr daith ddifyr a throfaus oddi yma i'r môr, llawer ohono yng nghysgod ceunant coediog. Cododd Dafydd ei lygaid at gaeau eang uwchlaw, y defaid arnynt yn ddotiau bach gwyn…

Ond y rhain yw caeau Caederwen, sylweddolodd Dafydd â braw.

Yr oedd wedi trio'n galed i anghofio hynna i gyd; nawr daeth y cyfan yn ôl gan godi pwys arno, a sylweddolodd bod mwy nag un ffordd o sbwylio golygfa…

Pwysodd Dafydd yn erbyn y bont ac edrych yn ôl ar y pentre. Roedd y Volvo mawr gwyrdd yn dal o flaen Y Groes.

Fel arfer, mi fyddai'n troi i mewn am gêm o pŵl. Pam oedd e'n oedi? Fyddai Patsy ddim yno, mor gynnar â hyn. Na Caederwen na'r Uwchgymry: heno, efallai. Eddie? Doedd hwnnw o ddim diddordeb iddo bellach – ar wahân i bwynt o ymchwil gwyddonol.

Oedd raid meddwl am gymaint o bethau cyn troi i mewn am gêm o pŵl? Yr hen seler isel, drawstiog oedd un o'r ychydig lefydd ble câi lonydd llwyr. Byddai'n mwynhau'r awyrgylch heddychlon, y mân siarad dibwrpas, gwylio'r lliwiau'n ailbatrymu, a chlecian tawel y peli – fel Duw yn chwarae Rubrik Cube, cofiodd feddwl unwaith...

Sobrodd Dafydd wrth sylweddoli: os oedd ganddo nef o gwbl, yno'r oedd hi. Pe bai'r Sais mawr o'r Volvo gwyrdd yn cerdded i mewn i'r ystafell pŵl, welai hwnnw ddim byd, dim ond rhywle i ladd amser. Byddai'n talu am gêm iddo'i hun a'i blydi plant, a mynd, a symud ymlaen. Ond petai e, Dafydd, am ryw reswm, yn colli'r heddwch yna – p'un ai oherwydd y Milwr, Caederwen, y Sais, neu ef ei hun – yna fe gâi yntau ei gondemnio, fel y Sais, i dreulio gweddill ei oes yn chwilio'r byd am nef na allai ei chael...

Ac onid dyna beth yw pentre, wir? Dim llai na man lle mae nef yn bod nawr...

* * *

Gan lusgo'i draed, croesodd y ffordd tuag at ddrws y dafarn. Rhoddodd gic i deiar y Volvo wrth basio am yr ystafell pŵl. Os byddai Gwyn yno, mi ddôi ato'i hun gyda lwc a chael gwared â'r felan 'ma. Ac oedd, mi roedd Gwyn yno – ac Eddie hefyd. Fe gâi beint tawel yn y bar yn gyntaf, ond oedodd yn y drws: yno roedd y Sais mawr a'i deulu. Roedden nhw wedi gorffen bwyta, ac yn astudio un o'r posteri.

"The leadmining looks exciting," meddai un ferch sbectolog. *"Can we go tomorrow, Daddy?"*

"Too dangerous, my dear," atebodd y dyn mawr yn swta.

"But it's all guided. Look, it says on the poster."

"Well we'll see what we can do, dear. Now remember, it's your turn in the middle of the back seat."

Trodd rhywbeth yn stumog Dafydd a theimlodd, yn sydyn, yn oer. Pwysodd yn gyfoglyd ar y bar.

"Point o' moild, Daffyd?"

Amneidiodd Dafydd ei gytundeb.

"Cheer up, laddie," aeth Rudge ymlaen, *"It'll never 'appen, you know..."*

Ond tybed, holodd Dafydd ei hun. Mi *allai* ddigwydd, yn hawdd – damwain angheuol efalle i ryw dwrist, efallai un o ferched bach y Sais. Yn bersonol ni fuasai'n colli llawer o ddagrau petai'r Sais Mawr yn ei chael hi – ond buasai'n drychineb i'r achos. Dyna ladd y gwrthwynebiad i'r datblygu ag un glec. Neu a oedd e, Dafydd, unwaith eto'n gorymateb? Onid oedd y Milwyr yn broffesiynol a gofalus? Oeddent – os caen nhw'r wybodaeth leol gan bobl fel ef, fel y pwysleisiodd y Milwr ddengwaith. Dyna *pam* yr oedden nhw mor broffesiynol.

* * *

"Hei Dafydd, be ti'n 'neud fan'na?" meddai Eddie yn y drws. Roedd wedi dal Dafydd yn craffu ar y poster. "Gêm o pŵl yn fwy o sbort na *leadmining!*"

"Dim ond busnesu – y Saeson 'na oedd yn edrych arno fe."

"Digon o amser 'da nhw. Wy'n codi rownd. Peint?"

"Na, wi'n iawn am y tro."

"Ble ti'n cadw?" holodd Gwyn wedyn. "Ti ddim lawr neithiwr? Rhyfedd hebddot ti ar nos Wener."

"Ofni bydde'r hipis 'na draw eto," pryfociodd Dafydd.

"Ti ddim lawr nos Iau, oe't ti?"

"Dim peryg."

"Dda 'da fi glywed. O'n i'n dechre poeni amdanat ti a'r sguthan dene 'na."

"Iesu na, fydden i byth yn mentro."

Daeth Eddie'n ôl â pheintiau ffres, gan gynnwys un i

Dafydd. Gwrthododd ei brotestiadau. "Hyfa fe lawr fel Cymro, bachan. Chwaraewch chi nawr ac fe gymra i'r *winner* 'mla'n."

Cydiodd Dafydd mewn ffon a'i sialcio, ond doedd fawr o siâp arno. Pocedodd rai o'r cochion ond colli'r fantais drwy daro'r wen i mewn wedyn.

"Dim uwd i frecwast, 'na dy broblem di," meddai Gwyn gan gymryd saib.

"Gwell na choffi du a dim ar dôst, rwy'n siŵr."

"Uwd â menyn sy'n dda, a halen ar 'i ben e."

Mewn ergyd neu ddwy, roedd Gwyn wedi ennill. "Pwdin yn bwysig hefyd," meddai wedyn. "Digon o bwdin..."

"'Falle 'na 'mhroblem i: heb cael pwdin ers canrif."

"Pwdin Cymraeg, cofia," ychwanegodd Eddie. "Pwdin Saesneg ddim gwerth i neb."

Er gwaethaf Eddie, roedd Dafydd yn dechrau ymlacio; ond toc wedi i'r ail gêm ddechrau, meddai Eddie'n ddirybudd: "Lico dy lythyr di, Dafydd."

"Pa lythyr nawr?"

"Dy lythyr di yn *Cymdeithas*. Cweit reit. Gweud y gwir i gyd."

"Diawch, wydden i ddim bod neb yn 'i ddarllen e," meddai Dafydd yn ddidaro.

"Synnet ti. Wy' gyda ti, Dafydd. Bastard yw e."

"Bastard yw pwy felly?"

"Lewis Caederwen. Pwy uffern arall?"

Meddai Dafydd wedyn: "Ydi e ddim yn talu'ch cyfloge chi?"

"Odi, ond mae gwahanieth rhwng dau dŷ, a stad gyfan. Uffern o wahanieth, ac uffern wy'n feddwl, hefyd."

"Ond bydde'r cynllun yn dod â llwyth o waith i fois fel chi?"

"Sa i'n dowto, ond ffycars o dros y ffin geith y jam."

Gwyliai Gwyn hwy yn lloaidd. Doedd yn dda ganddo ddadleuon gwleidyddol ar y gorau.

"Contied y'n nhw i gyd," meddai Eddie eto.

"Y ffermwyr wyt ti'n feddwl?"

"Ie, a'r lleill – y crach."

"*I gyd?* Pawb felly?"

"Set y lownj – y Mob Cymraeg. Fan'na byddan nhw heno yn yfed eu wisgis a'u *G&Ts*. Ta beth wedan nhw, dim ond un peth sy'n eu poeni nhw: hwn – " meddai gan rwbio'i fawd yn erbyn blaenau'i fysedd. "Ai'm ôl reit, Jac, a twll i bawb arall. Cymry mawr i fod, ond 'smo nhw'n aberthu dim. Yn wahanol i ti, Dafydd."

"Mae 'na ddrwg a da ym mhob siort," meddai Gwyn.

"Maen nhw'n gwitho trwy'i gilydd," aeth Eddie ymlaen. "Y Mêsyns sy'n rhedeg y Cownti Cownsil – a'r Mêsyns Cymraeg."

"Nonsens," meddai Gwyn. "Elli di ddim profi bod y crowd lan stâr yn Fêsyns."

"Na, sa i'n gweud bod nhw i gyd, ond mae rhai o' nhw. A mwy na 'na, maen nhw mewn yn y busnes hyn – yn ddwfwn." Trawodd ei ffon ar y llawr carreg, a throi at Dafydd. "Y Mob Cymraeg wy'n feddwl nawr. Blydi synnet ti. Allen i enwi enwe, ond elli di witho fe mas dy hunan, Dafydd. Cei di weld 'mod i'n gweud y gwir. Pobol barchus, pobol capel, ond ar ddiwedd y dydd, un peth sy'n bwysig – "

Yn awr aeth i'w boced ôl, cymryd allan ddyrnaid o arian rhydd, a'u taflu'n gawod dros y bwrdd snwcer.

"Sori Gwyn, boi," meddai Eddie gan roi'r peli'n ôl yn eu lle. "Mae'r ffycars yn 'yn ypseto i withe."

Gwenodd Dafydd wrtho'i hun. Deg allan o ddeg am yr actio. Nawr yr oedd e'n gwybod: Slob.

* * *

Pam yr aeth Dafydd i'r lolfa wedyn, ni wyddai. Nid oedd yn gwestiwn a fyddai'n ei boeni tan sobrwydd cymharol y bore wedyn. Ar y pryd, â pheint neu dri yn ei fol, roedd gan y syniad ei apêl gwrthnysig. Roedd perfformiad Eddie drosodd, ond fe lwyddodd i ddeffro'i chwilfrydedd. Oedd yna gysylltiad rhwng y 'Mob Cymraeg' a Caederwen? Neu oedd Eddie'n cyfeirio at Clem Jones, pennaeth Morfa Plant?

Doedd e ddim yn un o'r set – byddai'n treulio'r rhan fwya o'i amser yng nghlwb golff y Morfa. Felly ai West Coast Investments oedd ar ei feddwl? Roedd rhai o gyn-aelodau'r Urdd yn uchel iawn ar y bwrdd rheoli, ond eto, doedd ganddyn nhw ddim cysylltiad amlwg â Llangroes...

Roedd gan nos Sadwrn, fel nos Wener, ei defodau cymdeithasol ei hun. Gwyddai Dafydd y byddai'r ffermwyr yno gyda'u gwragedd, a'r Uwchgymry – ond dim ond os byddent wedi ffônio'i gilydd ymlaen llaw. Os digwyddodd hynny heno, byddai Morse yma, a Caederwen, yn ogystal â dogn o werin a Saeson: yr holl actorion, felly, yn y ddrama yr oedd e, tan heno, wedi trio mor galed i aros allan ohoni.

Cododd beint newydd o Guinness a chan deimlo braidd fel gwyfyn yn tynnu at fflam cannwyll, gwthiodd ei hun drwy ddrws gwydr addurniedig y *Lounge Bar*...

* * *

... ond mor braf oedd yr ystafell, mor heddychlon yr awyrgylch! A Dafydd heb fod ynddi ers misoedd, roedd wedi anghofio'i naws gynnes, westyol. Taflai'r lampau troed hen ffasiwn drionglau o olau oren dros rannau o bobl a byrddau, ac yno ar y wal, rhwng y printiau hela o Woolworths, yr oedd Eben Ddall, Telynor Plas Treddafydd, yn dal i wgu i lawr ar bawb o'i ffrâm aur, fel proffwyd o'r Hen Destament.

Wrth eistedd yn y gadair agosaf at y bar, roedd yn anodd ganddo gredu bod unrhyw newid mawr ar fin digwydd, nac erioed wedi digwydd yn y pentre. Ffurfiai'r ffermwyr gylch y tu ôl iddo – pedwar pâr nobl yn cynnwys Caederwen ei hun gyda'i wyneb coch, garw a'i wallt wedi ei gribo fel gorsaf Paddington ar draws ei gorun; ei wraig fronnog wrth ei ochr; amryfal Saeson; yna ar y pen arall, y Mob Cymraeg Dosbarth Canol Uwch yn cynnwys, fe sylwodd, Deian a Lleuwen, yn edrych yn hynod raenus a hapus.

Eddie a gyfeiriodd atyn nhw fel y Mob Cymraeg. Pan oedd e'n briod â Menna, fe ystyrid Dafydd gan lawer, ond nid ganddo ef ei hun, yn un ohonyn nhw. Ni hoffai Dafydd labeli dosbarth – pobl yw pobl – ond wedi'r gwahanu, fe'u gwelai nhw'n llawer tebycach i'w gilydd.

"Hei, Dafydd! Drycha pwy sy fan'cw! *Hello stranger!*"

"Ty'd i mewn i'r cylch, achan!"

Roedden nhw fel petaen nhw'n wirioneddol hapus i'w weld. Yr oedden nhw, oddi ar y tor-priodas, yn fwy cyfeillgar na chynt ond tosturi oedd e wrth gwrs: roedd e nawr, fel y tlodion, yr anabl ac ati, yn wrthrych sentimentau Cristnogol. "Ti'n anghywir," meddai Alan Blaid wrtho unwaith, pan ddywedodd Dafydd ei gwyn wrtho. "Nid trueni yw e, ond cyfeillgarwch. Derbynia fe, y ffŵl."

Llusgodd rhywun stôl o fwrdd arall a gorchymyn i Dafydd eistedd arni. Wedi rhai cwestiynau personol am y busnes ac am y Dechnoleg Uwch, ac un gwahoddiad i ginio Sul drannoeth (y tosturi yna eto), trodd y sgwrs yn ôl at y pynciau blaenorol, sef pwyslais eithafol a gormodol prifathro'r ysgol ar wthio'r plant ymlaen yn Eisteddfod yr Urdd (oedd i'w chynnal mewn tua mis a hanner), ac at y rhifyn o *Llais y Llan* oedd newydd ymddangos.

Mel Merlod oedd wrthi nawr. Roedd Dafydd yn falch o'i weld yno, yn ei hen siaced ledr. Doedd e ddim yn hollol fel y lleill. Fel perchennog presennol Plas Treddafydd, a gŵr busnes llwyddiannus, byddai'n troi ymhlith y ffermwyr yn ogystal â'r criw yma gan ddewis ei gymdeithas yn ôl ei awydd.

"Ti'n deud hi'n o hallt am y polyn lamp yn Cwr-y-coed," meddai Mel gan gyfeirio at golofn fisol Alan Blaid ar bynciau llosg y dydd. "Duwcs annw'l, gynnoch chi gymaint o bolion ar 'ych blydi stad â sy gynnon ni am y pedair milltir rhwng y Plas 'cw a'r ffordd fawr."

"Mae 'na blant bach yn chwarae ar y stad," amddiffynnodd Alan ei hun. "Ti 'di gweld y lorïau yn cymryd y tro? Mi fydd 'na ddamwain angheuol yna ryw ddiwrnod."

"Dy broblem di ydi dy fod ti'n *townie*. Gobeithio'r arglwydd bod gin ti rwbath mwy diddorol inni'r tro nesa 'ma."

" 'Se 'da ti blant dy hun fuaset ti ddim yn 'i gymryd e mor ysgafn..."

"Cwlia lawr, Alan bach. Y cwestiwn ydi, 'sgin ti rwbath 'bach mwy sbeisi inni'r tro nesa? Mwy o secs sy isio yn y blydi papura bro 'ma. Ma' nhw'n betha digon blydi diflas, at 'i gilydd."

Yn y tawelwch a ddilynodd ni allodd Dafydd ymatal rhag dweud, yn ddigon ysgafn: "Wel – beth am gais cynllunio Caederwen? Lenwith hanner colofn..."

Rhagor o dawelwch. Sylwodd Dafydd ar Deian Morse yn codi'i ffroenau fel blaidd, yna'u gostwng gan hanner cau ei lygaid. Gwisgai grys chwys Benetton gwyrdd: y dewis gwaethaf i'w gorpws crwn, tew. Cariodd Dafydd ymlaen i yfed, a'i ben yn ei wydryn, ond synhwyrai pawb y trydan yn yr awyr.

"Wel, beth amdani, Alan?" meddai Emyr yn rhesymol. "Mae'n iawn i bobol wybod be sy'n digwydd."

"Dwi'n gwybod dim am y peth," atebodd Alan. "Ond os oes 'na rywbeth o gwbwl yn mynd ymlaen, fe ddylai fod yn stori flaen, nid yn rhan o golofn glecs."

"Ti yw pensaer y pentre," meddai Emyr gan droi at Deian. "Wyt ti'n gwybod rhywbeth?" Roedd yr hen Emyr wastad yn meddwl y gorau, chwarae teg iddo.

"Dy rownd di, Alan," meddai Deian. "Gym'a i lager arall."

"Wel be wyt *ti'n* wbod?" gofynnodd Emyr i Dafydd tra oedd Alan wrth y bar.

"Dim sy'n gyfrinach. Roedd e yn y *Cambrian News* dydd Iau yn y golofn Ceisiadau Cynllunio Mewn Llaw. Cais amlinellol am tua naw deg o dai..."

"Wel?" trodd llygaid pawb at Deian.

"Wel be?" meddai'n sur.

"Wel oes 'na stori?"

Meddai Deian: "Mae o'n ista draw fan'cw. Fo bia'r tir. Gofynnwch iddo fo. Dim Draciwla 'di o. 'Neith o mo dy fyta di, Dafydd."

"Â phob parch," meddai Alan, "mae'n nos Sadwrn a mae'r

boi eisiau llonydd i fwynhau ei wisgi."

"Dyna'n union be dwi'n ddeud hefyd, ond chi gododd y blydi pwnc," meddai Deian.

Caledodd rhywbeth y tu mewn i Dafydd. Roedd pawb yn y cylch yma'n genedlaetholwyr, rhai yn flaenllaw. Roedden nhw'n haeddu rhyw brawf gwell na hyn. O bob pwnc, fe ddylen nhw fod yn trafod y datblygu. Oedd ganddyn nhw ateb i'r bygythiad – neu ai dim ond y Milwr oedd ag un? Oedd Cymru am gael ei rhyddid mor hawdd, heb ddim gwrthdaro na dioddef na phoen – dim ond twf a thwf y dosbarth breiniol yma?

Cliriodd Dafydd ei wddwg. "Ond wedyn *petai* rhywun yn y cylch yma'n gwybod mwy..." – gan edrych draw at Deian: beth os oedd Eddie'n iawn? – "a falle wedi bod yn siarad eisoes â Caederwen, mi fuase'n arbed tipyn o waith ymchwil i'r papur."

Cydiodd Deian yn yr abwyd.

"Os wyt ti, Dafydd, yn gwbod cymaint pam na sgwenni di'r ffycin stori dy hun? Does 'na ddiawl o neb yn dy stopio di."

"Felly mae'n wir?"

"Beth sy'n wir?"

"Dy fod ti wedi bod yn siarad â Caederwen?"

Cododd gwrychyn Deian o ddifri.

"Dywad: pam ddoist ti i'r bar 'ma heno?"

"Chware teg nawr," gwrthwynebodd Emyr ac edrychodd y merched draw'n ofidus wrth synhwyro cynnwrf.

"Ella," meddai Deian gan ystwyrian yn ei sedd, "ella bod 'na drafodaetha'n mynd ymlaen sy'n amhosib i'w trafod yn agored ar y funud, trafodaetha sy â dim byd ond lles y pentra mewn golwg, ond bod rhaid iddyn nhw fod yn gyfrinachol iddyn nhw lwyddo."

"O'r gore," meddai Dafydd. "Ond oes 'da ni hawl i ofyn, ai trafod y cynlluniau hyn y'ch chi – y naw deg o dai – neu rai gwahanol?"

"Clyw, Dafydd: ydw i 'rioed wedi cerad i mewn i'r bar 'ma ar nos Wenar neu nos Sadwrn a dechra trafod materion astrus, preifat yn ymwneud efo busnas dylunio neu gysodi? Y trwbwl efo chdi a dy siort ydi'ch bod chi bob amsar yn ymatab fatha tarw i gadach goch, neidio'n syth i mewn i betha traed gynta, heb drio dallt dim am be sy'n mynd ymlaen, a thrwy 'neud hynny, ffwcio i fyny be *sy'n* mynd ymlaen."

"Plis, Deian," plediodd Lleuwen, " 'sdim ishe bod fel'na. Chware teg i Dafydd, wnath e ofyn cwestiwn digon cwrtais."

"Y cyfan dwi'n ddeud ydi bod 'na betha'n mynd ymlaen wneith ddim ffitio i mewn i golofn codi cnec mewn papur bro. Allwn ni ddim jyst gadal y matar yn fan'na am heno?"

Dechreuodd y merched siarad ymysg ei gilydd, ac ar unwaith llaciodd y tensiwn.

"Wel ma' gen ti broblem," meddai Emyr wrth Alan. "Beth wyt ti'n mynd i'w roi yn dy golofn?"

"Rhywbeth ysgafn a llawen, rwy'n credu."

"Lleuwen wedest ti?" meddai Mel. "Syniad gwell o lawar."

"Beth wyt ti'n mynd i'w roi yn dy golofn, wedes i, nid be ti'n mynd i roi dy golofn ynddo," sibrydodd Emyr gan bwnio Alan yn ei ochr.

Roedd Dafydd yn gyfarwydd â hiwmor salŵn rhai o'r criw ond doedd e ddim am adael y mater ar hynny. Meddai wrth Deian: "Rwy'n cyfadde nad ydw i'n gwybod dim o'r ffeithie. Alla i orffen ag un cwestiwn hollol syml? Oes 'na dai i bobol leol yn dy gynllun di?"

Ochneidiodd Deian yn drwm. "Dwi newydd ddeud. Alla i ddim trafod y peth rŵan. Does dim byd wedi digwydd eto."

"Beth fyddan nhw 'te? Fflatie rhad, hostel falle i'r digarte a'r di-waith?"

"Ella. 'Swn i'n synnu dim," atebodd Deian gan lyncu'i beint yn flêr. Sychodd â'i lawes y diferion a gwympodd ar draws logo ei grys chwys, a dweud: "Achos mi alla i feddwl am o leia un person lleol fasa'n ddiolchgar iawn am fflat bach rhad ryw ddydd."

"O, ie?"

"Ffycin chdi dy hun, Dafydd."

Chwaraeai gwên faleisus ar ei wefus, ei smygrwydd prin yn cuddio'i ddirmyg.

Gadawodd Dafydd ei beint ar y bwrdd a cherdded yn syth i mewn i grŵp o bobl oedd yn digwydd dod i mewn i'r lolfa ar y pryd: Patsy a'i ffrindiau deallus.

"Helô Dafydd," meddai hi'n gonsyrniol. "Ydych chi yn mynd nawr?"

Petrusodd Dafydd am eiliad.

"Plis ga' i brynu diod i ti, Dafydd? Rydw i'n teimlo ychydig bach yn euog… fy mai i oedd e. Roedd y gwin yn gryf iawn."

"Dim diolch," meddai Dafydd yn sych, a tharo'n erbyn un o'r byrddau crwn, croen copr. Gafaelodd yn ei goes a hercian at ddrws y lolfa.

"Poor boy," meddai Patsy wrth ei ffrindiau. *"He's really fucked up, poor bastard."*

10. Arcadia

FEL Y GWIBIAI'R *INTER-CITY* trwy wastadeddau llwydwyrdd Lloegr, roedd gan Menna rai ofnau anesboniadwy ynglŷn â'i chyfarfod awr-ginio â Gregg. Doedd hi ddim yn siŵr pam y dylai deimlo mor negyddol. Fe ddylai eu cyfarfod cychwynnol yn asiantaeth Bogle & Harraty fod yn ddiddorol a defnyddiol: roedd Gregg wedi cadw at ei addewid i'w chyflwyno i rai o reolwyr cyfrif dylanwadol Llundain. Fe allai hynny arwain at fwy o gyfrifoldeb go-iawn iddi, a llai o werthu gofod drws-i-ddrws. Ar wahân i hynny, oni chafodd hi'r sgwrs yn y Daimler, bythefnos ynghynt, yn syndod o ddi-straen – ac yn bleserus, hyd yn oed?

Ond yr oedd rhai pethau wedi newid oddiar hynny. Yn un peth, roedd hi wedi gweld ffeil Sam Smyth. Roedd hi'n dal yn ddig wrth Ellis am beidio sôn dim wrthi am Berry Homes cyn y cyfarfod diwethaf â Gregg. Sylweddolodd nad oedd e wedi bwriadu dangos ei law mor gynnar, ond dylsai fod wedi trafod y peth yn breifat. Darllenodd y llythyrau rhwng Smyth ac Ellis, ac ni thawelwyd dim o'i amheuon. Doedd ganddi ddim gwrthwynebiad *per se* i PR gwleidyddol, ond mae 'na dipyn o wahaniaeth rhwng pwyso dros barhad Telewales yng nghoridorau Whitehall, ac oelio olwynion caniatâd cynllunio i ddatblygiadau tai dadleuol yng Nghymru.

Rhybuddiodd hi Ellis dros frecwast nad oedd hi'n addo chwarae'r gêm yna gyda Gregg.

"Does neb yn gofyn iti," atebodd Ellis yn hawddgar.

"Ond dyna rwyt ti'n 'neud wrth 'y nhaflu i mewn i berthynas â Gregg. Rwy'n cael fy nefnyddio i wneud gwaith cyfarwyddwr ond heb dâl na phercs cyfarwyddwr."

"Ond dyna ydi'r cinio, yntê?" meddai Ellis gan edrych arni dros rimyn ei bapur newydd. "Ymlacia. Gei di bryd bendigedig o fwyd, a dwi'n amau dim nad ydi o'n dy ffansïo di hefyd."

"*Nawr* wyt ti'n dweud y gwir. 'Blaw 'mod i'n fenyw, 'sen i ddim yn cael gwneud y gwaith brwnt, a 'blaw 'mod i'n fenyw, fasen i ddim mor rhad, chwaith."

Rhoddodd Ellis y papur i lawr gyda'i gwpan coffi. "Menna: does 'na ddim gwaith brwnt. Ac yn ail, os oes 'na, fi fydd yn 'i 'neud o, nid ti."

* * *

Doedd bar gwin yr *Arcadia* ddim fel y dychmygodd. Yn nyfnder Belgravia yn SW1, roedd wedi disgwyl lle ffurfiol yn llawn crach a gweision sifil, ond pobl ifanc a phobl fusnes oedd yno fwyaf, a'r awyrgylch yn fywiog ac ymlaciol. Peintiwyd y waliau â thirwedd Arcadaidd, clasurol. Dringai gwinllannoedd i fyny'r llethrau; mewn un man trodd un planhigyn dychmygol yn un byw a gyrliai ei fysedd deiliog am un o'r ffenestri. Roedd y bar blaen ar lefel uwch ac yn draddodiadol dywyll, mahoganaidd a Seisnig; ond acen Ffrengig oedd gan y barman golygus a'i croesawodd â gwydryn o win gwyn.

"Mae'n fendigedig," meddai Menna.

"*Pinot Gringio*," eglurodd Gregg. "Dydi o ddim yn ddrud."

"Hwn ydi'ch *local* chi, felly?"

"Ie, mae'n debyg. Rhyw hanner milltir i ffwrdd, yn Grosvenor Place, y mae ein prif swyddfa ni ac rwy'n byw tua'r un pellter i gyfeiriad arall yn Eaton Mews."

"Wyddwn i ddim eich bod chi'n byw yn Llundain."

"Doeddwn i ddim, ond mae cymaint yn haws. Roeddwn i'n byw yng Nghaergrawnt o bobman ac yn byw mewn gwestai drwy'r wythnos. Academydd oedd fy ngwraig, ond aeth pethau o chwith rhyngom ni – dwi'n berffaith siŵr nad ydych chi am glywed y manylion – ac mi benderfynais i fanteisio ar y cyfle i gael lle i mi fy hun. Ond allwn i ddim diodde byw yn Llundain drwy'r flwyddyn ac rwy'n ffoi o bryd i'w gilydd i fila bach sy gen i ar un o ynysoedd Groeg."

"Neis iawn."

"Ynys Naxos. Cofiwch amdano os byddwch chi am ffoi rywdro oddi wrth bawb a phopeth."

"Diolch – pwy a ŵyr. Ond mae'n anodd gen i gredu nad y'ch chi wrth eich bodd yma, yn gwybod am y lle a'i gyfrinachau'n well na neb."

"Mae Llundain yn lle iawn i weithio, Menna – ga' i eich galw chi'n Menna? – ond dydi e ddim yn lle i fyw ynddo. Yn y bôn, mae'n ddinas o ddieithriaid."

"Ond mae rhywbeth braf yn hynny, does bosib? Y rhyddid mae hynny'n ei roi i chi?"

"Dydi e ddim yn ddrwg i gyd, rwy'n cytuno."

"Mi fues i'n byw am flynyddoedd mewn pentre bach clawstroffobaidd. Allech chi ddim symud bawd eich troed heb i rywun wybod. Wyddech chi fod gwraig y Post yn gwybod 'mod i'n disgwyl cyn fi fy hun!"

Gwenodd Gregg. "Wel mi allai hynny fod yn reit ddefnyddiol! Mi ges i fy nghodi mewn pentre bach hefyd, yn y Cotswolds, ond *commuters* sy wedi meddannu'r lle bellach. Rwy'n gweld hynny'n beth trist."

"Chi o bawb yn rhamantu ar ôl y bywyd gwledig, traddodiadol?"

"Efallai mai dyna pam ydw i mor hapus yn Naxos. Ond dowch inni fynd at y bwrdd..."

Wrth i'r ddau gamu i lawr at y lle bwyta, meddai Menna: "Mae hyn yn brafiach na *restaurant* ffurfiol, rhaid imi ddweud."

"Mae yna gymaint o hen snobyddiaeth, on'd oes? Mae'r bar gwin yn sefydliad Seisnig, anrhydeddus."

Ond sylwodd Menna mai Ffrancwyr – ac un Sbaenes dal, dywyll – oedd y staff a weithiai y tu ôl i'r bar bwyd. Roedd un hen wraig, yn ei du i gyd (ond â pherlau gwyn yn ei gwallt) yn teyrnasu'n awdurdodol, de Gaullaidd dros y gweddill, ac roedd hi'n dweud y drefn yn hallt wrth y *chef* ifanc, pengroen a ddaethai i fyny o'r gegin.

Roedd Menna'n dechrau mwynhau. Bu'r cyfarfod ynghynt yn yr asiantaeth yn fuddiol hefyd; rhoesai'r rheolwr cyfrif nifer o agoriadau defnyddiol iddi. Penderfynodd ddilyn cyngor Ellis i fwynhau, a pheidio â thrio ateb cwestiynau na allai. Ond ble roedd y cwestiynau yna? Efallai iddi gamfarnu'r dyn, ac, yn wir, gamfarnu Llundain.

Archebodd Gregg botelaid lawn o'r *Pinot Gringio* ac arllwys peth i wydryn Menna. "Mae gen i apwyntiad am dri," meddai hi. "Rhaid imi fod yn ofalus!"

"Twt lol! Mi fyddwch ar eich gorau wedi pryd da o fwyd. Gwaith i Telewales?"

"Ie – rwy'n gweld rhywun yn Dalgety."

"Hel hysbysebion eto?"

"Rwy'n ofni. Trio'u perswadio nhw i daenu peth o'u menyn dros y ffin. Ond yr asiantaeth sydd â'r gair ola a dyna sut ces i'r bore 'ma mor ddefnyddiol."

"Mi'ch cyflwyna i chi i rai eraill. Pam na wnewch chi drefnu derbyniad iddyn nhw yn y Ritz a rhoi sioe fach iddyn nhw ar fanteision hysbysebu ar Telewales?"

"Diddorol..."

"Nawr be gymerwch chi i'w fwyta?"

Dewisodd Menna gyw iâr gyda menyn mintys a coriander, a Gregg yr iau llo *sauté*.

"Sut lwyddiant gawsoch chi hyd yma? Ydi'r cwmnïau'n dangos diddordeb?"

"Mae'n dod yn ara bach. Y cam nesa ydi perswadio Telewales i roi mwy i ni. Mae Ellis am drafod y peth i gyd gyda John Peris."

"O adnabod Ellis, dwi'n siŵr y daw o i ddealltwriaeth. A rhaid i ni hefyd ddod i ddeall ein gilydd, fel dau gwmni. Mi fuaswn i'n hoffi cydweithio gydag Ellis. Rwy'n hoffi ei steil e, y ffordd rydd, rwydd yna sydd ganddo o ddelio â phobol. Dwi ddim yn synnu ei fod e mor llwyddiannus fel dyn PR.

Mi rydych chi'ch dau – nawr cywirwch fi os rwy'n anghywir..."

"O, ry'n ni'n cyd-fyw. Fel chithau, rwy wedi ysgaru fy nghyn-ŵr, ac fel y dwedsoch chi nawr, rwy'n berffaith siŵr nad y'ch chi eisiau clywed y manylion."

"Yn sgil Ellis y daethoch chi i fyd cysylltiadau cyhoeddus?"

"Ie, athrawes oeddwn i cyn hynny, ond ro'n i wedi laru. Yr un hen stori. Diffyg adnoddau, adeiladau'n disgyn, yr holl waith papur. Mae'n debyg i'r ddau beth ddigwydd gyda'i gilydd: Ellis yn cynnig ffordd allan i mi, i yrfa newydd ac i fywyd newydd ar yr un pryd."

"A dyma chi, yn amlwg yn ei fwynhau i'r eitha – mwy o win?"

Dros y fwydlen felys dywedodd Gregg: "Fel y soniais i, mi rydyn ni'n ystyried ffyrdd o gydweithio'n agosach fel dau gwmni. Mi fydda i'n hollol onest â chi. Nawr petaech chi am weithio'n agosach â chwmni newydd – be fuasech chi'n 'neud gynta?"

"Eu tshecio nhw? Holi cwmnïau eraill?"

"Felly fyddech chi ddim yn fy meio am holi amdanoch chi yn Nhŷ'r Cwmnïau?"

"Na, mae'n wybodaeth gyhoeddus."

"Nawr mae'n amlwg imi mai Ellis yw prif swyddog Delw."

"Ie, fe sefydlodd y cwmni."

"Ond eto dim ond deugain y cant o'r cyfranddaliadau sydd ganddo."

"Rwy'n ofni mai ychydig wn i am strwythur y cwmni. Ond Wyn Rees a Fenwick bia gweddill y siariau."

Yn y saib a ddilynodd, byddai'n rhyfedd i Menna fod wedi peidio ymhelaethu. "Fe ddigwyddodd newid yn sgil ysgariad Ellis ddwy flynedd yn ôl. Roedd yn rhaid iddo godi arian i brynu Molly allan, a'i siâr hi o'r tŷ; does dim mwy i'r peth na hynny."

Ymlaciodd Gregg yn ei gadair. "Rhaid i chi faddau i mi am fod mor fusneslyd."

Trodd Gregg y sgwrs yn ddeheuig at bwnc ysgafnach, a thoc

sylwodd Menna fod yr hen wraig yn amneidio arno. Ymesgusododd a mynd draw i siarad â hi. Ni allai Menna glywed manylion y sgwrs ond yn Ffrangeg yr oedd hi. Roedd rhywun yn aros amdano yn y bar, a chanddo rywbeth i'w roi iddo. Gwas sifil, os oedd hi wedi deall yn iawn.

Daeth Gregg yn ôl at y bwrdd: "Menna, rhaid i chi fy esgusodi. Rwy'n ofni bod hyn yn digwydd yn aml. Mae gan *Madame* a minnau drefniant bach. Mi fydda i'n ôl ar unwaith. Yn y cyfamser, archebwch o'r fwydlen felys. Mae *Madame* yn gwybod beth ydi 'ngwendid i..."

* * *

Bwytaodd Menna'r trwffl siocled ar ei phen ei hun, a'i fwynhau yn fwy o'r herwydd.

Gan gnoi'r ddeilen mintys, meddyliodd yn ôl dros y sgwrs a gawsent. A ddywedodd hi ormod am Delw? Ond doedd dim a ddywedodd yn gyfrinachol, nac o gwbl yn annheyrngar. Rhaid iddi gyfaddef iddo'i darbwyllo ei fod yn berson sylfaenol agored – ond onid oedd ei ddull o weithredu'n dibynnu ar gyfrinachedd? Onid oedd yn hanfodol iddo guddio'i wir ddiddordeb er mwyn cael troed i mewn yn nrws gwleidydd neu was sifil?

Pan ddôi Gregg yn ei ôl, byddai'n rhaid iddi fod yn fwy gofalus, a thrio llywio'r traffig sgyrsiol i'r ddau gyfeiriad. Ni fyddai hynny'n hawdd. Roedd ganddo ddawn naturiol i gymell rhywun i siarad yn agored braf – ei ased busnes pennaf, efallai.

Roedd yn ddiddorol deall mai academydd oedd ei wraig. Roedd ganddo ef, hefyd, ryw sgeptigaeth iachus, ddeallus. Roedd elfen o hynny yn Ellis hefyd, ond ei fod e'n fwy cymhleth ac ansicr ac emosiynol – a chreadigol efallai. Y gwrthrychedd yna oedd y gwahaniaeth rhyngddynt. Mor ddi-emosiwn a chwareus y bu Gregg yn trafod Telewales, er enghraifft, wrth adael Bogart & Harraty. Chwaraeai â'r gwahanol broblemau fel cath yn chwarae â phelen wlân. A oedd hi, fel cyn-athrawes, yn hiraethu'n dawel am gael trin problemau â rhyw bellter arbrofol, heb y panig tragwyddol sydd mewn busnes real?

Ond yna'n sydyn, fe'i trawodd hi: fe alwodd e John Peris, bòs Telewales, yn 'J.P.' *Roedd* e'n gwsmer cŵl. Oedden nhw wedi cyfarfod ac eisoes wedi trafod strategaeth wleidyddol y tu ôl i'w cefnau nhw i gyd? A'r boi yna yn y bar. A oedd Gregg wrthi'n tshecio'r deddfau cynllunio perthnasol i geisiadau Smyth?

Daeth Gregg yn ôl yn wên i gyd. "Roeddech chi'n iawn gynnau: *mae'r* lle 'ma'n fath o *local* imi. Nawrte tra 'mod i'n llowcio'r calorïau, gymrwch chi goffi – a *cognac* bach efallai?"

"Dim ond coffi i mi." Cododd Gregg ei law ar y Barisienne, ac aeth Menna ymlaen: "Tybed ga' i ofyn rhai cwestiynau i chi?"

"Ond â chroeso."

"Mi fydda i," meddai â gwên ysgafn, "mor onest gyda chi ag y'ch chi wedi bod gyda mi. Nawr, rydw i'n ddiolchgar dros ben i chi am eich cymorth a'ch awgrymiadau ynglŷn â 'ngwaith i gyda Telewales."

"Pleser, Menna."

"Ond dy'ch chi ddim wedi crybwyll y pwnc oedd o'r diddordeb mwyaf i chi pan alwoch chi gyda ni yng Nghaerdydd."

"A beth oedd hwnnw?"

"Berry Homes."

"Rwy'n fodlon trafod unrhyw beth."

Edrychodd Menna ar y waliau o'i chwmpas, y dolydd delfrydol Afallonaidd a'r cerfluniau clasurol yn gwahodd tua'r winllan werdd. Sut roedd torri trwodd at realiti? Cwestiwn plaen, neu mwy o chwarae mig? Na, penderfynodd, doedd dim gobaith curo Gregg wrth ei gêm ei hun.

"O'r gore 'te: sut oedd J.P.'n teimlo ynglŷn â hurio Gregg Associates?"

Ni allai Gregg gelu ei syndod at y cwestiwn amrwd, yna

meddai'n bwyllog: "Mae'n rhy gynnar i ddweud."

"Ond mi roedd e'n swnio'n gyffredinol ffafriol?"

Rhoddodd Gregg y *gâteau* ar ei blât. "Mi fydda i'n adrodd yn ôl yn llawn i Delw ar unrhyw ganlyniadau positif yn deillio o unrhyw gyfarfodydd ynglŷn ag unrhyw waith y gallen ni gydweithio arno."

Cachu rwtsh, meddyliodd Menna. "A beth am y cyfarfod â Sam Smyth?"

Roedd yr ail gwestiwn yn fwy o sioc, ond prin y dangosodd Gregg hynny wrth droi'r siwgr yn ei goffi. "Llai gobeithiol yn fan'na, rwy'n ofni."

"Piti."

"Piti hefyd i chi fynnu rhuthro pethau."

"Tybed?"

"Mi fuaswn i wedi egluro'r cyfan hyn i chi yn ei bryd a'i amser, credwch neu beidio."

"Oes yna fwy i'w egluro?"

"Dwi'n meddwl bod... am dri o'r gloch mae'ch cyfarfod chi, yntê?" Edrychodd ar ei wats. "Os oes gynnoch chi'r amser a'r amynedd, mi allwn i egluro un neu ddau o bethau i chi ynglŷn ag asiantaethau gwleidyddol yn gyffredinol a dulliau Gregg Associates yn benodol."

Ymlaciodd Menna. Gallai adael iddo ef siarad nawr. Fe ddysgai hi fwy felly. "Os nad oes wahaniaeth gynnoch chi, mi dderbynia i'r cynnig o *cognac* wedi'r cyfan."

* * *

Yn araf, taniodd Gregg ei sigâr Hafanaidd. "Mae 'mlaenoriaethau busnes i'n eitha syml. Mae'n pencadlys ni yn Llundain, ac ry'n ni'n gweithredu yma ac ym Mrwsel. Nid yng Nghaerdydd. Nac yng Nghymru. Nid yno mae 'niddordeb i, na 'ngwybodaeth i. Ond mae gen i fusnes i'w redeg ac ugain o staff i'w cyflogi ac os oes yna fusnes i'w gael yn Llundain, rydw i'n mynd ar ei ôl e...

"Fe sonioch chi am ein cyfarfod ni yng Nghaerdydd. Roedd

gen i ddiddordeb yn Berry Homes ar y pryd am fy mod i'n gweld cyfle i weithio ar lefel Brydeinig, ar eu rhan nhw. Do, fe welais i Smyth, unwaith – ond rwy'n berffaith siŵr bod Ellis wedi'i weld e'n amlach na hynny. Doedd ganddo ddim i'w gynnig imi. Mae ganddo ryw obsesiwn am Gymru. Ar y llaw arall, er yn gwmni Cymreig, mae Telewales, yn yr argyfwng sy'n eu hwynebu nhw, yn chwilio am gynrychiolaeth yma yn Llundain, sef yr union faes yr y'n ni'n arbenigo ynddo. Nawr ydych chi'n gweld y pictiwr, Menna?"

"Rhan ohono, efallai ...ond a siarad yn blaen: Telewales i chi, Smyth i ni?"

"Chwarae teg, rŵan! Dwy' ddim cweit mor ddiegwyddor â hynny! Faswn i ddim yn breuddwydio cymryd eich gwaith Telewales chi."

"Nid dyna oeddwn i'n 'i feddwl – y blydi hysbysebion – fel gwyddoch chi'n berffaith."

"O'r gore. Ond mae gynnon ni'n cysylltiadau yn yr Adran Etifeddiaeth a Gwydr House ac mae'n naturiol imi ystyried a allwn ni helpu Telewales yn fan'na."

"Ond gofyn wnaeth Ellis i chi helpu Delw i gael y gwaith."

"Sôn am gydweithio wnaeth e."

"Ie – ond Berry Homes i ni?"

"Rwy wedi dweud: does gen i ddim diddordeb yn eu gwaith lleol nhw. Yn y bôn, dim mwy na llacio olwynion caniatâd cynllunio ar gyfer nifer o stadau tai yng Nghymru. Does gen i mo'r wybodaeth, na'r awydd, wir. Mae yna grwpiau eithafol Gymreig y mae angen eu niwtraleiddio. Chwarae â thân, os y'ch chi'n gofyn i fi – yn llythrennol felly."

Meddai Menna'n araf: "Ond mae'n iawn i ni, Delw, gymryd y gwaith brwnt?"

"Dewch o'na, wir," meddai Gregg gan chwythu mwg tuag ati, "does dim *rhaid* i chi gymryd y gwaith."

"Digon teg," meddai Menna, "– ond ydi e'n frwnt, go iawn?"

"Mae gan Berry Homes gannoedd o stadau ar y gweill ledled Prydain, ond am resymau nad ydw i'n eu deall yn iawn, maen nhw'n arbennig o awyddus i gwblhau dau neu dri datblygiad yng ngogledd a chanolbarth Cymru. Ond maen nhw'n debyg o ennyn gwrthwynebiad gan garfanau arbennig o bobol, ac mae Smyth yn chwilio am gwmni fydd yn gallu helpu i niwtraleiddio'r gwrthwynebiad yna. Dyna'r sefyllfa, yn fyr iawn."

"Ond ydi'r gwaith yn *frwnt*?"

"Dyna'r trydydd gwaith i chi ofyn hynny imi, Menna. Mi allech chi ddweud ei fod e, os ydych chi'n credu bod amcan y gwaith yn frwnt."

"Ond beth yw'ch barn bersonol?"

"Wel, dydi sicrhau caniatâd cynllunio ddim yn nod amheus ynddo'i hun."

"Ond os oes angen 'niwtraleiddio gwrthwynebiad'?"

"Yn hollol. Yn yr achos yma dy'n ni ddim yn sôn am ychydig o waith perswadio tawel yn Whitehall neu fariau Westminster, ond am waith tipyn mwy ansicr allan yn y maes. Nid dyna'n harbenigedd ni."

"Os ydw i wedi gofyn y cwestiwn dair gwaith, ry'ch chi'n dal heb ei ateb e."

"Does dim rhaid i mi ei ateb e gan nad ydw i'n bwriadu cymryd y blydi gwaith. Ac i fod yn onest, dda gen i mo'r Smyth yna. Ond sut bynnag edrychwch chi ar y job, mae'n fater o farn yntydi – ac o gydwybod – yn y pen draw."

"Yn hollol," meddai Menna. Teimlai ychydig yn sâl. "O ran chwilfrydedd," meddai gan geisio ymddangos yn ddidaro, "dy'ch chi ddim yn cofio pa ardaloedd yn union roedd Smyth am eu datblygu? Sonioch am un stad yn y Canolbarth."

"Alla i ddim cofio o dop 'y mhen... rhyw enw *hybrid* – Lancross tybed?"

"Llangroes?"

"Mi allai fod. Beth: rhyw gysylltiad?"

"Na, dim byd..."

Culhaodd Gregg ei lygaid am eiliad, yna cododd ei drwyn i ffroeni aroma'r sigâr.

* * *

Edrychodd Gregg ar ei wats a pharatoi i symud, ond roedd Menna'n rhythu i'r gwacter y tu ôl iddo.

"Edmygu'r celf, Menna. Y wlad berffaith? Y baradwys goll? Neu'r effeithiau *trompe d'oeil*? P'run ydi'r winwydden o baent, a ph'run ydi'r un fyw? Mae'n anodd dweud, yntydi?"

Craffodd Menna'n agosach. "Ydi mae. Ond mae'n ffantasi 'run fath. Dydw i ddim yn siŵr a ydw i'n ei hoffi'n fawr, neu'n ei gasáu."

"Does dim o'i le ar ffantasi weithiau. Rhyw freuddwyd o gefn gwlad nad yw byth yn newid; rhyw bentre efallai yn nythu rhwng y bryniau fel Little Rissington, ble ces i 'ngeni. Mae'n well gen i'r ffantasi na'r realiti am y lle yna heddiw."

Methodd Menna ag ymateb iddo. Ai'r enw Llangroes oedd wedi'i diflasu, fel y gwaeth cymaint o weithiau o'r blaen, neu ddiflastod gyda'r dulliau y cyfeiriodd Gregg atynt, neu ei ramantiaeth blentynnaidd?

"Ry'ch chi'n dawel, Menna. Mwy o goffi?"

"Diolch."

Pesychodd. "Wel o'm rhan fy hun, Menna, rwyf wedi mwynhau. Mae sgwrs fel hyn cymaint yn fwy diddorol na'r un fusnes arferol. Beth am gwrdd yma eto, mewn rhyw bythefnos dyweder?"

"Mae'n dibynnu."

"Ar beth?"

"Os ca' i ddau funud eto o'ch amser chi. Fe ddywetsoch chi nad oes gynnoch chi'n bersonol ddim diddordeb mewn gweithredu ar ran Smyth yng Nghymru."

"Nac oes."

"Os felly, a fase gwahaniaeth gyda chi egluro, yn fyr iawn, y math o ddulliau basech chi'n eu hargymell i gwmni fel Delw."

"Beth am drafod hyn y tro nesa?"

"Yn llawnach y tro nesa."

Gwenodd Gregg, yn falch bod Menna wedi cytuno i bryd arall o fwyd: doedd e ddim yn arfer methu. Sugnodd ar y sigâr i ailddeffro'i dân.

"Yn fyr iawn, mae gynnon ni dair ffactor, on'd oes, yn y sefyllfa: gwrthwynebwyr y cynllun, hyrwyddwyr y cynllun, a'r jiwri sef y rhai fydd yn penderfynu a aiff y cynllun yn ei flaen. Byddai'n rhaid dechrau trwy ddadansoddi'r gwrthwynebiad. Pwy ydyn nhw? Cynghorwyr sir a gwleidyddion; y cyfryngau – papurau a radio lleol; a mudiadau. Wedi dewis y grwpiau, byddai angen naill ai eu niwtraleiddio neu eu hynysu."

"Beth yw ystyr hynny'n hollol?"

"Un ffordd o ynysu mudiad eithafol yw eu cysylltu nhw â safbwyntiau annerbyniol i'r boblogaeth yn gyffredinol. Er enghraifft, yn yr achos arbennig yma, gellid cysylltu'r gwrthwynebiad gyda'r IRA. Dwn i ddim sut. Ond mae'r un mor bwysig gweithio i'r cyfeiriad arall – sef yn bositif – ar hyrwyddwyr y cynllun. Byddai angen cyplysu Smyth, yn yr achos hwn, gyda safbwyntiau *derbyniol*.

"Gellid edrych ar Gymreictod delwedd Berry Homes, a'u defnydd o'r Gymraeg. Efallai y buaswn yn argymell gosod hysbysebion amlwg yn y papurau Cymraeg yn gofyn am ysgrifenyddesau dwyieithog. Mae pethau bach fel'na'n gallu mynd ymhell."

"Rwy'n gweld."

"Nawr ydych chi am imi fynd ymlaen, neu gawn ni barhau'r tro nesa?"

"Y tro nesa, dwi'n meddwl," meddai Menna'n wan.

"Ardderchog. Nawr peidiwch â thrafferthu i wneud unrhyw nodiadau meddyliol. Os bydd Ellis am symud ymlaen i'r cyfeiriad yna, mi fydda i'n siŵr o roi awgrymiadau iddo, ar lafar ac ar bapur. Ond go brin bod ganddo lawer i'w ddysgu. Does dim byd cyfrinachol am y tactegau hyn. Mae yna lyfrau amdanyn nhw, wyddoch chi..."

Fel roedd Gregg yn llofnodi ffurflen y cerdyn credyd, digwyddodd Menna sylwi ar gornel agosaf y murlun. Roedd hanner dyn, hanner gafr gydag wyneb hyll, masweddus yn yfed o un o'r ffiolau gwin ac yn sgwintio arni. Satyr, mae'n debyg.

"Mae o'n fy atgoffa i o Smyth," meddai Gregg, a sylwodd ar ddiddordeb Menna. "Wyneb trachwantus. Beth bynnag wnewch chi, peidiwch â'i wahodd yma i ginio. Buasai gweld yr holl wyrddni gwyryf, annatblygedig yn anfon y dyn o'i gof – fel morwr mewn *bordello* wedi chwe mis ar y môr."

Er gwaetha'i hunan – ac am y tro cyntaf ers dros awr – yr oedd yn rhaid i Menna chwerthin hefyd.

11. Lleuwen

CAFODD DAFYDD Ddydd Sul Du, fel y rheini flwyddyn a hanner yn ôl, yn union wedi i Menna a Siani adael. Ni chododd tan ginio. Nofiai dwsin o feddyliau llysywennaidd yn ôl a blaen ar waelod tanc pysgod ei feddwl, gan droi a throsi yn eu budreddi eu hunain. Roedd rhai ohonynt wedi adfywio'n sydyn wedi blwyddyn o goma: yr hen feddyliau cnawd-besgol yna ynglŷn â'i werth e'i hunan.

Onid oedd fel petai *pob* peth roedd e'n ei wneud yn anghywir y dyddiau hyn – yn bersonol, yn rhywiol, yn wleidyddol – ac roedd sen Deian ("ffycin chdi dy hun") fel rhyw lysnafedd melyn ar waelod y tanc, yn gwenwyno'r cyfan. Mor greulon o gywir yr oedd wedi crynhoi ei dynged – i fod yn ddi-dŷ, ddi-wraig, ddiblentyn yn crafu byw mewn esgus o job ar drugaredd y wladwriaeth neu'r Gymdeithas Dai, a hynny mewn pentref wedi troi'n faestref Seisnig.

Gofynnodd iddo'i hun – fel yr ofnai y byddai'n gwneud – pam aeth e i'r lolfa neithiwr? Pam mynnodd e godi'r pwnc? Ar wahân i wroldeb alcoholaidd, yr oedd yna ffactor gudd, sef y rhyddid ffals a deimlai wedi difa disg y Milwr. Os oedd e wedi cefnu ar ddulliau trais, yna doedd ganddo ddim i'w golli o godi'r pwnc mewn sgwrs, erthygl (fel y gwnaethai eisoes yn *Cymdeithas*), ac efallai ymgyrch. Ond yr oedd pob peth oedd yn digwydd iddo'n dweud mai camsyniad oedd hynny: cynllun newydd, cudd Deian; y slob Eddie; a'r Saeson Mawr a'u teuluoedd a fyddai'n archwilio'r mwynfeydd. Roedd y rhain i gyd, a'r 'wybodaeth' am gwmni Berry Homes, yn bethau yr oedd yn bwysig i'r Milwr eu gwybod.

Roedd y Milwr wedi galw ar yr adeg berffaith, gyda'r

person perffaith, ond dyma fe, Dafydd, yn llosgi'r bont gan ei gondemnio ei hun i ddim ond sbowtan. Fel rhyw wrywgydiwr, roedd e wedi 'dod mas' yn erbyn y datblygu ond bod dim pwynt na chanlyniad i'r weithred wag, gyhoeddus.

Roedd sarhad Deian hefyd wedi atgyfodi ei holl ofid ynglŷn â'r tŷ. Gwyddai mai hanner gwerth y tŷ oedd i ddod iddo, ond roedd y boen o werthu a symud yn rhywbeth a berthynai i'r dyfodol. Ond nawr, pwysai'r holl gwestiynau ymarferol ar ei ymennydd. A fyddai'n rhaid iddo symud? A fedrai ymestyn y morgej neu gael benthyciad busnes? Os symud, i ble, ac a fedrai redeg busnes oddi yno?

Doedd ei hwyliau fawr gwell fore Llun ond gwyddai y byddai prysurdeb y ffôn yn ei sgubo'n ôl i fyd busnes. Daeth un o'r galwadau cyntaf gan Alan Blaid, i'w atgoffa o gyfarfod y gangen leol nos Iau. Roedd hynny braidd yn anarferol. Doedd Dafydd ddim yn Bleidiwr brwd ac nid oedd wedi talu ei dâl aelodaeth ers dwy flynedd.

"Diolch am ffonio," meddai Dafydd, "ond rwy'n amau a fydda i yna."

"Mi wn i fod gen ti ddigon ar dy blât... a pheth arall, paid gadael i Deian dy ypsetio di. Roedd e mewn hwyliau cythreulig nos Sadwrn."

"Wi'n ei nabod e erbyn hyn."

"Rwy'n digwydd gwybod ei fod e dan gryn bwysau hefyd."

"Falle dyle fe yfed llai o lager."

"O ddifri, Dafydd, rhaid i'r busnes 'ma beidio'n rhwygo ni fel Cymry yn y pentre. Mae Deian mewn sefyllfa sensitif iawn am ei fod e'n bensaer. Dyna pam yr o'n i am i ti ddod i gyfarfod y gangen. Mae'n bwysig i ni drafod y peth yn agored. Ac mi fydda i'n codi'r pwnc yn fy ngholofn yn y *Llais* – fel yr awgrymaist ti nos Sadwrn. Rhoi safbwynt Pleidiwr cyffredin. Trafod y pryderon, ond ar y llaw arall allwn ni ddim bod yn erbyn datblygu'r pentre fel y cyfryw."

"Wel – pam lai?"

"Mi allen ni ddadlau, Dafydd – ond i beth? Dwi ddim yn

gweld bod gan gynllun Caederwen fel ag y mae e obaith mul, a phetai e'n ddigon call i fynd am gynllun tipyn llai, a hwnnw'n cael ei drafod yn gytbwys ac yn agored, mi allen ni ffindio bod yna gytundeb yn y pentre. Dyna pam mae mor bwysig i ni yn y Blaid grisialu'n syniadau."

Wedi saib, diolchodd Dafydd am y gwahoddiad ac am drafferthu i ffonio.

"Cofia, beth bynnag ddigwyddith, paid â gadael i Deian dy gadw draw o'r Groes. Oedden ni'n arfer cael dadleuon da yn yr hen ddyddiau ac oeddet ti'n iawn i'n procio ni nos Sadwrn. Wir, mi fuase'r criw i gyd yn hoffi dy weld di'n amlach."

Wedi rhoi'r ffôn i lawr, gofynnodd Dafydd iddo'i hun beth oedd yn digwydd iddo, yn siarad ag Alan fel petai diawl o ddim yn bod. Onid oedd casineb at Deian a'r criw wedi bwyta'i ymysgaroedd drwy'r nos: at *haves* y byd Cymraeg, eu smygrwydd, eu clicyddiaeth, eu cyfoeth mawr, yr hunan-les cudd sy'n llechu o dan eu consyrnau 'diwylliannol' – a'r fath Fici Mows o ddiwylliant oedd hwnnw...

Ond cyn diwedd y bore daeth galwad ffôn arall o'r un cyfeiriad cymdeithasol: llais merch y tro hwn. Lleuwen, gwraig Deian. Llamodd calon Dafydd pan adnabu ei llais. Gofynnodd a allai hi ddod draw i drafod cynhyrchu gwahoddiad i barti pen blwydd Meri a Mared, ei dwy efaill, yn ddeg oed a phryd fyddai hynny'n gyfleus? Ymdrechai i swnio'n llon a phwrpasol. Rhywun arall, meddyliodd Dafydd, yn ei ffonio ar esgus.

"Iawn – ond a oes pwynt?"

"Be ti'n feddwl?"

"Allet ti redeg nhw bant ar un o beiriannau Deian. Wi'n siŵr bod 'da fe lungopïwr lliw."

"Ond rwy am iti 'i *ddylunio* fe, Dafydd."

"Ond rwyt ti newydd ddweud bod y merched eu hunain wedi 'neud llun."

Saib. "Wir, Dafydd, odi'n arian i'n wahanol i arian neb arall?"

"Na, ond pam 'i wastraffu e?"

"Os ti'n gwrthod arian Lloegr, allen i dy dalu di mewn Deutsch Marks..."

Ildiodd Dafydd. "O'r gore, dere lan."

"Bore fory?"

Trawodd y ffôn nôl yn ei grud. Roedd wedi ildio i Lleuwen, gwraig y bastard Deian. Y ffŵl! Ond mi fuodd e wastad yn wan gyda hi.

Hi oedd yr unig ferch o'r criw crach yr oedd e wastad wedi'i hoffi, ond rhaid iddo fyth anghofio dau beth: ei bod yn wraig i Deian, a bod Deian yn fastard...

* * *

Hwyliodd Lleuwen i mewn i'w swyddfa mewn cwmwl o bersawr a gorseddu'i hun ar un o'r cadeiriau tro. Cariai bortffolio mawr o ledr du – un o rai Deian, mae'n amlwg. Fe'i zipiodd ar agor, a thynnu allan baentiad Meri a Mared. Roedd yn rhaid i Dafydd gydnabod ei fod yn dda: llun o ddwy ferch, gwallt mawr blond fel eu mam, yn sugno ar wellt allan o wydryn coctel llawn ffrwythau, y ddwy'n gwisgo crys-T â'r lythyren 'M' arno. Ar draws y top roedd y llythrennau *Mega*, ac o tanynt, y gair *Melys*.

"Alla i ddim gwella ar hwn," mynnodd Dafydd.

"Ond mae'r llythrenne'n hyll, ac ma' angen cysodi'r geirie."

Estynnodd ddarn o bapur i Dafydd. Sylwodd Dafydd ar ei hewinedd hir, perffaith ond roedd y papur yn crynu fel deilen yn ei llaw.

"O'r gore. Fe wna i'r job iti."

"Diolch, Dafydd – erbyn pryd?"

"Diwedd yr wythnos?"

"Allet ti ddod â nhw draw pan fyddan nhw'n barod?"

"Fydde hi ddim yn haws i ti alw?"

"O'n i'n meddwl am nos Sadwrn... am dy wadd di draw i swper."

"Swper?"

"Ie. *Gwahoddiad*, Dafydd. Gallet ti ddod â nhw 'da ti'r un pryd." Cododd ei llygaid mawr ato. "Ddoi di?"

"Na – a ti'n gwybod pam."

"Ma' Deian ishe ymddiheuro i ti."

" 'Sdim rhaid iddo fe drafferthu. Oedden ni i gyd wedi cael cwrw. Ro'n i'n gofyn amdani."

"Ond roedd e'n gas, Dafydd."

"Dim ond dweud y gwir oedd e."

"Sa i'n siŵr am hynny chwaith," meddai. " 'Sneb yn gwybod be fydd yn digwydd i'r cynllunie – os bydd 'na rai o gwbwl."

"Gobeithio dy fod ti'n iawn."

"Ellith Deian ddim help. Mae e mewn rhyw strach o hyd achos 'i geg fawr. Ond mae popeth ar yr wyneb. Ti'n ei nabod e, Dafydd. Dyw e ddim yn dal dig: mae e wastad yn dyfaru wedyn. Yn arbennig am nos Sadwrn. Wir, mae e'n poeni am y peth: roedd 'na bethe oedd e'n methu dweud o flaen y criw i gyd."

"Fe wedodd e ddigon."

"Ond dim y cyfan. Ti'n gweld, mae'n ofnadw o bwysig fod yr *opposition* yn cael eu cadw yn y tywyllwch – y cwmni Saesneg 'ma. Mae e o dan *stress* ofnadw'n ddiweddar achos y busnes hyn a mae e moyn cyfle i egluro pethe'n iawn iti."

"Gall e wneud hynny unrhyw bryd. Pam 'se fe'n galw'i hunan yn lle dy ddefnyddio di fel hyn?"

"Dyw e ddim yn 'y nefnyddio i, Dafydd. Fi ddewisodd ddod 'ma – ond y'n ni'n dau ishe iti ddod draw am swper a sgwrs."

Ciledrychodd Dafydd arni eto, yn plethu a dadblethu ei dwylo, ond trodd draw pan gyfarfu eu llygaid.

"Dafydd, oes raid inni fod fel hyn?"

"Beth ti'n feddwl?"

"Ti'n gwybod yn iawn…"

Hi yr oedd e wastad wedi'i hoffi. Sut allai e fyth ladd hynny? Roedd e hyd yn oed yn teimlo drosti at ryw bwynt. Dim jôc oedd bod yn briod â diawl fel Deian, a gorfod cau dros y craciau o hyd. Ond roedd e'n benderfynol o beidio ag ildio i'w hystrywiau benywaidd. Dywedodd o'r diwedd: "Ethen i mas am swper 'da ti unrhyw bryd. Ond ddim 'da fe, a mae hwnna'n derfynol."

Roedd e'n ei nabod hi'n arwynebol oddi ar dyddiau Caerdydd. Treuliodd dair blynedd yno wedi gadael Aber, un yn dilyn cwrs celf yng Nghasnewydd a dwy arall yn gwneud jobsys llanw mewn asiantaethau hysbysebu. Roedd hi'n gweithio yn Ysbyty'r Heath pan ddechreuodd garu â'r boi 'ma o'r Ysgol Bensaernïaeth, Deian Morse. Roedd hi'n rhydd pan gwrddon nhw gynta ond bod Dafydd ei hun newydd ailgynnau'r achos gyda Menna – cawsent ffling fer yn ystod misoedd olaf Aber. Oni bai am rai misoedd, gallai eu hanes nhw'u dau fod mor wahanol. Roedd eu cefndir yn debyg: merch llythyrdy Dre-fach oedd hi, yntau'n fab i löwr o Rydaman. Roedd Deian, ar y llaw arall, er iddo gael ei eni yn Stiniog, yn byw yn un o bentrefi sateleit y brifddinas ac yn perthyn i'r Dosbarth Uwch ond falle mai dyna'r teip roedd hi moyn.

Fe ailgyfarfyddon nhw yn Llangroes a hi oedd y fywiocaf o'r criw crach; a pan fyddai rhyw barti neu'i gilydd, nhw'u dau fyddai wastad yn dawnsio gyntaf i dorri'r iâ. Ond wedi ymadawiad Menna, fe osgôdd Dafydd yr achlysuron yna fel Pla'r Aifft.

"Mae 'na rywbeth arall, hefyd," meddai hi o'r diwedd.

"Rhywbeth 'bach yn haws?"

"Na, wi'n ofni. Ond mi fydde fe *yn* haws 'i drafod e dros swper."

"Beth?" meddai Dafydd yn amheus. Doedd dim yn mynd i newid ei feddwl.

"Siani."

"O, rwy'n gweld."

" 'Da fi gynnig i'w roi gerbron y pwyllgor, fel petai," meddai gan drio bod yn ysgafala am bwnc mor agos at galon Dafydd.

"Rwy'n gwrando."

"Wi'n gweld Menna tua unwaith y mis pan wi'n mynd i

siopa yng Nghaerdydd. Ry'n ni'n dal yn ffrindie, er gwaetha popeth. Nawr ti'n gwbod fel ma' Mari a Mared yn hiraethu ar ôl Siani, a ti'n gwbod hefyd am y tŷ *huge* sy 'da ni. Y syniad sy 'da fi yw trio perswadio Menna i adael i Siani ddod draw am fis o wylie yn yr haf."

Goleuodd Dafydd. "Bydde hynny'n hollol wych wrth gwrs. Ond fydd Menna byth yn cytuno. Ma'r bwldosyr cyfreithiol 'ma'n sgubo popeth o'i flaen, fel trên trwy'r Rockies. 'Neith hi ddim ildio'r un ddime o'i harian, na'i hawliau."

"Wi'n ei nabod hi'n eitha da, cofia."

"Tybed? O'n i'n meddwl 'mod i'n ei nabod hi. Wnes i erioed freuddwydio y buase hi mor chwerw."

Ystyriodd Lleuwen. "Byddai'n rhaid dy gadw di'n llwyr mas o'r peth wrth gwrs. Ond mae'n werth trafod y posibiliade – wyt ti ddim yn cytuno?"

Roedd cynnig Lleuwen yn un hael, yn rhy hael i Dafydd allu ei chyhuddo o ddefnyddio Siani er mwyn ei gyfaddawdu. Byddai mor braf iddi gael mis cyfan yn Llangroes; bob yn ail benwythnos oedd y trefniant nawr. Doedd dim byd a gasâi Dafydd yn fwy na gweld Menna neu Ellis yn cyrraedd ar nos Sul yn y blydi Merc gwyn yna i 'gasglu' Siani fel troli o Tescos, a'r sterics wedyn wrth i Siani gael ei rhwygo'n gorfforol oddi wrth Dafydd a'i strapio i'r sedd flaen.

"Wel ddoi di i drafod y peth nos Sadwrn 'te, Dafydd?"

"Dim ond ar yr amod wedes i. 'Da ti, dim fe."

"Yn tŷ ni?"

"O'r gore, tŷ chi."

"Am wyth 'te?" – ei gwên yn dechrau lledu.

"Am wyth..."

Edrychodd Dafydd arni'n sgipio i lawr y grisiau yn y got law blastig melyn a'r ymbarél oren a gofyn iddo'i hunan: i ba isafbwynt newydd sbon o ffolineb rydw i wedi disgyn nawr?

12. Llechen Las

Roedd y cynnig ar y teletestun nos Fercher a nos Iau: £99 am wythnos ar Ynys Rhodos (gwesty heb ei enwi), yr awyren yn gadael Gatwick am dri o'r gloch bore Sadwrn. Cafodd Dafydd ei demtio. Fe ddylai'r hen Fiat allu ei gwneud hi ar hyd y traffyrdd gwag. Gallai osgoi'r swper yna â chydwybod glir, ac amryw bethau eraill. Ond wnaeth Dafydd ddim ildio i'r temtasiwn. Crist, oedd hyd yn oed ildio i demtasiwn yn beth mor anodd y dyddiau hyn? Yn lle hynny mi fyddai, nos Sadwrn, yn cerdded fel oen i'r lladd-dŷ, neu'n hytrach i *Tender Trap* yr Uwchddosbarth Cymraeg: rhwyd wedi ei leinio â mêl, gwin, seigiau, sgwrs ddifyr, cerddoriaeth dda – ac ym mhen draw'r rhwyd, cont. Un anghyraeddadwy, anghyffwrddadwy wrth gwrs, ond peth felly ydi *Trap*.

Prynodd botel o *Liebfraumilch* yn Leos a chyda hwnnw yn un llaw, a'r portffolio lledr dan y fraich arall, brasgamodd Dafydd, ei goler i fyny a'i gap i lawr, trwy Lôn Goed tua Llechen Las. Roedd y tywydd wedi troi ac wrth frwydro'n erbyn y gwynt a'r glaw, meddyliodd: be fyddai'r Milwr yn meddwl ohono nawr gyda'i blydi botel plonc? Byddai'n chwerthin yn o chwerw o weld yr hen rebel tybiedig yn camu mor chwim tuag un o balasau'r 'Cymry Da'.

Roedd y Milwr yn rhywle yn ei ben o hyd; weithiau fe welai ei wyneb tywyll a'i fwstás du yn trio dweud rhywbeth wrtho. Weithiau, wrth ymdrechu i'w gofio'n fwy manwl – roedd yn dal i amau iddo'i weld yn rhywle o'r blaen – byddai ei wyneb yn colli ei nodweddion, fel dymi *polystyrene* mewn ffenest siop wag. Roedd y Milwr fel petai am wrthod unrhyw archwiliad mor heddluaidd fanwl, a byddai Dafydd yn ofni na fyddai'n gallu ei nabod eto. Ond yn weledig neu'n anweledig yr oedd e wastad yno, yn ei wylio a'i farnu a'i gael bob amser yn brin...

Ar waelod y fynedfa i stad Cwr-y-coed, edrychodd Dafydd i fyny at y tai urddasol. Yn y tywyllwch ni allai weld y coed pinwydd a dyfai ar y llethrau uwchlaw'r stad, ond gallai weld siâp tywyll y coed mwy anghyffredin (coco, *monkey puzzle*) a safai yng ngerddi'r tai gan warchod preifatrwydd a chynnal statws. Roedd y llwybrau at y tai yn rhai troellog a sylweddolodd Dafydd nad oedd e'n cofio'r ffordd i'r tŷ. Roedd – faint? – dros dair blynedd oddi ar ei ymweliad diwethaf, y parti Nadolig olaf iddo ef a Menna fynd iddo gyda'i gilydd.

Craffodd o'i gwmpas yn y tywyllwch. Yn reddfol penderfynodd ddringo'r ffordd letaf – cofiodd fod y tŷ rywfaint yn uwch na'r lleill – a thoc gwelodd arwydd *Llechen Las*. Cerfiwyd y geiriau ar lechen ac yr oedd to bach o lechen yn plygu'n ofalus amdano.

Edrychodd Dafydd i fyny. Crist, on'd oedd y tŷ'n *fawr?* Oedodd, i fagu plwc. Tybed sut y gallai arwerthwr ei ddisgrifio? *Spacious, superior architect-designed residence located near authentic example of late 20th century Welsh village, with all usual amenities & real-time tensions & problems for your possible diversion & amusement...* Cymaint yn fwy deniadol na thŷ mewn rhyw ran ddienaid o Loegr. *Unfortunately not able to include attractive wife in price...* Neu hyd yn oed: *Attractive wife available as optional extra, price negotiable...* Wel go brin, ond roedd yn rhaid iddo wamalu er mwyn gohirio'r curiad anochel ar y drws.

Ond yn sydyn fe'i dallwyd gan fflydlif o olau claerwyn a'i rhewodd fel sgwarnog yn y fan a'r lle. Cododd ei fraich i guddio'i lygaid a thrio rhoi'r *Liebfraumilch* i lawr, pan glywodd lais cyfarwydd yn dod ato, trwy'r golau:

"Hei, s'mai Dafydd? Ty'd mewn 'rhen goes," – llais Deian Morse.

Blydi Deian Morse! Plymiodd ei galon i'w draed. Y ffŵl: dylsai fod wedi gwybod.

* * *

"Ma' Lleu ar y ffôn. Ty'd i mewn. Mi gyma i dy got a dy betha di a mi awn i mewn i fa'ma am eiliad." Dilynodd Dafydd ef yn ufudd i mewn i'r stiwdio. "Paid â phoeni, ma' gen i gwarfod heno, gei di Lleu i ti dy hun fel 'dach chi wedi trefnu."

Eisteddod ar un o'r stolion arlunio a gwahodd Dafydd i wneud yr un fath. Sylwodd Dafydd ar lendid a chwaeth ei amgylchfyd newydd: celfi pîn Sgandinafaidd, byrddau gwaith wedi'u goleuo'n isel, aceri o garped gwyrdd tywyll, a chyfrifiadur Afal newydd sbon.

"Dwi'n ymddiheuro, Dafydd – yn llaes."

"Dyna pam nad o'n i am ddod yma. Sa i'n gwybod ydi Lleuwen wedi egluro..."

"Do, mi soniodd a dwi ddim am greu embaras ond ro'n i'n benderfynol o aros tan iti ddod achos oedd be ddeudis i nos Wener yn uffernol o greulon o ystyried popeth rwyt ti wedi bod drwyddo, ac yn dal i fynd trwyddo wrth gwrs."

"Well 'da fi anghofio amdano fe. Oedden ni'n dau wedi cael cwrw."

"Tydi o ddim yn esgus. Dwi'n dal i deimlo'n euog ynglŷn ag o. Pa hawl oedd gin i i sbowtian, a ninna hefo popeth. 'Dan ni wir isio dy helpu di, a Lleuwen yn arbennig wrth gwrs, efo'i chysylltiad â Menna... Gym'ri di ddrinc gen i Dafydd, un sydyn? Gen i *Glenmorangie* reit neis yn y cabinet 'cw. Tonic?"

Estynnodd y gwydryn o wydr nadd i Dafydd a sylwodd Dafydd ar y crys-T yr oedd eto'n mynnu'i wisgo: y tro hwn un du gyda llun gwyn o un o hoff grwpiau pop y merched. Trwy drugaredd roedd siwt gotwm o liw chŵd ysgafn yn cuddio plygion ei gorpws.

"Dwi'n gobeithio'n bod ni'n dal yn rhyw fath o ffrindia, y math sy'n gallu damio'n gilydd i'n hwyneba."

"Gobeithio..." meddai Dafydd gan flasu'r wisgi.

"Yr unig beth alla i ddeud mewn eglurhad – nid fel cyfiawnhad – ydi bod yn rhaid i'r cynllunia sy gynnon ni fod yn gyfrinachol ac ro'n i mewn sefyllfa reit anodd nos Wenar. Os doi di draw at y ddyfais 'ma jyst am rai munuda – wna i mo dy gadw di – mi gei di syniad o be di'n plania ni, i mi gael clywed dy farn di."

Aeth Deian at y cyfrifiadur a chliciodd ar un o'r ffeiliau. " 'Sgin ti ddim syniad faint o lafur ma' hyn wedi'i olygu imi, faint o golli cwsg. Ac ella i uffar o ddim yn diwadd.

"*Fo* ddaeth ata *i* yn gynta – Lewis – nid fi ato fo," meddai gan eistedd yn ôl. "Roedd y blydi Saeson wedi bod efo fo ddwywaith neu dair ac roedd o isio cyngor. Un o gwmnïa mwya'r wlad, erbyn dallt. Roeddan nhw wedi rhoi pwysa mawr arno fo a chynnig arian dychrynllyd ond roedd rhywbeth yn'o fo – rhyw hen reddf Gymreig, am wn i – yn deud Howld On...

"Mae o'n rêl Cardi, yn yr ystyr waetha a'r ystyr ora. Mae o'n hoff o'r geiniog, ydi, ond ar y llaw arall mae o'n greadur reit ofalus, a tydi o chwaith ddim am bechu 'i gyd-Gardis. Tydi dy bechu di a minna o ddim cymaint o bwys iddo fo, na phechu Saeson chwaith."

"Beth – ydi e wedi tynnu'r cynllun yn ôl?"

"O na, ddim eto. Mae o'n *deal* rhy dda. O'dd y ffycars yn cynnig celc iddo fo hyd yn oed tasa'r cwbwl yn mynd yn ffliwt. Roedd o'n methu colli."

"Ydi e wedi arwyddo cytundeb?"

"Dyna'r pwynt, Dafydd. Mae o. Mae'n sefyllfa reit ddelicet yn gyfreithiol ond mae 'na obaith gan nad oes 'na ddim arian wedi newid dwylo. Gynnon ni foi o Gaerdydd yn gweithio ar y peth ond mi alla gymryd wsnos neu ddwy i ddŵad ag atab. Yn y cyfamsar mae Lewis yn 'studio'n cynlluniau ni ac os cawn ni'r gola gwyrdd o Gaerdydd, mae 'na obaith y daw o drosodd. Dyna pam dwi mor ofnus o godi'i wrychyn o, yn arbennig nos Sadwrn a fynta ym mhen draw'r blydi stafall."

"Ond doedd 'na fyth obaith i'r cynllun gwreiddiol. Naw deg o dai *executive!* Dros ben llestri, ydi e ddim, o safbwynt y Cyngor?"

"Wel chwe deg wyth o dai i fod yn fanwl, efo deg ar hugain ohonyn nhw yn y braced uwch."

Rhaid iddo fod yn ofalus, meddyliodd Dafydd: oddi wrth y Milwr y cawsai ei ffigwr ef.

"Ma'n cynllun ni yn llawar mwy realistig. Os edrychi di'n fa'ma, mi weli di bedwar math gwahanol o dai." Craffodd Dafydd ar y sgrin fawr, liw gyda'i heiconau dieithr. "Mae yma gymysgadd iachus, ti'n gweld... y rhain 'di'r byngalos, wedyn bloc isal o fflatia yn fa'ma, wedyn dy semis trigain mil, a'r rhesiad yma o dai drud ar waelod y cae, yn wynebu'r môr."

"Iesu, faint o dai sy 'ma i gyd?"

"Dim ond deugain, Dafydd."

"Ond os wyt ti'n cynnwys y bloc fflatiau yna..."

"Jyst hannar dwsin o fflatia."

"Ond pa wahaniaeth," meddai Dafydd. "Maen nhw i gyd yn ddiangen."

"Wel mae'n fatar o farn yntydi, a dwi'n parchu dy farn di. Ond 'dan ni *yn* gwbod bod para ifanc lleol yn chwilio am dai rhesymol eu pris yn yr ardal 'ma ac wrth gwrs maen nhw i gyd yn mynd rŵan i Waun-goch, bum milltir i ffwrdd – sy'n gollad i'r pentra, yntydi?"

"Iawn, ond mae'r tai yna lan yn barod. Oes angen mwy nawr?"

"Ac yna'r tai mwy 'ma. Beth bynnag ydi dy farn di amdanyn nhw, y mae 'na Gymry mewn swyddi reit uchal yn y cylch fasa â diddordab yn y rhain."

Cymerodd Dafydd lwnc tawel o'r wisgi. Doedd dim pwynt cynnig sylwadau pellach, a doedd e chwaith ddim am ailfyw nos Sadwrn. Meddai Deian: "Dwi ddim ond yn gosod y ffeithia fel dwi'n 'u gweld nhw."

"Ond gaiff Lewis fwy o arian yn y pen draw, o'ch bacio chi, os llwyddwch chi."

"Ella, ond cannodd o filoedd yn llai nag o'r cynllun cynta."

" – sy â gobaith iâr mewn Grand Nashynal."

"Dyna sut mae o'n edrach i chdi a mi. Ond mae Berry Homes yn dweud yn wahanol wrth Lewis. *Ve Haff Means...* Duw a ŵyr be maen nhw'n feddwl. Mi gân nhw gythral o job fficsio peth mor fawr â hynna."

"Wel – beth am y Marina?"

Edrychodd Deian ar Dafydd gyda hanner gwên. "Cymry fficsiodd y Marina, ti'n dallt, dim Saeson. Dyna'r gwahaniaeth. Mwy o wisgi, Dafydd?"

"Diolch... rheswm arall da felly i Lewis eich bacio chi?"

Llyncodd Deian joch hael ac eistedd nôl yn ei gadair.

"Dwi'm yn credu 'i fod o, na ninna, erbyn hyn, yn edrych ar y peth mewn terma ariannol yn unig. Eto mae'n rhaid bod yn realistig. Fo, Lewis, bia'r caea bendigedig 'ma, a dim ond defaid sy wedi pori arnyn nhw ers oes pys. Mae o'n tynnu at oed ymddeol. Ma' pawb yn y pentra'n gwbod y basa fo'n hwyr neu'n hwyrach yn troi'r caea yn bres. Mae'n rhaid 'i fod o wedi meddwl droeon am eu troi nhw'n blotia. Ond yn anffodus mi ddigwyddodd y blydi Saeson 'ma daro arno fo rŵan a be 'dan ni'n drio'i 'neud ydi gneud y gora o'r gwaetha. Toes 'na ddim un ffordd y bydd y caea yna am ganrifoedd eto'n dal i dyfu porfa i hannar cant o ddefaid."

Aeth Deian ymlaen, yn daerach. "Y pwynt ydi, os oes 'na ddatblygu i fod, mae'n well ein bod ni'n 'i 'neud o na rhyw blydi Saeson. Mi fydd pawb yn gneud llai o bres, ond mwy o les. Dwi'n trio cael y Gymdeithas Dai i mewn, ond ma' nhw'n uffernol o ara deg, popeth yn gorfod mynd trwy Gaerdydd. Y syniad ydi, yn lle bod Saeson yn dŵad i mewn, ein bod ni'n mentro'n hunain a chadw'r arian i droi yn yr ardal."

"Ma' hwnna'n swnio'n wych iawn, ond mae Cymreictod y pentre mor uffernol o frau. Y peryg yw y bydd unrhyw ddatblygu'n farwol iddo fe."

"Ond rywsut neu'i gilydd, mae'n rhaid i Gymreictod symud ymlaen hefyd. Ellith yr un pentra yn y byd aros yn 'i unfan. Mae pob un un ai'n tyfu neu'n dirywio. Dirywiad sy wedi bod yn fa'ma ers y Rhyfel Cynta. Elli di ddim dal Llangroes mewn *time capsule*."

"Na, sa i'n dweud hynny..."

"*Hybu* Cymreictod ydi bwriad a gobaith y cynllun yma, Dafydd, a beth bynnag wyt ti'n feddwl amdano fo dy hun – a dwi'n derbyn na wnawn ni fyth gytuno'n llwyr – o leia dwi'n gobeithio y gweli di 'mod i'n gneud 'y ngora yn ôl 'y ngweledigaeth 'yn hun."

Edrychodd ar ei wats. "Argol dwi'n hwyr – a dwi'n ama bod dy fwyd ti'n oeri hefyd. Ma' Lleuwen wedi bod wrthi ers oria. Well iti fynd am dy swpar, Dafydd..."

Dilynodd Dafydd ef drwodd i'r cyntedd tra ffarweliodd Deian â'i wraig a nôl ei got. Roedd y wisgi wedi ei gynhesu ond wrth fynd drwodd i'r ystafell fwyta, teimlai'n rhyfedd o gymysglyd a rhwystredig. Roedd y sioc felys o weld Lleuwen wedi rhewi'r cant o bethau yr oedd yn awr yn teimlo y gallasai ac y dylasai fod wedi eu dweud wrth Deian. Yn ei ddiymadferthedd teimlai'n debyg iawn i hen fodryb yn cael ei arwain at ei chinio Nadolig blynyddol...

* * *

Trodd Lleuwen ato wedi cau'r drws ar ei gŵr, a gwenu. "Wel dyma ni, Dafydd. Dere drwodd."

Dilynodd Dafydd hi at y bwrdd a osodwyd i ddau. Roedd yn drwm gan haenau o lieiniau gwyn. Sgleiniai'r gwydrau gwin a'r cyllyll arian o dan hanner pêl y golau isel.

"Ddim yn aml mae Deian yn gadel i fi enterteino dyn ar ben 'i hunan."

"Sa i'n beio fe," meddai Dafydd, "y ffordd wyt ti'n edrych heno."

Gwisgai Lleuwen ruban am ei gwallt a thiwnic lac, hufennog a glymai'n dynn o dan ei bronnau ac a bwysleisiai fasgedaid ddwbl ei bra.

"Nawr beth am lasied o sieri ysgafn i ddechre?"

"Sut mae e'n cymysgu 'da *Glenmorangie*?"

"Dere 'mla'n, ti ddim yn gyrru," heriodd Lleuwen gan arllwys gwydryn llawn iddo a'i roi i eistedd. Diflannodd i'r gegin i ymhél â'r bwyd a chaeodd Dafydd ei lygaid wrth i'r sieri ei gynhesu drwyddo. Roedd hyn fel ffantasi wir, a'r cof am Deian yn cilio'n gyflym.

Fflamiai tân nwy yn ysgafn ar ganol y llawr mewn grât agored fwaog a dorrwyd o'r slabyn mawr o lechen a dyrai i fyny drwy ganol y tŷ. O lle'r eisteddai gallai Dafydd weld drwodd i'r lolfa yr ochr draw. Sylwodd ar y gwaith celf – ai Kyffin oedd y llun llwyd a melyn yna? – a'r sustem sain. Gobeithiai y câi fwynhau ychydig o gerddoriaeth yn y man. Gwenodd wrth gofio am hen bartïon niwlog ac am arferiad Lleuwen, yn anweddus o gynnar yn y noson, o droi cerddoriaeth dda i ffwrdd a rhoi rhyw roc-a-rôl ymlaen – ond roedd hynny flynyddoedd maith yn ôl...

Daeth Lleuwen i mewn â dysglau o gawl iogwrt ac asparagws a *croûtons* yn nofio arnynt. "Steil, Dafydd!"

"A blas hefyd," meddai wrth ei lowcio i lawr. "Yr *escort* yn gogydd da hefyd, rwy'n gweld."

"Gwraig barchus ydw i, cofia, a ffrind da."

"Wrth gwrs 'ny."

"Petaen ni'n unrhyw beth ond ffrindie da, fydde heno ddim yn bosibl. Fydde'r pentre ddim yn 'i ganiatáu e!"

"Ti'n iawn. Y blydi pentre. Eu llyged nhw ym mhobman, fel Duw yn gweld popeth."

Tawelwch.

"Ond dy'n nhw ddim yma, ydyn nhw?" mentrodd Dafydd.

"Ond petai 'na rywbeth rhyngon ni, fe fydden nhw'n gwybod yn syth. Bydden nhw'n 'i deimlo fe o'r peth lleia: y ffordd fydden ni'n siarad â'n gilydd yn y siop neu'r dafarn – rhy oeraidd neu ry agos... Dyna falle beth halodd Menna oddi ar y rêls."

"Ie, Ms Parri – oes *raid*...?"

"Na, ond mae'n bwysig iawn iti ddeall nad arnat ti roedd y bai. Fe rebeliodd hi'n erbyn lot o bethe 'run pryd – yn cynnwys dysgu. Mi fuest ti'n anlwcus iawn, dyna i gyd."

Tra oedd Lleuwen yn nôl y prif gwrs, ni allai meddwl Dafydd ollwng y trywydd. Meddai, pan ddaeth hi'n ôl: "Felly mae merched yn gwrthryfela. Rhai'n torri dros y tresi, eraill heb y gyts..."

"Debyg iawn."

"Ac y'ch chi'n dal yn ffrindie?"

"Pam na ddylen ni? Yn arbennig nawr, a ninne'n gobeithio trafod Siani..."

"Ond bydd yn onest nawr. Wyt ti ddim weithiau – neu ran ohonot ti, yn dawel fach – yn 'i hedmygu hi am be wnaeth hi?"

"Na," meddai'n bendant. "Rwy'n meddwl 'i bod hi wedi gneud camsyniad mwya'i bywyd."

"Ond mae yna rywbeth yn be wnaeth hi... cael gyts i godi dau fys i'r blydi pentre, i'r job roedd hi'n gasáu, i'r gŵr roedd hi wedi blino arno..."

"Na, paid â beio dy hunan."

"Ond fe dorrodd yn rhydd. Fe benderfynodd beth oedd hi wirioneddol moyn – a mynd amdano fe. Mae'n rhaid eich bod chi'n trafod y pethe 'ma."

"Odyn. Neu hi sy'n eu trafod nhw 'da fi. Mae'n lico trafod syniade ffeministaidd a falle 'mod i'n *stooge* rhy dda. A falle 'mod i yn ei hedmygu hi mewn rhyw ffordd. Y gwahaniaeth yw bod beth ma' hi moyn, a beth ydw i moyn, yn wahanol."

"Ond ti newydd weud 'i bod hi wedi gneud camsyniad mwya'i bywyd hi: dyw hynny ddim yn wir, felly."

"Na – ddim o'i safbwynt hi..."

Palodd Dafydd i mewn i'r bwyd. Doedd e ddim wedi bwriadu dilyn y llwybr sgyrsiol yma, ond roedd rhywbeth yn dal i'w yrru ymlaen: "Dyw confensiwn, felly, yn ddim byd ond esgus cyfleus: yr holl fusnes o beth mae'r pentre'n feddwl. Ar ddiwedd y dydd mae'n iawn i bawb 'neud beth mae e moyn. Os wyt ti'n hapus, ti'n byhafio; os wyt ti ddim, dwyt ti ddim."

Edrychodd Lleuwen arno gyda chymysgedd o amheuaeth, ofn a chydymdeimlad – ac yna canodd y gloch. Cododd i ateb y drws. Rhegodd Dafydd dan ei anadl. Doedd y noson ddim wedi dechrau eto; byddai'n drychineb iddi orffen ar y nodyn yma. Crëwyd y noson trwy ddamwain: gallai rhyw Ferch y Wawr neu Ddonald Dysgwr ei difetha'r un mor hawdd…

* * *

"Diolch byth, dim ond Cuttle."

"Cuttle – pwy ddiawl yw e?"

"Byw drws nesa lawr, yn y tŷ *mock Tudor* 'na."

"Heb weld y boi yn 'y mywyd."

"Ti siŵr o fod wedi'i weld e yn Y Groes. Sais tua hanner cant. Fe pia'r *Fitness Centre* yn y dre a chwpwl o siope. Oedd e moyn Deian."

"Ariannog?"

"Drewi. Werthodd e bopeth o'dd 'da fe'n Wolverhampton, a dod i wario'r arian ffor' hyn."

"Deian yn ffrindie 'da'r Sais 'ma?"

"Na, dim ond cysylltiad busnes."

Wedi gorffen y prif gwrs, aeth Dafydd i nôl cynllun y gwahoddiad i barti Meri a Mared. Roedd wrth fodd Lleuwen a throdd y sgwrs at Siani. Byddai Lleuwen yn mynd i Gaerdydd mewn pythefnos ac fe fyddai'n adrodd yn ôl iddo wedyn. Digon teg, meddyliodd Dafydd, ond gallasai fod wedi dweud hynny dros y ffôn; ac wrth weld ei chorff yn swingio'n rhydd o dan y wisg dila yna – roedd hi'n clicio'i bysedd i'r gerddoriaeth a roesai ymlaen yn gyfeiliant i'r melysfwyd – tybiodd Dafydd ei bod hi, wedi'r cyfan, wedi bwriadu i'r swper yma fod yn rhywbeth mwy na thrafodaeth…

"Mmm, lico'r steil," meddai Dafydd, ychydig yn gryg.

"A 'na i gyd sy 'da ti i'w ddweud?"

"Wel, ar ôl y sgwrs yna am y pentre, wna i ddim temtio ffawd trwy ganmol *cynnwys* y wisg."

"Ond y miwsig! Ti ddim yn sylwi ar y miwsig!"

Clustfeiniodd Dafydd. 'Ethiopia Newydd' Jarman. "Goleuedig iawn. O'n i'n gwbod bod ti'n lico 'bach o roc-a-rôl ond wydden i ddim dy fod ti'n lico'r hen rybish Cymraeg

’ma. Record brin erbyn hyn.”

“Brynes i hi ar ôl ’i chlywed hi’n dy swyddfa di. CD newydd, *Sain y Saithdegau*.”

Ymlaciodd Dafydd i’r dôn *reggae*. “Dim byd yn bod ar gadw’r hen anthemau’n fyw – ond nage roc-a-rôl oe’t ti’n arfer lico?”

“Oedd ’da fi lond wardrob o recordie Saesneg yn Drefach ond weles i’r gole ar ôl symud lawr i Gaerdydd.”

“Ah! – *Caerdydd.*”

Gwenodd Lleuwen wrth weld yr hen Ddafydd yn dechrau ailymddangos.

“Ie, Caerdydd, Dafydd... a chyn bo’ ti’n troi’n hollol gaga beth am iti gael soffa gysurus i dy ddala di i gyd.”

“Wyt ti ddim yn awgrymu bod ’da fi broblem pwyse?”

“Dim o gwbwl – dim ond ffordd o dy gael di i fynd trwodd i’r ochor draw...”

“Pa ochor draw? Yr ochor draw i’r Afon?”

“Na, dim Paradwys, Dafydd – mae ’bach yn gynnar i hynny. Jyst yr ochor draw i’r ’stafell...”

* * *

Dilynodd Lleuwen ef â hambwrdd yn cynnwys *Amaretto*, gwydrau a phlatiad o fisgedi Almaenaidd, ac eistedd y pen arall i’r soffa hir. Ni allai Dafydd weld ei hwyneb yn glir gan fod lamp y tu ôl iddi a roddai lewyrch aur am ei gwallt. Fflamiai’r tân nwy yn ddistaw rhyngddynt ond sobrodd Dafydd ychydig pan sylwodd, trwy’r bont lechen, ar gil drws swyddfa Deian yn y pellter. Deuai rhimyn o olau drwyddo ac os nad oedd Deian yno yn y cnawd, atgoffwyd Dafydd fod y cyfan hyn yn digwydd gyda’i ganiatâd e.

“Mega Melys,” meddai Dafydd gan flasu’r *Amaretto*.

“Rhy felys?”

“Na, mae’n chwaeth alcoholaidd i’n eitha catholig,” meddai Dafydd yn hapus. Beth bynnag arall oedd yn wir, roedd merch a hoffai wrth ei ochr, a chaneuon a hoffai yn chwarae yn y cefndir. Tynnodd Lleuwen ei hesgidiau, a phlygu'i choesau o dani.

"Roeddet ti'n sôn am Gaerdydd, Dafydd..."

"O'n i?" meddai gan droi i'w hwynebu.

"Na, fi wnaeth yntefe?"

"Ta pwy wnaeth, does dim o'i le mewn cael pwl iachus o nostaljia am yr Oes Aur, y blynyddoedd rhydd, y blynyddoedd sanctaidd..."

"Sanctaidd? Hwnna'n newydd sbon i fi: rhywbeth i'w wneud gyda dy chwaeth gatholig di?"

Chwarddodd Dafydd. *"On'd oedden nhw'n ddyddiau da,"* meddai gan ddynwared y dôn a chwaraeai yn y cefndir.

"Falle, ond doedden nhw ddim yn sanctaidd."

"Nid i ti, falle: alla i gredu hynny'n hawdd..."

"Rydw i, o leia, Dafydd, wedi hen daflu'r sbectols gwydre pinc 'na wyt ti wastad yn eu cario yn dy boced."

"Gwed 'tho fi am yr amserau ansanctaidd gest ti felly."

"Dim ffiars. Weden i ddim hyd yn oed wrth Deian."

"O, rwy'n deall 'ny. Dim ond gŵr i ti yw e."

"Na, Dafydd: chei di ddim jiwsi ditels 'da fi. Mae e i gyd yn perthyn i'r gorffennol ac rwy wedi'i gau e i gyd yn deidi mewn parsel bach twt."

"Nawr dyw hwnna ddim yn seicolegol iach, oes bosib?"

"Mae'n lot iachach na byw yn y gorffennol a rhamantu amdano fe a gweld y presennol yn ddrwg i gyd. Rhaid i ni i gyd symud 'mla'n, Dafydd bach."

"Hollol iawn. Ond elli di ddim gwadu nad yw e'n berffaith bosib i'r gorffennol fod – fel mater o *ffaith* nawr – yn well na'r presennol."

"Mae'n debyg y galle fe fod, o dan rai amgylchiade."

"Wel, os felly, mae nostaljia'n iawn," meddai Dafydd yn fuddugoliaethus. "Ac mae'n bwysig 'i gael e achos heb nostaljia, does 'da ni ddim byd i gymharu'r presennol ag e."

Meddyliodd Lleuwen am eiliad. "Iawn – os nad wyt ti'n gwisgo'r sbectols pinc yna."

"Ond dwyt ti ddim yn gweld: y gorffennol oedd yn binc,

nid y sbectols!"

Chwarddodd Lleuwen. "Wir, rwyt ti'n anobeithiol. Roedd y cyfnod yng Nghaerdydd yn llawn ansicrwydd, gofidie, holl angst dechre a gorffen *affairs,* ac ambell sbel hollol ddu bitsh fel mae pawb ifanc, normal, yn 'i gael. Bydd yn onest, nawr."

Cymerodd Dafydd un o'r bisgedi ffansi a'i chnoi'n araf.

"Oedd dydd Sul yn gallu bod yn uffernol, rwy'n cyfadde, yn arbennig pan o'n i mas o waith. Ro'dd chwech ohonon ni'n byw yn y twlc tamp 'ma yn Colum Road. Lle iawn i gysgu ar ôl llond cratsh ond da i ddim byd arall a dyna pam o'n i'n mynd bant mor amal ar benwythnos. Weithie i ryw rali neu gyfarfod, ond caru wrth gwrs pan ailgydiodd y Garwriaeth Fawr."

"*Ail*gydio?"

"Ddechreuodd e yn 'y nhymor olai yn Aber ond bennodd e pan chwalodd pawb. Dyna oedd yn normal a dyna pryd dylse fe fod wedi bennu am byth, wrth gwrs."

"Sut gwrddoch chi 'te?"

"Rhyw gig yn y Clwb Trydan. Ti'n cofio'r lle yna?"

"Ydw, ond pryd oedd hynny?"

"Tua tair blynedd wedyn... ond y Clwb Transport oedd y lle. Fan'na o'n i wastad yn mynd cyn cwrdd â hi. Fan'na o'n i'n cael y Crac. Nos Wener ar ôl gwaith – der â mwy o'r stwff melys 'na..."

"Be ti'n feddwl – Crac? *Cocaine?*"

"Na, dim ond hwyl."

Wrth iddi arllwys y ddiod, cododd ei phersawr cryf i ben Dafydd, a sylwodd eto mor llac oedd y wisg am ei chorff bach solet.

"Ond wyt ti'n iawn: cyffur *oedd* e. Allen i ddim byw hebddo fe... Criw rownd y bwrdd, dim ond dynion. Alle hi fynd yn flêr ac o'dd rhai o'r Gwyddelod yn *piss-heads* llwyr – labrwrs. Ond oedd raid i fi'i gael e ar ôl wythnos yng nghanol siwds yr *agency*."

"Ond *beth* oedd e? Sa i damed callach."

"Rhoi'r byd yn 'i le, crowd o fois, twll i bopeth: jobs,

merched, popeth sy'n 'yn rhwystro ni rhag bod fel y'n ni i fod."

"Swnio'n siofinistaidd iawn."

"Falle. Ond os oedd y Crac yn arbennig o dda, bydden ni'n aros gyda'r bois a'u dilyn nhw rownd dre ond galle hynny fod yn ddanjerus: *No Rules Apply.* Ond fel arfer bydden i'n symud 'mla'n i'r *New Ely*."

"Nawr ti'n dechre siarad, Dafydd. Ti'n cofio ni'n cwrdd?"

"Na! – paid â'n atgoffa i!"

"Jyst cyn Dolig oedd hi, jyst cyn parti'r Ysgol Bensaernïol. O'n i'n gweithio yn yr Heath ac aeth tair ohonon ni draw 'na, a dyna ddechre fy Stori Fawr *i* wrth gwrs."

"O, ie?"

"Paid â 'meio i. Ti fynnodd siarad am bolitics trwy'r nos. Oeddet ti'n mynd 'mla'n a 'mla'n am y Refferendwm, ond bod dim ots achos bod 'na Chwyldro Mawr jyst rownd y gornel."

"Wrth gwrs, '80 oedd hi. Rhaid 'mod i wedi diflasu'r jins bant o dy ben-ôl. Ond doedd 'yn llinelle *chat-up* byth yn wych iawn."

"Paid â gwneud cam â dy hunan. Oeddet ti'n gwlffyn rhywiol a diddorol."

"Waw! *Irresistible* yw'r gair ti'n chwilio amdano."

Tawelwch. Edrychodd Dafydd draw ati.

"Ti sy'n *irresistible* heno, Lleu."

"O ie?"

Plygodd Dafydd un goes dros y llall i guddio'i awydd cynyddol amdani. Rhaid bod 'na ryw reswm pam ei bod hi'n mynnu ei atgoffa o'r gorffennol. "Ond os o'n i shwd gwlffyn cigog, *et cetera*, pam est ti 'mla'n i'r Clwb Nos 'na yn lle dod 'da fi i'r Clwb Trydan i glywed Jarman?"

Edrychodd Lleuwen draw ato. "Ond Dafydd, wedes i wrthot ti o'r bla'n 'mod i wedi dy weld ti gyda'r pishin trendi, tal, *super duper* 'ma."

Gwnaeth Dafydd wep. "O'n i'n gwybod y bydde hynny'n dod. Welest ti ni mas 'da'n gilydd, do fe?"

"Do. Roeddech chi'n bâr smart iawn."

"Ond bod un o'r pâr yn dipyn smartiach na'r llall. Roedd hi *yn* garwriaeth od, o edrych nôl. Y job 'na glinshodd hi, rwy'n siŵr. Ges i job chwe mis eitha cwshi – merch yn disgwyl babi – yn Creighton Bliss. *Agency* da, masnachol, nid rhyw owtffit Dinci Toi fel sy 'da'r wew 'na sy 'da hi nawr."

"Sa i'n dy feio di am fod yn sur, ond fe gaswoch chi flynyddoedd hapus."

"Ti oedd y smartia yn y diwedd..."

"Neu lwcus, falle."

Estynnodd Lleuwen ei braich dde dros gefn y soffa. "Does dim rhaid iti wadu'r cyfnod yna o hapusrwydd, Dafydd."

"Ond dyna'n union beth rwy wedi bod yn gweud 'tho ti: nid y sbectols *sy'n* binc."

"Ond Dafydd, y ffŵl!" meddai Lleuwen gan chwerthin dros y lle. "Wyt ti'n dechre meddwi neu beth? Dim sôn am Gaerdydd o'n i nawr, ond am dy garwriaeth, a blynyddoedd cynnar dy briodas."

Caeodd Dafydd ei lygaid ac estyn ei law draw i gyffwrdd â'i llaw hi, megis mewn ple am help. "Oes 'da ti bâr o sbectols du yn y tŷ – hen set o rai haul..."

Chwarddodd Lleuwen eto, "Wir, ti'n *hopeless case*..." a slapio'i law yn ysgafn.

* * *

A'r CD yn dal i chwarae'r hen ganeuon, meddai Dafydd: "Oeddet ti wir ishe gwbod beth yw Crac?

"A dynion yn meddwi'n dwll? Na, sa i'n credu."

"Nid dyna beth yw e. Dere'n agosach, a weda i stori wrthot ti am Grac Cymraeg..."

"Gallu clywed yn berffaith o fan hyn, diolch."

"Dim hanci panci, wi'n addo."

"Wedi clywed honna o'r blaen," ond symudodd Lleuwen fymryn tuag ato.

"Gyda llaw, pryd ma' Deian yn dod nôl?"

"Pam ti'n gofyn?"

"Y stori 'ma'n hir."

"Tua hanner nos fel arfer," meddai'n amheus, " – pan mae e'n mynd i'r Clwb."

"Clwb?"

"Clwb Golff y Morfa – rhywbeth 'mla'n 'da nhw heno."

Cododd Dafydd y gwydryn *Amaretto* at ei wefusau, a'i flasu'n araf.

"Wel nawr, mae Crac fel Dyddiau Da ar y record 'na. Allwch chi gael Dydd Da ond ar ôl 'i gael e, allwch chi ddim dweud bod dim byd o gwbwl wedi digwydd. Alla i ddychmygu blydi Menna'n dweud: 'Ma' hynna'n swnio'n ddydd hollol ddiflas a dibwrpas...' Profiad yw e, wyt ti'n ffili'i ddisgrifio. Ti'n gweld popeth yn glir, glir; ond wedyn, ti ddim yn unig yn cael gwaith 'i ddisgrifio fe i neb arall, ti'n methu'i gofio fe dy hunan."

"Nawr rwy'n gweld pam fod angen awr arall arnat ti."

"Steddfod Caerdydd oedd hi, un dydd anhygoel..."

"Ond *steddfod* Caerdydd – doedd hwnna ddim byd i'w wneud â *Chaerdydd*..."

"Ti'n iawn. Ie, '78 oedd hi ac o'n i newydd gael 'y nghanlyniade briliant a chael 'y nerbyn i Goleg Celf Casnewydd. Ond doedd hynny ddim yn bwysig a doedd y Steddfod ddim mor wych – popeth braidd ar chwâl. Ta p'un, trefnodd cwpwl o ni gwrdd yn y *Mulberry Bush*, tafarn tua dwy filltir o'r Maes. Damwain oedd e i gyd, fel y seshys gorau wastad."

Ochneidiodd Lleuwen. "Felly ti'n mynd i ddisgrifio sesh i fi?"

"Hyd y bo modd. Does dim stori, dim ond cyfres o olygfeydd i gyd wedi cymysgu lan."

Cododd Lleuwen ei llaw at ei cheg mewn ystum o flinder llethol.

" ... Neu weithgareddau, efalle."

"Fel yfed, tybed?"

"Wrth gwrs, a bwyta, a bolaheulo, a chanu emynau, a chwmpo mas 'da'r Sefydliad, a gwylio merched am oriau."

"Dim ond gwylio? Mae'r stori 'ma'n fwy *boring* nag o'n i'n ddisgwyl, hyd yn oed."

"Mwy na hynny, prynu *Curiad*, cael Indian, mynd i sioe yn Titos, Te Parti'r Taeogion... Ddechreuon ni, fel wedes i, yn y dafarn neis 'ma yn un o faestrefi Caerdydd. Bore braf, pawb wedi siafo ac wedi prynu'r *Western Mail* ac yn teimlo'n syndod o ffit. Dechrau trwy hel clecs am y steddfod, trafod hyn a'r llall mewn ffordd waraidd a ffraeth – cerdd y Goron ac yn y blaen: y math yna o beth. Roedd hi'n heulog tu fas, yr haul yn bwrw'r byrddau drwy'r ffenestri, y naws yn reit gyfandirol. Ac wrth gwrs mae 'na flas arbennig, on'd oes, ar beint canol dydd..."

"Wrth 'y modd yn cael peint ganol dydd, Dafydd."

Cyffyrddodd Dafydd yn ysgafn â'i gwallt gan chwarae â'r darn rhydd y tu ôl i'r ruban hufen.

"Dim cyffwrdd, Dafydd."

"Sa i'n dy gyffwrdd di, Lleuwen, dim ond dy wallt di."

"Dim pellach 'te. Oeddet ti'n yfed ganol dydd, Dafydd..."

"Nawr hedfanodd yr amser a chyn inni sylweddoli dyma'r tafarnwr yn cau siop a ffwrdd â ni mewn tacsis am y *Post House*. Ti'n gwybod, y lle mawr ar y ffordd i Gasnewydd. Roedd 'da nhw babell gwrw ar agor drwy'r dydd..."

" 'Se Frederick Forsyth yn clywed y stori 'ma, base fe'n rhoi'r ffidil yn y to. "

Chwarddodd Dafydd. "Ti ddim yn gwbod, falle sgwenna i nofel 'yn hunan am y pnawn yna, pan fydda i'n hen."

"Un o'r rhai modern 'ma, sbo, heb blot."

"Na, na, gwranda nawr. Roedd yr haul yn gryf, fel wedes i, a threulion ni'r pedair awr nesa yn gorweddian ar y lawntiau uwchlaw'r *Post House*."

" – yn yfed cwrw – "

"I fod yn fanwl, yn yfed lager twym mas o wydre plastig a byta sosej rôls a chanu emynau yn y babell gwrw ond yn fwy na dim, yn lolian yn yr haul. Grwpiau bychain hwnt ac yma, merched pert yn mynd a dod, Hefin Wyn yn gwerthu *Curiad* – o'n i wedi cael *Lol* dydd Llun – felly'r prif orchwylion, fel wedest ti'n gywir, oedd yfed, piso, ac ail-lenwi."

"Hyn, a nefoedd hefyd: *Oh Boy!*"

"Amser wedi arafu i un filltir yr awr, golwg dyn ar y byd yn dechre newid, switsh yn digwydd, heb yn wybod: fflip rhwng be sy'n bwysig a be sy ddim."

Cyffyrddodd Dafydd ag ysgwydd noeth Lleuwen. *Doedd hi ddim yn gwrthwynebu.*

"... fel nawr efalle – rhyw newid..."

"O'r diwedd felly: y rhyw?"

Yn cael ei gynhyrfu fwyfwy gan agosrwydd Lleuwen a'i hymateb awgrymog, aeth ymlaen i ddisgrifio, yn fwy herciog, yr awr o yfed y tu mewn i'r gwesty gyda'r 'Sefydliad', y pryd yn y bistro Ffrengig, y rifiw yn Titos, a'r pryd Indiaidd.

"A dyna ddiwedd y stori?" gofynnodd Lleuwen.

"Na, achos nid stori yw hi. Wedes i yn y dechre bod dim stori."

"Beth am ferched 'te? Oedd e'n ddydd hollol ddi-secs?"

"Wel fe ddawnsies i 'da rhyw ferched ar ddiwedd y rifiw..."

"Ond dim secs?"

"Na," meddai Dafydd, nawr yn symud ei law at wegil Lleuwen, ei fysedd yn 100 gradd, ei chroen noeth fel wyneb haearn smwddio, " – ddim yn y *stori*." Methodd gredu ei fod o'r diwedd yn cael cyffwrdd ei chnawd byw.

Yn sydyn gafaelodd yn ei braich, ei thynnu ato, a'i throi yn erbyn cefn y soffa. Cyn iddi sylweddoli beth oedd yn digwydd roedd ei wefusau am ei cheg a'i phen yn ei ddwylo. Cusanodd Dafydd ei gwddw a theimlo'i ên ar ei bronnau ond trodd Lleuwen ei hwyneb oddi wrtho a chicio'i choesau ond gwahanodd Dafydd nhw'n frwnt â'i benelin.

Ceisiodd Lleuwen ei wthio i ffwrdd ond roedd e'n rhy gryf iddi a rhedodd ei law i fyny'i choesau ac i mewn i'w nicer. Cwpanodd y meddalwch mwsogaidd ond oedodd ym melyster yr eiliad o flys a gallodd Lleuwen gydio yn ei wallt a thynnu'i ben oddi wrthi ag un hergwd ffyrnig. Roedd hynny'n ddigon i sobri Dafydd a gadawodd iddo'i hun rolio o'r soffa i'r llawr.

Cododd Lleuwen i'w heistedd, yn llyncu galwyni o awyr. Sychodd boer Dafydd oddi ar ei cheg, a thynnu ei gwisg grimp i lawr dros ei choesau, a rhoi ei phen ar fraich y soffa, a'i chalon yn pwmpio, pwmpio.

* * *

Pwysodd Dafydd yn erbyn un o'r waliau a tharo'i gefn yn ddamweiniol yn erbyn y swits golau ac aeth popeth yn wyn.

Caeodd ei lygaid. Pan agorodd nhw gwelodd ei fod mewn palas o farmor gyda mil o daclau, dysglau, raciau, drychau, teiliau, rheiliau, tapiau, bachau, mygiau yn rhythu i lawr arno. Gan gydio yn ei ben, symudodd yn ansicr i ganol yr ystafell. Ble oedd y ffrij?

Gwelodd fwlyn ar un o'r waliau, a'i dynnu. Disgleiriodd bataliwn o liwiau o'i flaen: corniwcopia o ddanteithion ecsotig nad oedd ganddo syniad beth oedden nhw. Ond ble ddiawl mae'r lager? Gwelodd gist *perspex* yn llawn o boteli ond can oer oedd e moyn nawr o rywbeth rhad. Gwelodd y Carlsberg. Taflodd y top dros ei ysgwydd a llyncu'r hylif oer i lawr.

Pwysodd yn ôl, rhoi'r can ar y fformeica gwyn. Edrychodd o'i gwmpas: bwrdd corc gyda lluniau teuluol, calendr cegin, a blwyddiadur mawr dwyieithog – un blydi cwmni Delw! Yna syrthiodd ei lygaid ar fis Ebrill ac ar nos Wener wythnos yn ôl ac ysgrifen grwn Lleuwen: *Mr a Mrs Cuttle i swper.* Ie, y ffycin Sais 'na nad oedden nhw'n ffrindie 'da nhw...

Eisteddodd ar un o'r stolion uchel.

Y gocgoswraig ddiawl.

Doedd dim i'w gael 'ma, o'r dechrau; roedd hynny'n hollol eglur nawr.

Pam oedd e wedi trafferthu? Doedd e ddim yn perthyn i ddim o hyn, erioed...

Rhaid ei fod e'n ddiawledig o naïf. Bod rhywbeth eithriadol o syml amdano fe, am fethu dygymod â dim o hyn? Roedd Trem-y-Ddyfi'n ddigon blydi moethus yn ei ffordd, ond Menna oedd yr ysbrydoliaeth ac mi wagiodd y lle wedyn a mynd â'r cyfan lawr 'da hi i Gaerdydd yn y fan Pickfords yna. Roedd e'n aml wedi synnu o weld cyfoedion – hen ffrindiau a fyddai'n arfer piso mewn i gypyrddau, neu'n chwydu mewn i'w platiau Tshinc a hawlio ail bryd wedyn – yn dygymod mor rhwydd â chyfoeth ac yn dysgu'r holl reolau (am winoedd, cardiau credyd, cynlluniau pensiwn, siârs Telecom) nad oedd e erioed wedi'u deall, heb sôn am eu dilyn.

Ai rhywbeth ynddo fe oedd e, neu yn ei fagwraeth? Na, doedd ei rieni ddim fel hyn. Sut allen nhw fod, a'i dad yn löwr a'i fam mor dawel grefyddol? Ei dad adeiladodd eu cegin gartre â'i ddwylo ei hun: fe ymddeolodd yn gynnar o'r lofa oherwydd gwendid a threulio gweddill ei ddyddiau yn gwneud mân jobsys saer a phlymio tan ei farwolaeth y llynedd.

"Ti'n iawn, Dafydd?"

Safai Lleuwen yn agoriad y gegin.

"*Ti'n* iawn?"

"Wi'n cymryd y bai."

"Na, fi oedd yn blydi dwl, fi wnaeth ymosod, fi yw'r blydi ffŵl – fel arfer."

"Ond fi lediodd di 'mla'n."

Ddywedodd Dafydd ddim, dim ond yfed y lager oer.

Meddai Lleuwen: "So allwn ni anghofio am y bit bach 'na?"

"Dim problem," meddai Dafydd, yn swingio'i gan lager yn fygythiol. "Y cwestiwn yw, allwn ni anghofio am y bit bach *hyn*?" Gyda chamau breision pasiodd hi a mynd drwodd i'r lolfa a thynnu'r Kyffin yn flêr o'r wal, y bachyn yn hedfan.

"Dafydd – *paid!*" apeliodd mewn panig. "Mae e'n werth miloedd!"

"Lle *mae* hwn?" gofynnodd gan ei ddal i'r golau.

"Ardal Stiniog, y chwareli."

"Ardal y 'lechen las', ife?"

"Ie, ma' teulu Deian yn dod o ffor'na a dyna pam gethon ni'r llun. Wyt ti siŵr o fod yn meddwl taw 'buddsoddiad' yw e."

"Ti wedodd hynny, nid fi. O fan'na y'n ni'n dod, yntefe. Deian, a ti a fi, o feysydd glo y de. Y'n ni i gyd yn dod o dras y werin ond 'sneb yn gweud y gair 'gwerin' heddi achos mae e'n sentimental a hen ffasiwn, a ta beth, 'sneb o nhw ar ôl, oes e?"

Roedd Lleuwen wedi dychryn wrth i Dafydd swingio'r llun fel hen bregethwr cyrddau mawr yn bygwth uffern â'i Feibl. Yn y cefndir roedd y CD o'r saithdegau'n dal i ganu 'Niggers Cymraeg' y Trwynau Coch.

"Ond ma' ffycin un o' nhw ar ôl," meddai gan daflu'r Kyffin ar y soffa. " 'Niggers Cymraeg' myn uffern i – maen nhw i gyd yn acowntants. 'Ethiopia Newydd'? Mwy fel Rhiwbeina Newydd. Pwy sy'n credu'r geiriau heddi? Neb. Pwy gredodd nhw erioed?"

Aeth tua'r drws a chasglu'i got. Safai Lleuwen yn ôl, yn gwybod nad oedd unrhyw bwynt trio rhesymu ag e yn yr hwyliau peryglus yma.

"Gwed wrth Deian," meddai gan roi ei Dai cap ar 'i ben, "y cymera i ei ffycin fflat e. Geith e godi'i stad a gwneud ei ffortiwn hefyd."

Edrychodd Dafydd arni'n ddirmygus cyn cymryd ei got. Yna safodd yn y drws a dweud, gydag urddas meddw, "Nos da, a diolch am y bwyd."

Caeodd Lleuwen y drws yn gyflym ar ei ôl a gwylio'r ffigwr cydnerth yn hercio i lawr y dreif; yna rhedodd yn syth i'w hystafell wely a chydio mewn gobennydd a thaflu'i phen iddo a chrio pwll y môr.

13. Cofio

YCHYDIG wedi pedwar o'r gloch y bore, deffrôdd Dafydd yn chwys drosto. Eisteddodd i fyny yn ei wely. Roedd newydd gael breuddwyd enbyd o fyw a gwyddai'n bendant iddo weld y Milwr o'r blaen. Yn fwy na hynny, gwyddai'n union ble a phryd: Steddfod Caerdydd. Roedd e yno o flaen y babell gwrw ar lawnt y *Post House*, yn canu neu drio canu emynau gyda gweddillion y côr meibion oedd yn ei morio hi y tu mewn. Gwelai'n glir nawr mai dysgwr oedd e, er mor naturiol ei acen ddeheuol erbyn hyn.

Am funudau lawer wedi deffro, mynnodd y ffigwr aros o flaen ei lygaid: un byr, sgwarog, heulog mewn crys glas a jins yn sefyll o flaen cynfas wen y babell, ger fflap blêr yr agoriad. Peint yn ei law, papur neu gylchgrawn yn sticio mas o'i boced, yn gwrando ar yr emynau: roedd e'n dysgu bod yn Gymro, heb sylweddoli bod Dafydd yn edrych arno. Nofiai'r geiriau allan o'r babell, yn gras ac amhersain : *"Llawn yw'r nefoedd o'th ogoniant, Llawn yw'r ddaear, tir a môr, Bydded iti fythol foliant..."*

Ac yntau'n eistedd yn ei wely, parhâi'r moliant garw, gwrywaidd o fawl i lanw clustiau Dafydd mor fyw â phetai'r criw chwyslyd, boliog yno yn yr un ystafell ag e.

Trodd y golau ymlaen, codi a mynd i'r ymolchfa am wydryn o ddŵr, a thywel. Roedd yn chwysu ac yn crynu. O'r diwedd dechreuodd y sŵn yn ei glustiau ostegu. O ble daeth y peth i gyd? Pam nawr? Y blydi *Amaretto*? Yna sylweddolodd beth arall: yn y freuddwyd, roedd y Milwr yn iau, ei groen yn llyfnach, a doedd ganddo ddim mwstás. Dyna brofi felly nad breuddwyd oedd hi mewn gwirionedd, ond rhywbeth arall...

Curai ei galon fel gordd pan sylweddolodd fod y freuddwyd wedi ailchwarae – ar sgrin lydan a *Surround Sound* – holl brofiadau'r dydd Iau hwnnw yn Steddfod Caerdydd. Y *Mulberry Bush* gyda'i naws Barisaidd a bywiog; y pnawn diddiwedd, dioglyd, diamser – y cyplau a'r criwiau llesg yn lolian ar y lawntiau fel ar fryniau Bro Afallon; yna'r Pwysigion Eisteddfodol yn rhodio mewn a mas o ddrysau'r *Post House* ei hun – ai derbyniad gan HTV neu'r orsedd neu ryw fêsyns Cymraeg eraill?

Yna am chwech, i mewn i'r gwesty – roedd hi'n Agor Tap swyddogol bellach – am awr hollol wahanol, tipyn mwy meddw yng nghwmni sefydliad eisteddfodol arall sef Eirwyn Pontshân, Goginan, criw Ffostrasol, Robyn Huws, Ieu Rhos. Yna, a'r cwrw'n dechrau mynd i'w ben, cofiodd neidio mewn i dacsis gyda rhyw griw oedd yn mynd i fistro Ffrengig yng nghanol Caerdydd. Cael pryd iawn o'r diwedd, ond wedi'r *starter*, Huw Duw yn mynnu bangio'r piano a dechrau cymanfa. Rhai o'r bwytawyr eraill nawr yn symud at y piano, y naws Ffrengig wedi'i chwalu'n yfflon, a chofiodd afael yn un o'r menywod meddw oedd rownd y piano, peth eitha hen...

Yna i Titos ar gyfer yr uchafbwynt: rifiw dychanol y Gymdeithas, Te Parti'r Taeogion, noson o *Rafio a Rifiwio* gyda Theatr Bara Menyn a Disgo Twm Twm – a dechrau sobri am y drydedd waith. Ond wrth eistedd a mwynhau'r sgetshys a'r caneuon, y gwawd a'r sbort a'r ysbryd heriol, cododd ton o deimlad anferth o gryf drwy ei gorff: o Gymreictod, o sicrwydd, o gasineb hefyd at y drefn estron sy'n ein dieithrio ni i gyd oddi wrthym ein hunain a'n natur naturiol... Wedyn interliwd gan ryw feddwyn a fynnodd ledio'r dorf i ganu Hogia Ni, wedyn y disgo a'r dawnsio; wedyn *Hi*...

Bu'n dawnsio â rhyw ferched, ond cofiodd am hon yn arbennig. Merch dal, denau yn gwisgo siaced lac, ffasiynol, streipiog a throwsus tenau; ac yn siarad ag acen Pen Llŷn. Araf fu'r dawnsio i ddechrau, pobl yn amharod i wneud sioe o'u hunain ar y llwyfan o flaen gweddillion y gynulleidfa.

Cofiodd ei letchwithdod ei hun, a'i hagwedd rwydd, ymlaciol hi. Yna'r sgwrs ysgafn, braf – mor hawdd siarad â hi!; yna ei siom pan ddychwelodd hi at ei dwy ffrind. A do, bu'n aros amdani am hanner awr ofer y tu allan i'r clwb, yn y nos a'r oerfel gyferbyn â choedydd uchel Parc Cathays. Cofiodd syllu'n hir ar y goleuadau lamp yn chwarae mig rhwng y dail; wedyn aeth i'r *Himalayah* am bryd Indiaidd ar ei ben ei hun, i drio dygymod â'i golled.

Edrychodd ar ei wyneb ei hun yn y drych. Roedd yn ddigon real, yn ddigon blydi hyll. Os gallai gredu ei wyneb ei hun, gallai gredu'r cyfan yna, hefyd: roedd e i gyd yn wir. Efallai iddo fod ar ddi-hun drwy'r cyfan. Sblasiodd ddŵr dros ei ben a'i gorff, yna troi'n ôl am yr ystafell wely.

Aileisteddodd ar ei wely, llonyddu, a sylweddoli'r peth pwysicaf oll. Nid manylion y freuddwyd oedd yn bwysig ond pŵer y peth i gyd: y profiad llwythol – os dyna oedd e – o ymgolli mewn Cymreictod diamser ond hollol real gyda'i olwg eang ond unigryw ar y byd. Roedd Cymru'n rhydd y dydd hwnnw, os nad oedd Cymru'n rhydd erioed. Ond nid rhyddid na hwyl na gorfoledd oedd hanfod y profiad, ond llonyddwch a sicrwydd mawr, a gwybodaeth bendant, glir.

Yn awr, yn ei ystafell, gwelai a gwyddai mai ofer oedd pob ymdrech i 'lwyddo' mewn gyrfa, arian, pŵer, fel Deian, Ellis, Alan... Mor gomic a phathetig yw'r straffîg o ddringo ysgol sy'n siŵr o syrthio gyda diwedd cytundeb, carwriaeth, a bywyd ei hun.

Dim ond cymdeithas a'i gynhesrwydd sy'n bwysig, ac yn aros. Os 'cael', dyna'r unig gael pwysig. Ond i'w gael, rhaid ei roi – ac o gwmpas hynny y dylem drefnu ein bywydau. Roedd yn glir fel haul: dyna'r unig beth pwysig yn y byd, a dylem ei amddiffyn hyd at farw. Roedd yn llawer pwysicach na bywyd unigolyn, oherwydd, hebddo, doedd dim pwrpas i unigolyn fod; yn fwy na hynny, doedd dim *modd* i unigolyn fod, mwy na chwilen mewn bath enamel...

Rhyfedd iddo lwyddo i anghofio profiad mor fawr. Pam tybed oedd cofio mor anodd? Oni ddylai cofio peth mor felys fod mor hawdd ag anadlu?

Allai e ddim mynd nôl i gysgu, nawr. Aeth i lawr i'r gegin i wneud paned. Berwodd y sosban, arllwys llwyaid o goffi i'r myg, yna ailfeddwl a thaflu'r cyfan i'r sinc. Felly roedd y Milwr yn ddilys. Ond, yn ei galon, doedd e ddim wedi amau hynny o'r dechrau. Y fan lwyd, fudr, y sioe aflwyddiannus yna o broffesiynoldeb – i gyd mor wahanol i Eddie – a rhyw dawelwch cudd, fel sydd gan bobl sy'n byw ar wneud yn hytrach na dweud.

Bu'n dadlau ag e am ei fod e'n credu ynddo, a dyna pam y chwalodd e'i ddisg.

Yna'r ferch o Ben Llŷn. Os oedd y Milwr yn bod, rhaid ei bod hi'n bod hefyd. Roedd hynny mor amlwg a'r dydd. *A Dydd oedd ei henw hi!* Na, rhesymodd, does neb ag enw fel'na: mae'n enw hollol dwp – iawn i flodyn neu fyji neu fuwch. Ond na, oni ddywedodd hi'r enw? Cofiodd hi'n ei lefaru gyda'r 'ŷ' hyfryd ogleddol yna, cyn iddo roi ei enw ef iddi hi...

Tybed oedd yna bils cysgu yn y cwpwrdd meddygol? Doedd e ddim am ail-fyw hyn eto. Byddai ail ddôs yn ormod i'w gyfansoddiad. Ai'r *Amaretto* oedd y drwg? Cofiodd gael gynnig Crac go iawn un noson yn Y Groes, amser Nadolig tua thair blynedd yn ôl: powdwr gwyn. Doedd y boi ddim eisiau pres – un o'r hipis yna. Cafodd noson uffernol wedyn, a chael rhes o hunllefau'n gyrru fel trên trwy dwnel ei ben, ac yntau'n plygu i lawr yn fach, fel wiwer wedi'i dal yn y lein, yn siŵr ei bod e'n mynd i farw...

Agorodd ddrws y cwpwrdd tun: dim byd. Roedd Menna wedi mynd â'r ffycin pils cysgu hyd yn oed.

RHAN 2
CHWILIO

14. Ellis

DECHREUODD mis Mai, i Ellis, ar nodyn annisgwyl o lwyddiannus. Wedi'r llythyr cyntaf oddi wrth Sam Smyth ddiwedd Mawrth cawsent dri chyfarfod i gyd: un byr cyn ymweliad Gregg â Chaerdydd, a dau meithach wedyn. Yn y cyntaf o'r ddau, ganol Ebrill, roedd Ellis yn llawn ofn y byddai Gregg yn cael y blaen arno ac fe wnaeth rai cynigion ac addewidion gor-hael i Smyth. Ond erbyn yr ail gyfarfod, bythefnos wedyn, doedd Ellis ddim mor frwd o blaid y gwaith.

Roedd Menna, erbyn hynny, yn dilyn ei chinio â Gregg, wedi mynegi ei amheuon wrtho ond roedd Ellis yn amau y gallai'r holl bethau sarhaus a ddywedodd am Smyth fod wedi'u bwriadu ar gyfer ei glustiau ef, nid Menna, i'w annog i gadw draw. Ond y gwrthwyneb a ddigwyddodd. Mewn busnes, fel mewn carwriaeth, gall ychydig bach o oerni sbarduno'r ochr arall i symud, ac roedd Ellis yn amau'n gryf mai newyddion 'da' oedd yn yr amlen fawr gyda marc post Caer, a gyrhaeddodd ar y pedwerydd o Fai, rai dyddiau wedi'r ail gyfarfod.

Roedd yna lythyr personol, cynnes oddi wrth Smyth, a dogfen deg tudalen. Cytundeb 'peilot' ydoedd yn rhoi'r hawl i gwmni Delw gynrychioli diddordebau PR cwmni Berry Homes yng Nghymru am gyfnod cychwynnol o chwe mis. Roedd y ffigwr ariannol yn hael, heb fod yn wirion. Câi Fenwick astudio'r print mân, ond dywedai llythyr Smyth yn glir y byddai'n cynnig cytundeb blwyddyn ar delerau gwell eto, petai'r chwe mis cyntaf yn foddhaol...

Galwodd Ellis Wyn a Fenwick i'w swyddfa a chafodd y

boddhad o ddatgelu iddynt y newyddion bod Delw wedi bachu cyfrif newydd sbon gan un o gwmnïau mwya'r wlad. Ni siomwyd ef yn eu llongyfarchion cynnes.

Ond bu adroddiad Menna ar ei chyfarfod â Gregg yn achos penbleth arall i Ellis. Doedd bod un o'r datblygiadau yn Llangroes ddim yma nac acw a gwyddai na allai Menna'n hawdd iawn ddannod hynny iddo, a hithau wedi cefnu ar y lle ei hun. Ond roedd yr hyn a ddatgelodd hi am Telewales yn llawer mwy difrifol. Yr oedd Gregg mae'n amlwg, am fachu gwaith gwleidyddol Telewales iddo'i hun. Doedd e ddim yn siŵr pam y dywedodd hynny mor agored wrth Menna. Unwaith eto, roedd yn rhaid i Ellis ofyn: pryd a ble mae'r 'cydweithio' bondigrybwyll rhwng y ddau gwmni yn mynd i ddechrau, a'r chwarae mig yn mynd i orffen?

Edrychai Ellis ymlaen at brofi tymheredd y dŵr yn ei gyfarfod nesaf â John Peris. Y brif eitem ar yr agenda oedd setlo ar ddull o dalu Delw am eu gwaith drwy'r asiantaethau, ond wedi'r drafodaeth, cododd John Peris y pwnc ei hun.

" 'Dach chi'n cofio'n sgwrs ni, Ellis, yn yr Apollo?"

"Yn glir, John: dwi wedi bod yn meddwl llawer amdani."

"Unrhyw gasgliadau, unrhyw gynigion?"

"Mi fydd gen i rai'n fuan iawn: dwi'n gweithio ar y peth yn ddyddiol. Dwi'n canolbwyntio ar Lundain, wrth gwrs, ac ar gael cysylltiadau yn y gweinyddiaethau naill ai'n uniongyrchol neu drwy drydydd parti. Dwi ddim am ddod atoch chi ag addewidion gwag."

Edrychodd John Peris arno. Fel arfer roedd yn llewys ei grys gwyn plaen agored. Sgleiniai ei ben moel, siâp bwled o iechyd – a phenderfyniad.

"Dydi o ddim yn gyfrinach i neb fod yna gwmnïau sy'n arbenigo mewn *Public Affairs* ac maen nhw i gyd yn reit hoff o frolio'u cysylltiadau. Ond mae 'na duedd ryfedd ynddyn nhw i anghofio am y gwleidyddion. Nhw, wedi'r cyfan, sy'n penderfynu, yntê?"

"At be 'dach chi'n anelu rŵan, John?"

"At y Blaid Lafur, Ellis. Wedi'r cyfan be 'di oes y

Llywodraeth hon? Dwi'n deall bod y Sgotyn 'na sy'n ddirprwy iddyn nhw yn dipyn o Gelt ac mae'r sianel Aeleg newydd yn yr un sefyllfa'n union. Mae'n rhaid bod yna ffordd o gyrraedd at y dyn."

"Dim amheuaeth. Mi weithia i ar y peth."

"Mae yna frys, Ellis. Mae gen i fis i ddod i benderfyniad. 'Dach chi'n deall y sefyllfa, yntydach? Dwi am roi'r gwaith i gwmni Cymraeg, ond mae 'na gwmni o dros y ffin ar 'i ôl o. Mi wyddoch chi'n iawn pwy dwi'n feddwl. Ond mae gen i resymau da dros eich ffafrio chi – os gallwch chi brofi i mi y gallwch chi ei handlo fo..."

Roedd y pwysau i ddod i ddealltwriaeth â Gregg Associates yn cynyddu'n ddyddiol, ond ymarferoldeb cydweithio fel petai'n edwino yr un mor gyflym. Felly roedd y cyfarfod a drefnwyd ar gyfer canol Mai yn eu pencadlys yn Grosvenor Place yn un tyngedfennol. Roedd Wyn, Ellis a Fenwick yn edrych ymlaen at weld hyd a lled owtffit Gregg. Gan na wyddent am faint y parhâi'r cyfarfod, na beth allai ddilyn wedyn, penderfynwyd llogi ystafelloedd mewn gwesty yn Llundain gan mai nos Wener oedd hi – ac roedd hynny, hefyd, yn rhywbeth i edrych ymlaen ato.

Rhoddai'r adeilad clasurol, colofnog gyferbyn â Green Park argraff o urddas a sefydlogrwydd. Ond tair ystafell oedd gan gwmni Gregg, a'r rheini ar y pedwerydd llawr. Cyflwynwyd hwy i rai o'r staff, a ymddangosai'n hŷn na staff Delw. Roedd eu hoffer a'u cyfrifiaduron, hefyd, yn fwy hen ffasiwn a dwy o'r ystafelloedd wedi'u leinio â silffoedd o gyfrolau unffurf tebyg i Hansard. Yna fe'u cyflwynwyd i Martin Gregg, brawd Maurice, a fyddai'n cymryd rhan yn y cyfarfod ac a ymunodd â'r cwmni'n ddiweddar wedi gyrfa yn y gwasanaeth sifil.

Serch y croeso tywysogaidd a'r drafodaeth wâr, daeth yn amlwg i Ellis a Wyn fod gan y cwmni hwn fantais sylfaenol dros Delw. Doedden nhw ddim yn trafferthu ag unrhyw ddylunio nac ymgyrchu: câi pob gwaith felly ei anfon allan at un o'r asiantaethau hysbysebu oedd ar garreg y drws. Ond doedd dim modd i Delw anfon eu gwaith gwleidyddol allan. Dangosodd y sgwrs â John Peris nad oes modd ymhonni i gysylltiadau nad ydynt yn bod.

Y pwnc dan sylw oedd y strwythur cydweithio. Bu Gregg ac Ellis yn cyfnewid dogfennau bras dros yr wythnosau cynt. Yn raddol, sylweddodd Ellis na allai rwystro Gregg rhag gweithio y tu ôl i'w gefn. Petai e'n digwydd torri'r cytundeb, beth fyddai'n digwydd wedyn? Mi fyddai Gregg yn chwerthin yr holl ffordd i'r banc tra byddai Delw'n cyfri biliau hanner dwsin o gyfarfodydd di-fudd ac, efallai, bwriadol gamarweiniol.

Pan ddaeth y cyfarfod i ben, a hwythau'n disgwyl tacsi i'r gwesty, cytunodd y tri y byddai'n rhaid iddynt sefydlu eu gwasanaeth eu hunain yn y pen draw, ond parhau'r trafodaethau er mwyn casglu gwybodaeth am ddulliau Gregg. Yn anffodus roedd yn rhaid torri'r sgwrs yn ei blas gan fod Ellis wedi trefnu i gyfarfod â Menna. Roedd golwg ddrygionus ar Wyn a hanner gwên ar wyneb gwelw Fenwick hyd yn oed wrth i Ellis ddisgyn o'r tacsi, a'u gadael nhw i yrru 'mlaen i'r West End.

Cerddodd Ellis yn fyfyrgar tuag at y dafarn lle'r oedd i gyfarfod â Menna. Roedd cymaint o'i le. Oni bai am Menna, gallai fod wedi cael noson o beintio'r ddinas gyda'r ddau arall. Gwyddai'n iawn bod y ffaith bod Menna'n gweithio i'r cwmni yn creu pellter rhyngddo a'i ddau gyd-gyfarwyddwr. Roedd e'n amau bod yna bethau yr oedden nhw'n eu cadw oddi wrtho.

Cofiodd i Menna ddweud bod Gregg wedi gofyn rhai cwestiynau go fanwl am berchenogaeth cwmni Delw. Roedd hynny'n rhyfedd braidd – doedd dim modd prynu'r cyfranddaliadau ar y farchnad agored. Yna fe'i cythryblwyd gan syniad eithafol o annymunol, os annhebygol: y gallai ei bartneriaid ei werthu allan. Wedi tipyn o win, pryd da a sioe neu glwb, Duw a ŵyr i ble'r âi eu trafodaeth. Mae'n rhaid eu bod nhw'n ei drafod ef a Menna'n aml, a stad ariannol y cwmni. Ond wedyn, oni bai bod Gregg wedi gwneud cynnig iddynt, fyddai'r pwnc arbennig yna ddim yn codi. Ond os nad y tro yma, beth am y tro nesa, neu chwe mis i nawr, wedi cyfnod pellach o golli cytundebau?

Yn nes ymlaen, yng nghwmni ei gariad, buan yr adferwyd hen hwyliau Ellis, a chiliodd y meddyliau du. Aethant i'r lle jazz o dan *Pizza On The Park* i fwynhau bwyd a gwin o'r Eidal i gyfeiliant cantores o Efrog Newydd, Marie van Plaas. Roedd Ellis yn amau bod yna waed Iddewig yn ei gwythiennau gan mor agos atoch y canai'r hen glasuron sentimental – yr un rhai ag roedd e mor hoff o wrando arnynt yn y gwely.

Roedd yr ystafell isel, eang yn dywyll heblaw am y rhosod fflambinc ar y byrddau. Goleuwyd eu petalau (fe daerai Ellis, wedi potelaid gyfan o win) nid gan belydrau o'r nenfwd ond gan rin a rhamant bywyd ei hun. Yn hapus eto, cydiodd yn llaw Menna. Nid am y tro cyntaf, roedd pleserau'r nos wedi'u hogi gan ansicrwydd y dydd, a gwyddai Ellis na fyddai unrhyw hwyl a gâi Wyn a Fenwick heno ddim yn cymharu â hyn.

* * *

Os oedd Ellis yn ymfalchïo yn ei ddawn i gofleidio ansicrwydd, roedd i dderbyn prawf llym ohoni'r bore Mercher canlynol pan welodd y neges ffacs a adawsai ei ysgrifenyddes ar ei ddesg. Yn anghrediniol, darllenodd y geiriau drosodd a throsodd:

Serious, unforeofseen problems have arisen with regard to contract. Mr Smyth requests urgent meeting. Please confirm immediately appointment for 10 a.m. at Chester Head Office, Thursday, May 19th.

Beth ar y ddaear allai hynny olygu? Onid cytundeb yw cytundeb, unwaith y mae wedi'i arwyddo? A pham y rhybudd uffernol o fyr?

Ond ni châi Smyth ei rwystro rhag mwynhau'r siwrne i fyny i Gaer fore trannoeth. Manteisiai ar unrhyw esgus i brofi medrau'r hen Ferc gwyn ar y ffordd agored, a sylwodd gyda boddhad, wrth ei lywio i mewn i'r Gwasanaethau ar groesfan yr A55, fod ganddo amser wrth gefn. Prynodd y

Times a'r *Independent* a chael y pleser o gipio trwyddynt dros frecwast llawn, seimllyd, Seisnig heb ddim sylwadau sensorllyd, benywaidd. Wedi ei adnewyddu, gyrrodd i un o'r llefydd parcio aml-lawr yng nghanol dinas Caer.

Fel un o'r datblygwyr mwyaf o dai cardbord yn Lloegr, roedd yn hollol naturiol i Smyth gael ei brif swyddfa gerllaw'r Rows enwog, canoloesol a'u harcedau siopa. Roedd ganddo gwmnïau adeiladu mewn stadau diwydiannol ar gyrion y ddinas ond roedd yn rhaid i bob un o'i gwsmeriaid personol ddioddef yr anhwylustod o barcio am ddwybunt yr awr a cherdded dau gan llath.

Clodd Ellis y Merc a defnyddio'r lifft i esgyn at y siopau a chyn bo hir roedd yn White Friars lle'r oedd prif groesawfa Berry Homes. Gan ei fod ddeng munud yn gynnar cafodd fwynhau saib yn edrych o gwmpas yr hysbysfyrddau a ddangosai brif ddatblygiadau adeiladu'r cwmni dros ynys Prydain; yna tywysodd yr ysgrifenyddes ef i ystafell y rheolwr-gyfarwyddwr.

Fel y tro cynt roedd Smyth yn orseddog y tu ôl i ddesg dderw, drom, banelog. Y tro hwn roedd wrthi'n sticio pin pren i fyny ac i lawr tin sigâr. Gwenai'r Cwîn i lawr yn oeraidd o'r ffrâm aur uwch ei ben. O gwmpas y waliau crogai nifer o luniau sepia o'r hen Gaer draddodiadol y buasai wedi ei dymchwel mewn chwinciad – fe wyddai Ellis – pe cawsai hanner cyfle.

"Dwy' ddim yn bwriadu gwastraffu dim o'ch amser chi na minnau, Ellis," meddai heb ragymadroddi. Tynnodd ffeil allan a'i rhoi ar y ddesg. "Roedd yna gystadleuaeth am y cytundeb yma. Roedd gen i sawl dewis, ond mi ddewisais eich cwmni chi. Pam, Ellis?"

Gadawodd Ellis iddo gario 'mlaen.

"Am mai chi oedd y cwmni Cymraeg. Am mai gynnoch chi roedd y cysylltiadau Cymreig – fel roeddwn i mor ffôl â meddwl."

"Rhaid i chi egluro ymhellach. Dydw i ddim yn ymwybodol ein bod ni wedi gwneud dim."

"Ond dyna'n union be 'dach chi *wedi'i* wneud! Dim!" Daliodd y ddogfen i fyny. "Dwy' ddim yn rhannu'r rhain allan fel conffeti, Ellis. 'Dach chi wedi cael hwn am fod gen i ffydd yn eich gallu chi i ddelio â'r datblygiad pwysicaf fu gynnon ni erioed yng Nghymru – ac sy'n awr, yn weddol siŵr, ar ben."

Ond doedd Ellis ddim am gael ei gyfarth ac meddai'n ddidaro: "Does gen i ddim syniad am be 'dach chi'n sôn."

"Dydach chi ddim wedi clywed, felly. Dyna oeddwn i'n ofni. 'Dach chi'n gwybod dim er eich bod chi'n un ohonyn nhw. Ellis: mae'r tirfeddiannwr yna wedi tynnu'n ôl. Y blydi ffarmwr yna o Lancross. Dyma fo'i lythyr o, neu lythyr rhyw blydi twrna bach sy gynno fo. Dydd Mawrth ces i o."

Gwyliodd Ellis e'n araf godi stêm. Dyn bach crwn, llygaid mochyn, wyneb coch ond â blewiach gwyn, trwm ar ei aeliau: llygoden Ffrengig o ddyn wedi ei fagu yn llwch a mygdarth y Wlad Ddu ac wedi trechu'r sustem trwy gyfrwystra a gyts. Ond nid oedd mor dwp â'i olwg – camsyniad a wnaeth sawl un i'w gost ei hun.

"Pam wnaeth o hynna? Beth ddaeth dros 'i ben o? 'Sgynnoch chi syniad, Ellis? Roedd 'i gytundeb o'n anhygoel o ffafriol. Mi fuasai'n ennill pres petai *fuck all* yn digwydd. Chafodd neb well telerau gen i."

Roedd yn rhaid i Ellis guddio rhithyn o bleser maleisus. "Roddodd o reswm?"

" 'Cadw'r tir at bwrpasau amaethyddol.' Rhyw shit felly a rhyw hollti blew am gymal honedig aneglur yn y cytundeb. Nonsens i gyd wrth gwrs. Mae 'nghytundebau i'n reit glir fel y gwyddoch chi eich hunan erbyn hyn. Yn naturiol rwy wedi rhoi 'nghyfreithwyr ar y bustach ond dwy' mo'r teip i daflu arian at y bygars yna chwaith. Mae yna ddulliau eraill, symlach, on'd oes? Beth ydi'r gwir, reswm, dyna dwi isio'i wybod. Dowch rŵan, chi 'di'r Cymro – chi sy'n deall y Cymry."

Gwelodd Ellis fod yn rhaid iddo chwarae hyn mor cŵl â phosib. "Wn i ddim oll am y dyn yma, ond mae'n rhaid edrych yn gyntaf ar yr eglurhad mwyaf syml. Os ydi o'n dweud ei hunan ei fod o angen y tir am resymau busnes, amaethyddol..."

"*Bullshit*, Ellis."

"Wel, pam lai?"

"Rydach chi'n fwy naïf nag oeddwn i'n feddwl. Rwy'n nabod y ddynoliaeth yn ddigon da i wybod mai dim ond un rheswm fyddai gan ddyn fel Lewis dros dynnu allan o gytundeb mor broffidiol â'r un a gynigiais i iddo fe, a dim magu defaid ydi o."

"Beth, oes ganddo fo gynllun arall?"

"Rydach chi'n agosáu, Ellis, ydach. Roedd yn rhaid i mi ffindio allan, ac mi wnes i. Doedd o ddim yn hawdd, ond mae gen i 'nulliau ac mi ges i'r ateb yr oeddwn i'n 'i wybod ym mêr fy esgyrn..." Chwythodd gwmwl o fwg ar draws y ddesg ac aros yn ddramatig i Ellis ei holi ymhellach.

"Wel..."

"Mae 'na griw bach lleol wrthi, Ellis. Rhyw griw bach Cymraeg. Maen nhw wedi bod yn cynllwynio y tu ôl i 'nghefn i. Maen nhw'n bwriadu anfon cais arall i mewn. Rhyw fagad o siopwyr a rhyw bensaer bach. Rwy'n eu gweld nhw rŵan yn palu wisgis i mewn i'r Lewis 'na mewn rhyw *lounge bar* yn hwyr y nos a hwnnw'n sbilio'r cyfan wrthyn nhw. Dyna i chi deyrngarwch y Cymry. Ddylswn i fod wedi gwybod yn well."

"Rwy'n synnu – ond teyrngarwch lleol efallai?"

"Galwch chi o be fynnoch chi, mae'r giwed dan din yna wedi tanseilio un o 'nghynlluniau gorau i, ac rwy am i chi eu sortio nhw allan, Ellis... Rŵan rwy'n reit gyfarwydd â mentro ar geisiadau cynllunio. Dyna stori 'mywyd i, os liciwch chi. Sgwennwch chi lyfr am 'y ngheisiadau cynllunio i, ac ar wahân i fenyw neu ddwy, mae gynnoch chi gofiant. Rydw i wedi risgio mwy na'r rhan fwyaf o ddynion, ac wedi colli mwy, hefyd. *Ond nid y tro hwn, Ellis*..."

"Iawn, ond beth yn hollol y'ch chi'n awgrymu, felly?"

Edrychodd ar Ellis, ei lygaid fel ebillion. "Rwy'n awgrymu eich bod chi'n cael y dyn yn ôl."

A dwi'n awgrymu eich bod chi'n troi'r lleuad yn gaws. Roedd y dyn o'i go'.

"Ond mae'n hollol amhosib!" protestiodd Ellis gan ledu'i freichiau. "Mae o newydd anfon llythyr cyfreithiwr..."

"Tua hanner canpunt ydi cost llythyr twrna."

"Ond dwi ddim yn ei gweld hi'n bosib i'r math yna o ddyn, yn y math yma o sefyllfa yng nghefn gwlad Cymru..."

"Ychydig iawn o bethau," torrodd Smyth ar ei draws eto, "sy'n hollol amhosib, yn fy mhrofiad i. Mae yna ryw ffordd, Ellis, o wneud popeth a dyna pam rwy'n talu mil o bunnau'r wythnos i chi: i ffindio'r ffordd honno o gyrraedd at y Cymry. Gymerwch chi goffi?"

Derbyniodd Ellis ei gynnig annisgwyl a defnyddio'r saib i ystyried ei wrthymosodiad. Y peth hollbwysig oedd cael Smyth i anghofio'i obsesiwn gyda'r un cais arbennig yma, a gweld yr ymgyrch PR mewn cyd-destun eang, tymor-hir...

Dechreuodd Ellis: "Dwi ddim yn siŵr pa mor gyfarwydd ydych chi â sut mae PR yn gweithio."

Bu bron i Smyth chwythu'r coffi allan o'i geg. "Ddim yn gwybod! Dowch o'na, wir. Gofynnwch i Blather and Langsam. Maen nhw'n gweithio imi ers pymtheng mlynedd ac maen nhw'n un o'r cwmnïau sy ddim yn rhy hapus eich bod chi wedi cael y cytundeb yma."

"Ond pymtheng mlynedd: mi allwch chi wneud rhywbeth mewn pymtheng mlynedd..."

Chwarddodd Smyth yn chwerw. "Dwi ddim yn rhoi pymtheng mlynedd i chi setlo hyn, Ellis. Dwi'n rhoi tri mis i chi."

"Tri mis! Ond mae'r cytundeb ei hun..."

"Ddown ni'n ôl at hwnnw yn y munud."

"Ond dydi hynny ddim yn hanner digon o amser i lywio barn gyhoeddus ar fater mor sensitif â hyn. Mae angen ymgyrch amlochrog, aml-lefelog..."

"*Wedyn*. Ymgyrchwch chi faint fynnoch chi wedyn."

Roedd yn rhaid i Ellis newid tac rywsut. Yn fwy pwyllog, meddai: "Cyn ein bod ni'n mynd ymlaen efallai y gallwn ni drafod y memorandwm diwetha a anfonais i atoch chi."

"Os y'ch chi'n mynnu..."

"Wedi'r cyfan dyna fydd sail ein hymgyrch ni dros chwe mis cyntaf y cytundeb, ac mi rydw i wedi dod â brasluniau o'r ymgyrch hysbysebu hefyd."

Tynnodd Ellis ffolder mawr allan o'i gês a dangos y cynlluniau i Smyth. Dangosai un ohonynt luniau o ddwy stad fechan, ddeniadol yn ardaloedd Dinbych a Phenmaenmawr. *Berry Homes: cartrefi i Gymry yn Harddwch Gogledd Cymru. Swyn – Safon – Sicrwydd.*

"Yr un cynllun," aeth Ellis ymlaen, "ond mewn du a gwyn wrth gwrs, fydd yn yr ymgyrch hysbysebu yn y papurau Cymraeg; ac o sôn am hynny..." – yn awr daeth â dalen arall allan – "dyma ffurf yr hysbyseb ar gyfer staff dwyieithog. Fe sonioch chi am ddwy ysgrifenyddes..."

"Ie, ie," meddai Smyth yn ddiamynedd braidd. "Rwy'n gweld y rhain yn iawn: gadewch nhw gyda mi." Ond yna ildiodd. "O'r gorau, gan ein bod ni wrthi, cystal i ni fynd yn gyflym drwy'r pwyntiau eraill." Galwodd ar i'w ysgrifenyddes ddod â ffeil ato. "Do'n i ddim yn deall rhai o'r pethau oedd gynnoch chi... Rŵan 'ta, dyma ni... stondin yn yr Eisteddfod Genedlaethol. Beth ar y ddaear ydi hwnna: dim byd i'w wneud efo *double glazing?*"

"Anghofiwch am hynny nawr," meddai Ellis yn frysiog. "Braidd yn fuan..."

"A'r pumed pwynt yma: prynu tŷ yn Nant Gwrtheyrn. Ble yn uffern mae fan'no? A be 'di'r pwynt prynu dim ond un tŷ? Digon hawdd i chi roi rhyw *shopping list* bach fel'na imi." Caeodd y ffeil. "Costau, costau, costau – ac i beth? I 'greu hinsawdd ffafriol' meddech chi, ond beth ydi hinsawdd, heb ganlyniadau. Mae busnes, fel y gwyddoch chi'n dda iawn, Ellis, ynglŷn â chael canlyniadau a chanlyniad dwi isio yn y blydi Lancross 'ma."

"Rwy'n addo gwneud 'y ngore."

"Dydw i ddim isio'ch gorau chi, Ellis. Rydw i isio'r dyn. Rydw i isio fo'n ôl ac mae gynnoch chi dri mis."

"Ond y tir y'ch chi eisiau, does bosib, nid y dyn."

"Tir y dyn."

"Wel mi ga' i dir i chi mewn tri mis," meddai Ellis yn rhadlon. "Dwi'n addo hynny'n bendant. Tir datblygu yn ardal Llangroes."

"Tir y dyn ddwedes i: y tir arbennig yna."

Galwodd Smyth eto ar ei ysgrifenyddes. "Dowch â'm llyfr siec i yma." Trodd at Ellis. "Dwi'n credu y bydd hyn yn crisialu rhyw gymaint ar eich meddwl chi..."

Llofnododd ddwy siec, a'u gwthio ar draws y ddesg at Ellis. "Duw yn unig a ŵyr, dwi'n ddyn ffôl a chalonfeddal. Dwi'n barod wedi gwario ffortiwn ar y blydi Lancross 'na a rŵan dyma fi'n taflu mwy o arian i ffwrdd. Dyma i chi ddwy siec o £10,000 yr un; un allan i Lewis Morgan, y llall i chi. Rwy'n eu dyddio nhw ddiwedd Gorffennaf. Mae'r cyntaf i chi ei rhoi i'r *sheepshagger* Cymraeg yna, a dwi'n trefnu bod y banc yn rhyddhau'r llall pan fydd y gyntaf wedi mynd trwy'i gyfri o. Os na fydd y siec yna wedi mynd trwyddo erbyn tri mis union i ddechrau'n cytundeb ni – y pumed o Awst felly..."

"Ond chwarae teg, gadewch imi gael tri mis o heddiw..."

"Y pumed o Awst ddwedais i – yna mi gewch chi gadw'r llall i chi'ch hun."

"Cadw? Ond dwi ddim yn deall."

"Mi ddylech chi fod wedi darllen y print mân yn eich cytundeb. Mi fydd £10,000 yn setlad reit hael am ei sgrapio hanner ffordd drwodd. Rwy'n weddol siŵr y gwneith o'ch perswadio chi i beidio trafferthu efo twrneiod. Diawled drud a drwg ydi'r rheini, Ellis."

Oedodd Ellis am ennyd. A ddylai eu derbyn? Ond wedyn: beth oedd y dewis arall?

* * *

Gan roi'r ddwy siec yn ei waled, camodd Ellis allan o swyddfa Berry Homes i'r arcêd. Arhosodd am ennyd. Tybed oedd derbyn y sieciau'n dirymu'r cytundeb? Ni allai fod yn siŵr heb ddarllen y print mân. Dyfarodd na fuasai wedi paratoi'n well ar gyfer y blydi cyfarfod.

Roedd oglau coffi ffres yn goglais ei ffroenau ac fe'i temtiwyd i un o'r caffis bychain. Eisteddodd ger y ffenest ac edrych allan ar bensaernïaeth hardd canol Caer. Ceisiodd gasglu ei feddyliau. Digwyddodd popeth mor gyflym, ond roedd un peth nad oedd yn gwneud synnwyr o gwbl. Pam roedd colli un plot arbennig mor dyngedfennol bwysig – yn ddigon pwysig i gymell Smyth i daflu £20,000 arall i ffwrdd er mwyn ei gael yn ôl? A pham Llangroes? Ni soniodd air am y datblygiadau eraill.

Tybed a fyddai Menna'n gallu helpu, gan iddi fod yn byw yno am gyfnod? Roedd hynny'n gyd-ddigwyddiad a allai fod yn ddefnyddiol. Ond wedyn prin bod ganddi unrhyw ddylanwad ar ryw ffarmwr fel y Lewis yna, os oedd hi wedi clywed amdano o gwbl...

Wedyn doedd wiw iddo gysylltu â Dafydd. Er sawl ymgais, ni lwyddodd i gael sgwrs normal, gall ag ef. Ni wyddai i ba raddau yr oedd Dafydd yn ei 'feio' am ymadawiad Menna. Roedd fel petai rhyw faen methiant anweledig yn hongian yn barhaol am ei wddf – fel petai wedi'i eni i'r byd neu i'r cyfnod anghywir. Ond erbyn hyn, roedd Ellis wedi rhoi'r gorau i boeni.

Os oedd cysylltu i fod, felly, byddai'n rhaid iddo wneud hynny ei hun, ond wrth i'r llaeth-bwced-plastig chwistrellu dros ei drowsus, cafodd syniad gwell. Oni ddywedodd Smyth fod rhyw 'bensaer bach' yn y grŵp? Gan mai criw lleol o Langroes oedd wrthi, roedd yn rhaid mai'r Deian Morse yna oedd e, gŵr Lleuwen, a ffrind Menna. Go brin bod mwy nag un pensaer mewn pentre mor fychan. Doedd e ddim wedi cael sgwrs gall â hwnnw chwaith, ond fe gwrddodd ag e'n frysiog un nos Sul rai misoedd yn ôl pan roddodd lifft i Siani yn ôl i Langroes. Rhoddodd argraff braidd yn surbwch ar y pryd. Ond wedyn beth, yn hollol realistig, allai e, Ellis, drafod gyda Deian?

Roedd yr holl sefyllfa, rywust, yn ddim ond gwynt a phiswail. Y cyfan oedd yn 'bod' oedd un cais cynllunio amlinellol, ansicr oedd wedi'i dynnu'n ôl, ac un arall oedd – efallai – i'w roi i mewn...

Eto, pam oedd hynny mor bwysig i Smyth? Pam roedd y criw lleol yna am baratoi cais arall yr un mor ansicr? Rhaid cyfaddef i Smyth grybwyll, mewn llythyr ac ar lafar, y gallai'r datblygiadau ennyn gwrthwynebiad. Ai fan'na roedd yr allwedd? Ond wedyn, mae'r rhan fwyaf o geisiadau cynllunio mawr yn ennyn rhyw wrthwynebiad neu'i gilydd...

Petai'n gorffen ei baned a mynd yn syth i'r car mi allai wneud hanner diwrnod da o waith ar gyfrifon buddiol fel Dŵr Cymru neu ar y cais diddorol a ddaeth i mewn yr wythnos diwethaf i gynhyrchu llenyddiaeth Gymraeg i hybu Bae Caerdydd ei hun. Dyna fyddai'n gall. Ond yr oedd posibilrwydd arall, gwallgo yn ymffurfio yng nghefn ei ben.

O edrych arni mewn ffordd arall, dim ond hanner diwrnod fyddai'n ei golli o gymryd taith dipyn hirach yn ôl – trwy Langroes. Pam, ac er mwyn cyflawni beth, doedd e ddim yn siŵr eto. Ai i drio gweld Morse, neu hyd yn oed Lewis neu rywun arall; ac o alw, ar ba esgus? Ond mi allai weithio hynny allan yn y car.

Mae'n rhaid mentro weithiau heb wybod pam. Byddai unrhyw ddyn busnes call yn gyrru'n syth nôl i Gaerdydd, ond efallai mai dyna'r gwahaniaeth rhwng y rhai gwir lwyddiannus a'r lleill: dydyn nhw ddim yn derbyn syniad pobl eraill o beth sy'n gall. Onid felly oedd hi gyda Smyth yn Llangroes? Ond fel arfer roedd yna ryw reddf hefyd yn llywio'r chwarae, a rhyw hen reddf a ddywedai wrth Ellis nad oes byth dim i'w golli o siarad â phobl. Y peth gwaethaf a allai ddigwydd oedd eu bod nhw'n dweud wrtho i fynd i grafu.

Talodd am y coffi a mynd allan i'r arcêd. Yno tynnodd y ffôn o'i boced. Dylai'r bobl Ymholiadau allu ffindio'r enwau Morse a Caederwen yn weddol rwydd yn ardal Aberystwyth...

* * *

Gyrrodd tua'r troffyrdd a amgylchynai Gaer ac anelu trwyn y Merc tua'r Trallwng. Yna daliodd ei hun yn gyrru'n llawer rhy gyflym. Gan mor denau oedd y siawns o lwyddiant, cystal iddo fwynhau'r daith. Roedd Deian wedi ymateb i'w alwad ffôn yn union fel y buasai ef wedi ymateb i rywun heb apwyntiad na phwrpas amlwg ond gwerthu: gallai sbario dim mwy na deng munud rhwng 4.00 a 4.30. Chafodd e ddim ateb gyda'r ffarmwr: byddai'n rhoi cynnig arall ar hwnnw.

Byddai e, y Lewis yna, yn anos. Os byddai'n galw o gwbl. Hyd yn hyn roedd wedi methu'n lân â meddwl am *opening gambit*. Roedd y siec yn amhosibl. Fyddai tacteg mor amrwd fyth yn gweithio. Cyn lleied a ddeallai Smyth am y Cymry. Dyna'n union pam y methodd e, wrth gwrs. Fe allai'r arian fod yn handi, ond dim ond mewn cwpwl o fisoedd, efallai, wedi sefydlu perthynas bersonol.

Ond allai Ellis mo'i gweld hi. Ni allai ddychmygu'i hun yn siarad gyda'r Lewis yma. Yr unig gysylltiad personol oedd Smyth ei hun, ond hwnnw fyddai'r boi olaf yn Ewrop y byddai Lewis am glywed ei enw... Eto, mi *roedd* e'n gysylltiad, o'i ddefnyddio'n glyfar iawn. Mi fyddai Menna weithiau'n ei ganmol am ddod allan o sefyllfa anodd gyda'i ddawn siarad, ond haws dweud na gwneud...

Oedd yna siawns o fil i un? Efallai gant i un, yn realistig. *Odds* hir iawn. Am ryw reswm cofiodd am bedwar ohonynt yn Majorca flynyddoedd maith yn ôl yn trafod *odds* pigo merch ddieithr i fyny o'r stryd. Pump i un yn erbyn oedd yr *odds* i fod. Cafodd lwyddiant annisgwyl un noson a mynd â meinwen dywell yn ôl i'r Sun Bar, fel y cytunwyd – i ganol gang o *beach boys* lleol oedd yn aros amdanynt. Er gwaethaf hynny, dyddiau da, ymhell bell yn ôl: cyn Menna, cyn Molly, cyn Crist...

Rhoddodd gynnig arall ar y mobeil. A hithau'n bum munud i ddeuddeg, mi ddylai'r teulu amaethyddol, boregodol fod naill ai ar orffen neu ar ddechrau pryd canol-dydd. Ond dim lwc, a phenderfynodd nad oedd dim amdani ond holi yn y pentre a galw ar hap.

Cyrhaeddodd Langroes am bum munud i un a pharcio'r Merc gwyn ar y sgwâr, yr injan yn troi. Cerddodd i mewn i dafarn y Groes a gofyn am fferm Caederwen. Wyddai'r tafarnwr ddim am y lle ond gallodd un o selogion y bar blaen ei helpu. Dilynodd Ellis ei gyfarwyddiadau, gyrru i fyny lôn weddol gul yn rowndio cefn y pentre, a dod at gatiau o haearn gyr rhwng pâr o golofnau urddasol. Ym mhen draw'r dreif, roedd yna blasty digon gwych yr olwg.

Nawr rwy'n dechrau deall... meddyliodd Ellis wrth dynnu'r ffon gêr i lawr. Gadawodd y Merc yn y fan a'r lle a cherdded yn araf tua'r gatiau. *Mae'r darnau'n dechrau disgyn i'w lle – darnau go drymion o arian cefn gwlad Ceredigion... Nid rhyw long-yn-y-nos ydi'r dyn yma, nid gwladwr twp. Mae yna wythïen gudd o aur yn rhedeg yn ddwfn o dan dir y sir yma ac nid unrhyw Sais sy'n gallu ei taro arni. Mae'r teip yma o ffermwr yn mynd i ddisgwyl llawer yn ôl, hyd yn oed am gwpwl o gaeau. Nid y math i fentro'i arian ar ryw loteri cynllunio gan sarnu ei enw da ac enw'i deulu. Dyna ydi'r plas yma: cynnyrch cenedlaethau o fuddsoddi doeth a hirben...*

Rhyfedd, doedd dim arwydd ar y gatiau. *Eto,* meddyliodd Ellis, *mor nodweddiadol o gyfrinachedd cefn glwad: gorau po leia rowch chi yn ffenest y siop, yntê...*

Yna digwyddodd sylwi ar beth rhyfedd iawn. Roedd rhai ffigyrau dynol yn crwydro yn y gerddi. *Tybed ai rhieni'r Lewis 'ma – a rhieni ei wraig? Yr hen deulu estynedig Cymreig gyda'r tir yn sail a chynhaliaeth; cenedlaethau'n cyd-fyw, cydweithio er lles yr ystad; traddodiadau'n cael eu pasio 'mlaen yn naturiol o genhedlaeth i genhedlaeth, rhai diwylliannol ac ariannol... Dim rhyfedd i Smyth fethu cracio'r gneuen hon. Fuasai ganddyn nhw ddim byd yn gyffredin. Fuasai gen i, chwaith, ddim llawer i'w ddweud wrth ryw bymcin o wladwr ond mae gynnon ni yma, mae'n amlwg, ddyn o sylwedd...*

Synnodd wrth weld dau o'r ffigyrau'n dynesu ato. Cerddent ar bulpudau alwminiwm. "Edech chi'n siarad Cymraeg, gyfaill?" meddai un. "Sysnag 'di pawb fan hyn, 'blaw merched y gegin. 'Wan 'ta, Cardi edech chi, ynta Sowthyn?"

Ffycin hel – cartre hen bobl. Y basdard 'na yn y bar wedi ei dwyllo. Sgrialodd y Merc yn ôl i waelod y pentre ac am siop Leos i ofyn help. Erbyn iddo gyrraedd fferm Caederwen, yr oedd yn hanner awr wedi un.

* * *

Diffoddodd Ellis y car a'i adael ar ganol y buarth. Roedd hi'n dawel fel y bedd, dim byd ond brefiadau pell a sŵn nant yn llifo. Dyma fyd arall: bryniau, coed, cymylau'n symud yn araf. Eto roedd yma adeiladau helaeth, tŵr seilej, cwpwl o *trailers*. Safodd am funud i bwyso'n erbyn y bonet, a chwarae'i fysedd yn dawel ar y metel.

Yn sydyn roedd y syniad rhamantus o 'fentro'n wirion' yn swnio'n – jyst gwirion. Cysylltiad personol ydi'r unig beth sy'n cyfri yn y sir yma. Nid cysylltiad personol oedd Smyth i Caederwen bellach, ond gelyn; eto mi allai fod yn agoriad i sgwrs petai e'n chwarae gêm beryglus. Gallai ddweud tipyn go lew o'r gwir: ei fod e, Ellis, wedi'i weld e'r bore hwnnw, bod Smyth wedi ymddwyn yn afresymol, a'i fod e wedi penderfynu helpu Lewis ar y *rebound*. Ond go brin y gallai gynnal hynny'n hir iawn. Roedd *sudden death* yn reit bosib – ond o leiaf roedd e yn y lle iawn y tro hwn.

O'r diwedd gwelodd wraig yn igam-ogamu tuag ato, yn cario bwced mewn un llaw a yn chaib yn y llall. Ie, roedd hyn yn dipyn mwy realistig: y fath ffŵl a fuodd e gynnau.

Chwifiodd ei fraich. "Ellis Meredith ydw i," meddai'n galonnog, "o gwmni Delw, Caerdydd. Dwi wedi trio'ch ffonio chi drwy'r bore ond mi fethais i gael ateb."

"Eisie gweld Morgan edech chi?"

"Ie, Mr Morgan Lewis."

"Edi Morgan yn gweld *neb* heb *appointment*; mae e wedi gwneud rheol, edech chi'n gweld."

"*Neb*?"

"Neb dierth, 'te."

"Dydw i ddim yn hollol ddieithr i'r pentre 'ma, chwaith.

Chymera i ddim mwy na dau funud o'i amser o. Dwi'n rhedeg busnes yng Nghaerdydd a dim ond cyflwyno'n hun yr o'n i am wneud."

Edrychodd y wraig yn od ar Ellis. "Edi e ddim yma heddiw, eniwe. Mae e wedi mynd i Gaer. Gwell i chi ffonio rywbryd eto am *appointment*."

"Yn rhyfedd iawn, newydd ddod o fan'na'r ydw i bore 'ma." Pam na ddywedodd y fenyw ddwl hynny ynghynt? Ond roedd y sôn am Gaer wedi ei anesmwytho hefyd. Nid i weld Smyth, doedd bosib? Ei gyfreithwyr, efallai? "Wel mi alwa i eto. Yn y cyfamser ga' i adael 'y nghardyn i efo chi?"

Edrychodd hi arno'n amheus. "Edech chi ddim efo'r *planning*?"

"Na, wir, dim o'r fath beth! Does gen i ddim byd i'w wneud ag unrhyw *planning*, dwi'n addo!"

Edrychodd hi'n feirniadol arno, ac roedd Ellis ar fin troi'n ôl, pan ddywedodd y wraig: "Wel ma' Ishmael, y mab hyna, i mewn..."

"Ydi o wir? Faswn i ddim gwaeth – diolch o galon i chi, Mrs Lewis."

Dilynodd hi i'r ffermdy ac i mewn i ystafell braf, hen ffasiwn. Arhosodd yno tra oedd y wraig yn cael gair â'i mab. Ticiai hen gloc derw yn uchel yn y gornel, a sylwodd ar y pentan llydan, amlbwrpas gyda'i bentyrrau o goed sych. Meddyliodd Ellis: tybed ai dyma'r trobwynt? Mae'r genhedlaeth iau yn wahanol iawn i'w rhieni: cyrraedd at y tad drwy hwn yw'r ateb. Ac mae'u hagwedd nhw at arian yn wahanol, hefyd. Dechrau sefydlu perthynas bersonol â hwn nawr – dyna'r peth pwysig, a pheidio â gwthio dim na sôn dim am Smyth chwaith.

Daeth Mrs Lewis yn ôl a chafodd fynd drwodd i'r ystafell ble gweithiai Ishmael, ystafell fawr, braf yn wynebu tua'r caeau y tu ôl. Roedd map Ordnans manwl o'r fferm wedi'i lynu ar un wal ac roedd cyfrifiadur ac argraffydd ar y ddesg, a silffaid o ffeiliau a llyfrau technegol. Cododd Ishmael ei ben o'r ffurflenni yr oedd yn gweithio arnynt.

"Dim ond digwydd taro heibio yr o'n i ar y ffordd i Gaerdydd

– dyma i chi 'ngherdyn i..."

Edrychodd Ishmael – gŵr ifanc golygus, hawddgar, gwallt tywyll – yn amheus ar y cerdyn sgleiniog.

"Cyn mynd ymhellach efallai y dylwn i gael eich rhif ffôn cywir chi gan imi fethu â chael trwodd atoch chi'r bore 'ma i drefnu apwyntiad."

Eisteddai'r bachgen yn fud gan disgwyl iddo fynd ymlaen.

"Wel, beth bynnag, ro'n i wedi clywed bod gennych chi fusnes da yma. Dwi'n rhedeg cwmni cysylltiadau cyhoeddus yng Nghaerdydd ond cynnig 'y ngwasanaeth personol ydw i – ar lefel anffurfiol – petaech chi'n digwydd chwilio am gyngor annibynnol ynglŷn ag ehangu eich busnes. Mae 'ngherdyn i gynnoch chi, felly petawn i'n rhoi caniad ichi yn nes ymlaen yn yr wythnos neu'r wythnos nesa, efallai y gallwn i drefnu apwyntiad gyda'ch tad."

Gan nad oedd y bachgen yn ymateb o gwbl doedd Ellis ddim yn siŵr a ddylai ddweud rhagor. Yn wir, roedd e'n amau a oedd y boi'n *deall* beth oedd e'n ei ddweud. Roedd e naill ai'n uffernol o dwp, neu'n fwriadol yn actio'n stiwpid.

"Wel diolch am eich carden chi ta p'un," meddai o'r diwedd gan godi. "Mi alle fod yn handi, 'tawn i am gael gafael arnoch chi." Ond roedd yna fygythiad yn yr awgrym, a rhywbeth oeraidd yn ei wên fras wrth iddo ddangos y drws i Ellis.

"Os ca' i'ch rhif ffôn chi felly..."

"Mae gynnon ni eich rhif chi, on'd oes, a dyna sy'n bwysig."

"Wrth gwrs, cysylltwch unrhyw bryd..."

Edrychodd Ellis eto i mewn i wyneb y bachgen. Yr oedd yn dal yn hawddgar a difynegiant ond yn ddigon clir yn cyfeirio Ellis tua'r drws.

"Dydd da i chi, gyfaill..."

Cerddodd Ellis mor urddasol ag y medrai drwy fwd y buarth tua'r Merc. Dyna'r 'gyfaill' mwyaf anghyfeillgar a glywsai erioed. Be ddigwyddodd? Be aeth o'i le? *Just connect* maen nhw'n dweud, ond doedd 'na ddim plwg yn y wal, dim trydan yn y tŷ...

* * *

Wedi llwyddo i gael lle parcio yn Aberystwyth, cerddodd Ellis i lawr Stryd y Bont, heibio i'r myfyrwyr yn yfed y tu allan i'r Hen Lew Du, ac at y bloc swyddfeydd ger Pont Trefechan: hen warws a gefnai ar yr afon Rheidol. Dringodd i'r ail lawr lle'r oedd swyddfa Morse & Evans, gadael ei gerdyn gyda'r ferch yn y dderbynfa a pharatoi i aros yn hir i weld Deian Morse.

Roedd y swyddfeydd i gyd o dan un to pren gyda muriau isel o fricsen lwyd ag ymyl goch yn eu gwahanu. Cyn iddo eistedd, gwelodd Deian yn trafod cynllun dros fwrdd arlunio mawr gyda dau gwsmer. Sylwodd ar y cyfrifiaduron niferus. Digwyddai Ellis wybod tipyn am y dechnoleg: a fyddai hynny'n agoriad posibl? O leiaf roedd e ar dir cyfarwydd yma – tir busnes, tir cynllunio – ac roedd yna'r cysylltiad personol. Defnyddio hwnnw i ddechrau fyddai orau. Doedd e ddim yn debyg o anghofio, y tro hwn, mai yng Ngheredigion yr oedd e.

Bu'r ymweliad diwetha'n drychineb, wrth gwrs. Ond pam roedd e mor grac? Fe'i hunan ddywedodd fod yr *odds* yn hir. Rhaid bod yna ryw gasineb rhyfedd yn llechu dan wyneb y blydi pentre, rhwng y wraig, y lowt yn y bar a'r blydi Ishmael *dead-pan* yna.

Pa deimladau, tybed, a guddiai y tu ôl i'r wyneb annaturiol o braf? Dyn ei dad, mae'n amlwg, yn chwarae'i gardiau yn dynn o dan ei siwmper. Sut foi oedd e, tybed, yn ei gwrw? Crist, hoffai e ddim cwrdd ag e'n hwyr nos Sadwrn yn un o strydoedd cefn y dre 'ma...

Ond ei fai ef ei hun oedd y methiant: am fethu paratoi (eto), am fethu cynnig abwyd pendant, heb sôn am fethu cynnig cyswllt personol. Fe losgodd y bont; ond yn rhyfedd iawn, yr oedd yn awr yn dechrau dod i deimlo y gallai hynny fod yn beth da. Mewn difri, pam bacio ceffyl sy'n colli? Roedd ceffyl Deian yn dal i mewn yn y ras. Ei bolisi gorau nawr fyddai bod yn hollol agored ac onest, cynnig helpu ac os byddai Deian yn dangos diddordeb, yna twll i Smyth wedyn. Gwell aderyn mewn llaw...

Gadawodd y cwsmeriaid mewn tuag ugain munud a chafodd Ellis o'r diwedd fynd trwodd i swyddfa Deian. Roedd yn lân a braf a'r panorama dros y dŵr yn ei agtoffa o'i swyddfa ef ei hun.

"Eisteddwch," meddai Deian. "Yn anffodus, cwta ddeng munud sy gen i. Mae gen i gwsmer yn galw am hanner wedi."

"Dwi'n deall yn iawn. Fy mai i oedd peidio â rhoi rhybudd iawn i chi. Digwydd pasio roeddwn i, ar y ffordd i lawr o'r gogledd ac o'n i'n meddwl ei bod hi'n biti nad ydyn ni wedi cyfarfod yn iawn gan fod gynnon ni dipyn yn gyffredin – ar wahân i'r merched wrth gwrs..."

"Chawson ni fawr o gyfla am sgwrs y tro diwetha ond dwi'n ofni 'ch bod chi wedi 'nal i ar adag go brysur heddiw hefyd."

"Tydi o ddim gwahaniaeth. Dim ond cyflwyno'n hun a gadael 'y ngherdyn a rhyw daflen fach gyffredinol sy gynnon ni – gan edrych ymlaen efallai am sgwrs fwy anffurfiol rywbryd eto."

"Wel mi gymera i'ch taflan chi beth bynnag."

Tynnodd Ellis y daflen hirgul, aml-blyg allan o'i *brief-case*. "Mae'n disgrifio gwahanol wasanaethau'r cwmni mewn ffordd gyffredinol, ein gwasanaeth dylunio ac ati – ond ry'n ni hefyd yn gallu trefnu ymgyrchoedd arbennig."

Gadawodd Deian i Ellis siarad am rai munudau gan gadw llygad ar y cloc.

"Wel diolch ichi am alw," meddai Deian. "Ond yn y bôn 'dan ni jyst yn gwmni bach lleol a'n gwaith ni ydi'n hysbyseb gora ni... ond os bydd yna alw rywbryd am rwbath ar ryw lefal uwch, mi ddo' i'n ôl atoch chi." Cododd i agor y drws i Ellis ac yr oedd yn rhaid i Ellis godi hefyd.

"Am hynny ro'n i'n meddwl, a dweud y gwir: gwaith lefel-uwch y mae angen ei hyrwyddo; efallai rhyw ddatblygiad *one-off*, dadleuol..."

"Tydw i ddim yn siŵr be sy gynnoch chi'n fan'na."

"Mae'n ddrwg gen i, nid dadleuol dwi'n feddwl, ond

cynlluniau a allai fod yn llesol i'r gymuned ond bod angen eu hybu a'u hyrwyddo."

"Mae'n amlwg eich bod chi'n gwybod rhywbeth nad ydw i ddim, ond ella y cawn ni sgwrs eto dan amgylchiada gwell."

"Yn hollol... os byddwch chi'n dod i lawr i Gaerdydd cofiwch godi'r ffôn ac efallai y gallwn ni drefnu pryd o fwyd yn rhywle."

"Iawn, 'ta..."

"Ar wahân i'r busnes, felly: ar lefel bersonol..."

"Iawn, iawn; dyna ni 'ta..."

Roedd yr eiliad hon yn dyngedfennol. Safai'r ddau ar ben y grisiau. Gwelai Ellis gwsmer arall yn agor y drws allanol, islaw. Roedd yn rhaid iddo fentro. Yn swynol, rhadlon, meddai gan ledu ei freichiau: "Deian – mae hyn braidd yn wirion, yntydi?"

"Be, rŵan?"

"Wel, 'dan ni'n dau yn esgus nad ydan ni'n gwybod pethau. Mi rydw i; mi rwyt ti."

"Siaradwch drostoch 'ych hun."

"Wel mi rydw i o leia'n esgus nad ydw i'n gwybod am y cynlluniau sy gynnoch chi ar gyfer Llangroes. Cynnig eich helpu chi yn fan'na yr ydw i – ond dim ond os ydach chi fy angen i, wrth gwrs. Ond rydw i'n dymuno'n dda i chi beth bynnag."

"Dwi ddim yn dallt hyn... Ga' i ofyn yn lle 'dach chi wedi clywed?"

Troellodd ymennydd Ellis fel olwyn Gatrin. Gallasai fod wedi mentro'r cyfan a dweud y gwir i gyd; yn hytrach dywedodd: "Awgrym bach gan Menna, dyna i gyd; ac ro'n i'n digwydd pasio heibio..."

"Mae'n rhaid bod Lleuwen wedi sôn felly – ond duwcs annw'l, wyddwn i ddim eu bod nhw'n trafod petha felly, chwaith..."

"Wel, mi wn i fod y cynlluniau eraill wedi'u tynnu'n ôl ac ro'n i'n falch iawn o glywed hynny."

"Be, ydach chi wedi bod yn tshecio yn Adran Gynllunio'r

Cyngor hefyd?"

"Naddo, ond o roi dau a dau at ei gilydd..."

Edrychodd Deian arno'n drist gan ysgwyd ei ben. "Wneith ateb felly mo'r tro, gyfaill, ac mae gen i gwsmer yn aros..." Dilynodd Deian Ellis i lawr y grisiau a'i ddilyn allan i'r palmant.

Yno, o glyw'r ymwelydd, meddai Deian: "Mae'n ymddangos i mi nad ydi'ch taith chi i fa'ma mor ddamweiniol â hynny. Naill ai rydach chi'n weithiwr cythreulig o gyflym neu dydach chi ddim yn deud y gwir... Dalltwch: mi allwn ni edrach ar ôl 'yn buddianna ein hunain yn weddol yn y partha yma. Tydan ni ddim angan cwmïa o Loegar nac o Gaerdydd yn busnesu yn ein petha ni. 'Dach chi wedi chwalu amball beth yn y pentra 'cw'n barod. Dwi'm yn meddwl y risgia i'ch cael chi'n chwalu dim mwy. Siwrna ddiogal i chi yn ôl i Gaerdydd."

* * *

Yn araf, trodd Ellis yr allwedd yn nrws y Merc.

Damia. Bôls arall. Bôls llwyr, bôls gwaeth y tro yma.

Ei fai oedd peidio â chadw at ei fwriad gwreiddiol: trio am yr amhosib *go iawn*. Dylasai fod wedi dweud: "Dwi'n rhoi 'nghardiau i gyd ar y bwrdd. Dwi wedi bod yn gweithio i'r gelyn: dyna sut dwi'n gwybod."

Gallasai Deian fod wedi dweud: "Felly rŵan fod y gelyn wedi dy adael di, rwyt ti'n troi aton ni," ond petai e cystal gŵr busnes ag y dylai fod, byddai wedi croesawu'r cyfle i gael arolwg o'r tir o ochr y gelyn.

Agor cil y drws: dyna i gyd oedd ei angen heddiw – y fodfedd gynta, dim ond blaen troed – ac fe fethodd.

Cythrodd y car rownd y corneli tua Llangurig. A gafodd e ddiwrnod mwy aflwyddiannus erioed? Ond wrth yrru, a'r cyfan yn troi a throsi fel menyn sur ym muddai ei feddwl, fe'i trawyd ag un posibilrwydd gwaeth. Triodd feddwl yn ôl dros y sgyrsiau a gafodd â Menna dros yr wythnos diwethaf, ei chwestiynau sydyn, pigog, yna'r tawelwch hir, a'r ymbellhau. Nid rheswm, ond greddf, a ddywedodd wrth Ellis fod y celwydd a ddywedodd wrth Deian, sef bod Menna'n gwybod am ei gynllun, yn berffaith wir.

Roedd hi'n gwybod am Langroes, wrth gwrs. Go brin ei bod hi'n gwybod bod Caederwen wedi dweud wrth Smyth am stwffio'i gynllun. Newydd ddigwydd oedd hynny a byddai wrth ei bodd pan glywai'r newyddion. Ond gallasai'n hawdd fod wedi codi pwnc cyffredinol y datblygu mewn sgwrs ffôn â Lleuwen, neu ar eu sbri diwethaf yn y ddinas, a byddai hithau wedi agor ei cheg am gynlluniau Deian: roedd hi'n dipyn o glebren. Pam dylai Menna fod wedi ymddiddori cymaint yn y pwnc, doedd e ddim yn siŵr. Roedd hi'n casáu'r pentre ond efallai bod ei hamheuon am natur y gwaith i Smyth yn drech hyd yn oed na hynny...

Daeth y sefyllfa'n gliriach a chliriach: roedd hi, Menna, yn fwriadol wedi peidio â dweud wrtho am gynllun Deian ar adeg, petai Smyth yn gwybod, y *gallesid* fod wedi ei danseilio. A fuasai hynny'n beth iawn i'w wneud, sydd gwestiwn hollol wahanol. Ond mater i Delw ei benderfynu oedd hynny, nid iddi hi. Fel ag yr oedd, roedd cytundeb Berry Homes yn hongian wrth lwgrwobr, a dyfodol masnachol Delw eto'n gwegian ar y dibyn.

Wrth i'w droed wasgu'r sbardun ac i'r nodwydd daro'r naw deg, nid rhagolygon Delw a'i poenai fwyaf, felly, na phryderon am gyfiawnder y ddau gynllun datblygu, ond rhywbeth gwaeth: y cwestiwn o frad personol...

15. Cwm Elen

Ai breuddwyd oedd y freuddwyd? Mi fyddai barn Dafydd yn newid o hyd. Wnaeth e ddim amau fod ei sylfaen yn ffeithiol, yn deillio o'i brofiad ei hun. Weithiau, yn y nos, dôi rhannau ohoni'n ôl iddo ond yn llawer llai pwerus. Heb y pŵer, a'r awra lled erotig, doedd hi'n fawr mwy nag atgof melys. Weithiau, mi fyddai yna newidiadau twp, diystyr yn y manylion – fel unrhyw freuddwyd arall...

Yn y dydd, byddai'n cario 'mlaen â'i waith a'i orchwylion eraill. Ond fe ddigwyddodd rhywbeth y noson honno, rhyw 'fflip', rhyw sylweddoliad o ble'r oedd e'n sefyll – mewn perthynas â Chymry'r pentre, â'r Milwr, ac â fe'i hunan. Efallai nad oedd yn ddim mwy na sylweddoliad o ble y safai erioed. Cyn y profiad, roedd ganddo fil o resymau da dros wadu'r Milwr ac roedd chwalu'r disg yn ffordd o sicrhau y byddai'n parhau i'w wadu; ond nawr, wedi'r dystiolaeth fewnol newydd, a'r cof byw am y dyn ei hun, ni allai esgus nad oedd e'n bod.

Go brin y byddai'n poeni mwy a mwy am y peth oni bai am gwestiwn y ffrwydron. Gallai un ddamwain chwalu'r cyfan, y brwydrau cyfansoddiadol ac anghyfansoddiadol. A fyddai'r Milwr wedi dilyn ei awgrym ynglŷn â'r mwynfeydd yn nhop Cwm Elen? Os oedden nhw mor broffesiynol ag yr oedd e'n honni, mi fyddent wedi gweld y perygl i dwristiaid. Ond oni phwysleisiodd y Milwr gymaint yr oedden nhw'n dibynnu ar fois fel fe am y wybodaeth leol? Ond doedd dim pwynt pendroni petai a phetasai os na fedrai gysylltu â'r boi. Bu'n llawer rhy glyfar er ei les ei hun pan waredodd e'r blydi disg yna...

Oedd rhywbeth mawr o'i le mewn mynd am dro i dop y Cwm beth bynnag? Byddai'n arfer mynd yno tua unwaith y mis yn yr haf. Fe allai'r ymarferiad glirio'i feddwl ar gwestiwn y ffrwydron, er nad mewn ffordd uniongyrchol efallai. Gan iddo enwi un lle arbennig, sef yr hen bwerdy, fe allai o leiaf gael cip ar hwnnw.

Fe allai: doedd e ddim yn siŵr eto a fyddai'n gwneud, a doedd e ddim am wneud dim byd twp. Câi weld ar ôl iddo gyrraedd. Doedd ganddo mo'r sgiliau fforensig i ddod i gasgliad gwyddonol ond weithiau mae argraff reddfol yn gallu goleuo cyngor a chlirio meddwl. Fe dreuliodd sawl Sul yn crwydro'r topiau yna, a phetai e ddim callach o'i ymchwil, o leiaf byddai wedi cael mwynhau dydd o gerdded yng nghanol heddwch a harddwch natur.

A hithau'n ddiwedd wythnos gyntaf Mai, penderfynodd yn gyntaf gymryd y cam doeth o daro heibio i'r Amgueddfa Mwyngloddio yn Llywernog i gael manylion llawnach am eu teithiau i dwristiaid. Roedd ganddo brofiad o'r heddlu a gwyddai pa mor barod oedden nhw i greu achos ar sail tystiolaeth simsan os oedden nhw'n benderfynol o 'gael' rhywun.

Gwisgodd ei anorac ffliworesent a'i helmed feicio, clymu hen sgarff am ei wddw, a dweud wrth y ferch wrth y cownter fod ganddo ddiddordeb mewn *'green power generation'*. Ymatebodd hi'n frwd: roedd hyd yn oed yr hen weithiau plwm, er mor afiach oeddent, yn llai peryglus i'r amgylchfyd nag ynni niwclear ac yn y blaen... Holodd wedyn am wybodaeth benodol a rhoddodd hi daflen fach iddo, un gyffredinol, yn nodi'r amserau a'r prisiau; yr unig ddigwyddiad pendant oedd taith fer mewn cerbyd ar ran o hen lein y Ceunant, ond gyda mul yn lle injan stêm...

"They soy there's an old powerhouse in t'old Elen Valley works, down by t'river... I wonder would your goide be showing us that particular building?"

"I'm sure he would be quite willing if you asked him..."

"But it isn't definitely in t'programme, loik?"

"I can't say I'm afraid. It's all quite informal. If you want more detailed information, you could ask Dr Wheeler himself. He's very helpful. I could even give you his University number..."

Ond o ailfeddwl, doedd yna ddim pwrpas. Mi allai unrhyw un ofyn am weld unrhyw adeilad, yn cynnwys y pwerdy. Mae'n eitha siŵr eu bod yn treulio amser yn crwydro'n rhydd ar y seit. Ffarweliodd â'r ferch gan deimlo'n ffŵl braidd, ond gan benderfynu mynd am dro y Sul canlynol.

* * *

Galwodd heibio i Leos am sudd oren a Twix a cherdded i lawr y briffordd am hanner milltir cyn cymryd y tro i Gwm Elen. Roedd ei hen sbienddrych a'i Fap Ordnans gydag e, fel arfer. Byddai'n mwynhau unrhyw esgus i bori yn hwnnw a chwilio am hen enwau Cymraeg a nodweddion naturiol diddorol. Ddwy filltir i fyny'r cwm arhosodd i eistedd ar garreg gyfleus i astudio'r map, yfed y sudd oren, a mwynhau'r olygfa braf yn ôl tua Llangroes a'r môr.

Roedd wedi gwisgo'i siaced 'jyngl' rhag ofn i'r tywydd newid. Un drom, ond wastad yn handi fel clustog. Rhoddodd ei ben arni a lledu'i gorff fel seren ar y gwair. Ceisiodd wagio'i feddwl o'i waith, o'i broblemau, o'r pentre a'i Iypis a'i Hipis a'i Werin a'i Slobs ond yna, fel droeon o'r blaen, beth a ddaeth yn eu lle nhw ond – nid y Milwr ond y ferch yna: Dydd... ei hwyneb, ei hacen, ei hosgo ffasiynol, ei llygaid bywiog. Os ffantasi oedd hi, oni fyddai hi'n wahanol bob tro, oni fyddai'n gweld merched eraill hefyd? Roedd y ferch yna'n bendant yn bod – neu wedi bod...

Ailgychwynnodd ar ei daith a dilyn y llwybr trwy goed Cwm Elen. Wedi milltir o gerdded, daeth at lawr y Cwm. Am resymau daearegol, cyn-hanesyddol roedd i'r Cwm lawr gwastad, gwyrdd, agored oedd yn ddramatig o hardd a heddychlon. Byddai gweld y gwastatir yma'n ymagor yn ei wefreiddio bob tro; roedd fel dod i fyd arall, gwahanol. Ond y tu draw, roedd olion dyn yn rhy amlwg. Codai'r tir i greu llwyfan gwastad budrfrown: safle'r hen waith mwyn. Tra oedd y tir o dano'n wyrdd a ffrwythlon, roedd safle'r hen waith fel wyneb y blaned Mars.

Gadawodd Dafydd y goedwig a cherdded ar draws llawr y Cwm y rhedai afon Elen drwy ei ganol. Draw ar y dde, ar odre craig fawr a godai y pen arall i'r gweithfeydd, roedd tyddyn Joel Tŷ Pell: boi, nid felly o hen, a lwyddai i fyw heb drydan o gwbl. Byddai Dafydd yn aml yn rhyfeddu at hynnny. Roedd e'n amaethwr deallus a llwyddiannus, yn gwneud bywoliaeth frasach na rhai o'i gymrodyr mwy blaengar. Roedd ganddo amrywiol anifeiliaid ac adeiladau – ac fe drawodd Dafydd mai hwn, o bawb, oedd y dyn i gynghori'r Milwr: Joel, yr olaf o'r Cymry gwirioneddol rydd.

Byddai'n adnabod y cwm a'r hen safloedd fel cefn ei law. Byddai'n gallu cynnig cuddfan hollol ddiogel iddo, rhywle nad oedd yn agos at fap – rhyw ogof naturiol, efallai, na allai heddwas ei darganfod mewn canrif.

Ond tybed, meddyliodd Dafydd, a fyddai gan Joel ddiddordeb i helpu'r Milwyr? Roedd e'n rhydd yn barod. Roedd ei fywyd e 'run fath pwy bynnag oedd mewn grym. Petai Cymru'n troi yn Giwba Newydd Goch, faint elwach fuasai Joel?

O ran chwilfrydedd trodd Dafydd i'r dde yn hytrach na dilyn yr afon, a thorri ar draws y cae tua'r hen adeiladau carreg. Codai craig serth y tu ôl i'r tyddyn. Yna digwyddodd sylwi ar gerbyd yn symud yn araf ar ysgwydd y mynydd y tu ôl i'r graig ar hyd y ffordd at lynnoedd y Bwrdd Dŵr. Edrychai fel Land Rover rhyw ffermwr. Ni feddyliodd fwy am y peth a thorrodd yn ôl tua'r afon, a'i chroesi.

Roedd y ddringfa i'r safle ei hun yn serth a braidd yn beryglus, o'r ochr yma. Rhaid bod y twristiaid yn dod i lawr o faes parcio'r Bwrdd Dŵr, uwchlaw tarddiad yr afon. Ailwisgodd Dafydd ei siaced a defnyddio'i ddwylo. O'r diwedd cyrhaeddodd lawr yr hen waith. Gorweddai ambell hen olwyn neu echel rydlyd hwnt ac yma rhwng yr adfeilion.

Cawsai tunelli o raean eu harllwys i rai o'r agoriadau i'w diogelu a sylwodd Dafydd fod yna arwyddion bach, na welsai o'r blaen, yn dynodi rhai o'r gweithgareddau a fu. Ar wahân i'r hen lein yna doedd y lle yn fawr o atyniad twristaidd – os nad agorwyd rhai o'r twneli o'r newydd.

Edrychodd Dafydd yn feirniadol ar yr olygfa hyll, anhrefnus. Roedd yn amlwg bod yna ryw gymaint o waith datblygu ac atgyweirio yn mynd ymlaen a buasai'r Milwr wedi sylwi ar hynny'n syth. Yn bendant, roedd yn lle rhy beryglus i guddio ffrwydron. Ond doedd fawr o bwrpas dod mor bell a pheidio â chael cip ar yr hen bwerdy. Rhag ofn bod rhywun yn gwylio, cymerodd arno ymddiddori yn hyn a'r llall wrth iddo groesi'r safle. Yna edrychodd dros y dibyn, i lawr at yr afon.

Yn ofalus, wysg ei ochr, camodd i lawr y llethr at y pwerdy. Ffindiodd droedle hwylus ac edrychodd draw at yr adeilad, nad oedd bellach ond cragen. Gorweddai sgerbwd yr hen olwyn ddŵr ar ei hochr yn agendor anferth yr hen lawr. Mae'n debyg y gellid cuddio cwpwl o flychau plastig yn rhywle o dan y llanast i gyd. Ond oni bai fod y Milwr yn tyllu'n arbennig o ddwfn i'r ddaear – ar draws yn hytrach nag i lawr – doedd y syniad ddim yn taro Dafydd fel un arbennig o ymarferol. Wedi'r cyfan, doedd afon Elen ei hun ddim ymhell islaw.

Dringodd yn ôl at wyneb y gwaith, ac eistedd ar weddillion rhyw hen wal. Bwytaodd y Twix ac estyn am ei sbienddrych. Fe'i cododd i edrych i'r mynydd y tu ôl iddo; roedd y Land Rover yn dal yno, heb symud mwy na chanllath. Ffocysodd yn agosach, a gweld mai Range Rover eitha newydd oedd e: yn bendant *nid* un o gerbydau Joel Tŷ Pell.

* * *

Trodd Dafydd yn ôl tua'r pentre i wynebu'r machlud haul. O leiaf, meddyliodd, cafodd fwynhau diwrnod yn y bryniau. Croesodd y gwastatir ac aildroedio ei ffordd at lwybr y goedwig, a chlywodd sŵn main iawn yn cael ei gario gan y gwynt – ie, emynau Cymraeg. Edrychodd ar ei wats: pum munud wedi chwech, nos Sul. Capel Seilo, mae'n rhaid. Rhaid bod yr awel yn digwydd chwythu i'r cyfeiriad iawn. Roedd y sŵn yn mynd a dod yn ofnadwy o frau, ac fe gyffyrddodd â rhywbeth yn ei galon. Doedd Dafydd ddim yn grefyddol, ond cododd rhyw hiraeth anesboniadwy dan ei fron. Fe gymerodd y miwsig yna ganrifoedd i dyfu, ond mor uffernol o hawdd oedd ei ladd. Neu oedd ei hiraeth yn rhywbeth mwy personol? Cofiodd eto am *Post House*, a'r emynau'n dod o'r babell gwrw, a'r Milwr – a Dydd...

Ond yn gymysg â'i dristwch rhyfedd, roedd ofn. Yna, fel y cerddai ymlaen, trodd yr ofn yn deimlad o benderfyniad caled. Ni allai ddilyn y Milwr mwyach – bu ei siwrne'n hollol ddiwerth o'r safbwynt yna – ond fe ddilynai yr hen fiwsig yna i bellafoedd y ddaear. Os na châi gysylltu ag ef, fe wnâi ei orau i gysylltu â *Hi*...

* * *

Cydiodd Dafydd yn y ffôn. Teimlai'n afresymol o nerfus ac effro – fel cyn ffonio merch slawer dydd. Ffonio Rhonwy yr oedd e, hen ffrind coleg oedd bellach yn un o gyfarwyddwyr cwmni teledu Pendil yng Nghaernarfon. A hithau'n ddeg o'r gloch y bore Llun wedi'r tro i'r cwm, dyma'r amser perffaith i'w ffonio ac yr oedd ei neges yn hollol resymol a chall. Y peth *na* fyddai'n dweud wrth Rhonwy oedd eu bod nhw'u dau yno, gydag Jac, yn Titos ar y nos Iau anfarwol...

Bu'r tri ohonynt yn Aber gyda'i gilydd, gan raddio yr un pryd, rai wythnosau cyn steddfod Caerdydd. Roedd Rhonwy, wastad y mwyaf uchelgeisiol ohonynt, wedi manteisio ar lansio sianel newydd Telewales yn '82 a sefydlu ei gwmni ei hun, Pendil. Erbyn heddiw roedd y cwmni'n cynhyrchu llu o raglenni gan gynnwys *Cenedl*, rhaglen fisol materion cyfoes. Roedd e felly mewn sefyllfa i allu rhoi sylw cenedlaethol i fater y datblygiadau dadleuol yn Llangroes a'r ddau le arall. Ar y ffordd yn ôl o Flaen-y-cwm y crisialodd y syniad o fynd am dro i'r gogledd gan gyfuno ymweliad pwrpasol â chwmni Rhonwy gydag ambell i beth arall... Roedd y penwythnos hefyd yn Ŵyl Banc Mai ac roedd e angen newid beth bynnag.

Rhesymodd: os na allai roi gwybodaeth i'r Milwr, o leiaf mi allai ei roi i'r cyfryngau. Doedd dim angen dweud gormod wrth Rhonwy, dim ond digon i godi awydd arno i roi ei ymchwilwyr proffesiynol ar waith. Byddai hynny'n gyfraniad cadarnhaol i'r frwydr yn erbyn y datblygiadau – ac yn dipyn mwy defnyddiol na mwydro'i ben yn ddiddiwedd am y Milwr a'r ffrwydron.

Wedi'r drafodaeth gyda Rhonwy, mi gâi gyfle i holi cwpwl o gwestiynau mwy personol. Doedd e ddim mor blydi ynfyd ag i fynd ar siwrne ar ôl merch na welsai ond am ryw awr tua phymtheng mlynedd yn ôl; ond oni bai am ei ddyhead ffôl a chudd, ni fuasai wedi meddwl am y syniad arall, doethach...

Er rhyddhad i Dafydd, roedd ymateb Rhonwy'n frwd, os gofalus.

"Sowndio'n ddiddorol. Ond mae'n rhaid inni gael ffeithia, rhai newydd a rhai calad. Ma' ceisiada cynllunio'n bethau dodji ar y gorau, a dim ond un amlinellol ydi hwn. Hyd yn oed os pasian nhw fo, does 'na bygar ôl wedi *digwydd*, os ti'n dallt."

"O'n i wedi meddwl dod am dro i'r gogledd beth bynnag ac mae 'na rai pethe na alla i egluro dros y ffôn."

"Ti'n rhydd nos Wenar yma 'ta? Gawn ni gwpwl o beints, hyd yn oed os na chawn ni eitam," a chytunwyd ar hynny. Roedd yna dinc o amheuaeth yn ei lais, ond sut gallai Dafydd gwyno ac yntau wedi cael gwahoddiad i'r gogledd? Roedd i alw yn swyddfa Pendil yn Stad Cibyn ar ddiwedd y pnawn a gwneud trefniadau pellach yno.

Roedd yr ail alwad ffôn, i Jac, yn fwy o broblem. Pa reswm allai ei roi dros alw arno fe? A oedd angen rheswm, a hwythau wedi bod yn ffrindiau mor agos? Buont yn chwarae tipyn o rygbi gyda'i gilydd (i ail dîm y coleg) heb sôn am yfed rhai miloedd o beintiau o gwrw. Graddiodd mewn Cemeg ond wedi rhai blynyddoedd o grwydro, aeth yn ôl i weithio yn garej y teulu yn Nefyn; roedd yn dal yn hen lanc hyd y gwyddai Dafydd. Tybed a fyddai'n rhydd nos Sadwrn?

Yn yr hen ddyddiau fyddai byth angen 'rheswm'. Dyna beth arall sy'n digwydd gyda henaint a phriodas. Yn y dyddiau cynnar, byddai Dafydd yn dweud wrth Menna, gan ddewis ei amser: "Ma' cwpwl o hen ffrindie wedi trefnu aduniad bach y penwythnos nesa..." a byddai Menna'n caniatáu iddo fynd, os yn anfodlon. Ond y tro wedyn, byddai'n fwy beirniadol. "I beth, wir? Ydi'r holl yfed 'ma ddim braidd yn blentynnaidd i ddynion yn eu hoed a'u hamser? Y Jac 'na ydi'r drwg, byth wedi tyfu lan, a 'sda fe ddim mwy o fanars na mwnci!" Ond gyda'r blynyddoedd, âi'r aduniadau'n anamlach, nes yn y diwedd roedd Dafydd ei hun yn amau a oedd pwynt trafferthu. Jac oedd yr un oedd wastad yn gwasgu arno i ddod, yn ei herio yn enw'r hen safonau, yn dannod ei fod yn heneiddio'n rhy fuan...

Deialodd Dafydd rif y garej.

"Dafydd, y cwd! Su'mae ers cantoedd?"

"O'n i'n rhyw chware 'da'r syniad o ddod am dro bach i'r gog, falle'r penwythnos nesa. Cymysgu pleser â phigo lan 'bach o waith dylunio..."

"Bygra'r gwaith dylunio! Os wyt ti'n mynnu dylunio gei di ddylunio un o'r hen fangars sy gen i yn yr iard 'cw... Iesu, braf clywed dy lais di eto'r hen fastard..." – ac fe drefnwyd cwrdd yng Nghlwb Pêl-droed Nefyn wedi'r gêm bnawn Sadwrn.

Wedi rhoi'r ffôn i lawr, roedd Dafydd yn hapus. Dim angen malu cachu gyda Jac, dim angen esgus ffug. Byddai'n siŵr o fwynhau hyd yn oed petai popeth arall yn fethiant llwyr.

Mi fyddai Jac, o ystyried y peth, yn dipyn tebycach na Rhonwy o fod wedi cyfarfod â bois 'caled' y mudiad cenedlaethol. Doedd e erioed wedi gweithredu'n agored gyda'r Gymdeithas, fel y gwnaeth Dafydd, ond cofiodd dreulio un noswaith hir a pheryglus gydag ef yn gwneud tipyn o falu a fandaleiddio. Ond wedyn, sut allai e eirio'r cwestiwn? "Wyt ti'n cofio rhyw foi o'r de mewn jins a chrys glas yn sefyll o flaen rhyw farcî?" O'i gymharu â'r cwestiwn yna, mi fyddai cwestiwn ynglŷn â chael hwyl â rhyw ferched mewn disgo yn swnio'n gymharol gall.

16. Hugo's

Trên Telewales! Llundain – Caerdydd – Llundain. Doedd Menna ddim yn frwd yn y dechrau: syniad diddorol ond drud ac efallai dibwynt. Ond pan ddechreuodd ei drafod â hwn a'r llall, a synhwyro'r ymateb cadarnhaol, fe'i mabwysiadodd fel ei phrosiect personol.

Gregg a'i sbardunodd hi ymlaen, ond fe gododd yr awgrym gyntaf yn y derbyniad-dros-frecwast a drefnodd Menna ar gyfer yr asiantaethau yn y Dorchester ddechrau Mai. Roedd yr achlysur yn llwyddiant amlwg, a rhai o swyddogion Telewales yno i dystio i hynny. Roedd yna sioe fer, sgrin-fawr yn dangos enghreifftiau o ymgyrchoedd a phytiau o raglenni gyda thoriadau byr, ffeithiol ond hwyliog gan ddwy o staff mwyaf ffotogenaidd Telewales. Yn y cefndir roedd Menna yn gwneud yn siŵr bod pawb yn hapus ac yn cael eu gwala o'r coffi, *croissants* a'r borefwyd iach.

Roedd y Saeson wrth eu bodd â'r croeso cynnes, Cymreig ac un o'r rheolwyr cyfrif awgrymodd i Menna, dros blatiad o gig a salad: "Proffesiynol iawn – awyrgylch braf. Ond pam dod â Chaerdydd lan i Lundain? Beth am fynd â Llundain i Gaerdydd?"

"A beth y'ch chi'n feddwl wrth hynny?"

"Trip. Dowch inni gael gweld eich lle chi."

Synnodd Menna weld Gregg yno ond meddai ef wedyn, pan soniodd hi am y sgwrs: "Mae'r dyn yn iawn. Mae'r bobol yma'n cael jyncets fel hyn bob dydd o'r wythnos. Ewch â nhw i Telewales. Mi fyddai'n agoriad llygad iddyn nhw weld y swyddfeydd modern, braf yn Llanisien ac mae Caerdydd ei hun yn tyfu mor gyflym. Beth am dro i'r Bae hefyd?"

Hwyliodd ymlaen dan ddylanwad ei rethreg ei hun. "Llogi trên ddylech chi wneud – byddai un cerbyd yn ddigon. Gadael Paddington yn gynnar rhyw bnawn Gwener. Bwyd ysgafn a gwin da ac adloniant sgrin-fawr. Digon o sbwriel ysgafn, ond ei dorri, fel bore 'ma, â chlipiau o ymgyrchoedd hysbysebu mwyaf llwyddiannus Telewales. Yna bws i'r pencadlys, eu dallu nhw â dôs o dechnoleg, wedyn tro o gwmpas y Bae ac oedi mewn rhyw fistro deniadol. Yn ôl i'r trên a chyrraedd Llundain erbyn tua naw o'r gloch y nos."

"Go dda!" meddai Menna. "Ry'ch chi'n gwastraffu'ch amser gyda'r hen waith gwleidyddol 'na."

"Cofiwch, mi weithiais am flynyddoedd mewn asiantaeth gyffredinol cyn sefydlu 'nghwmni'n hun."

"Ond beth am y gost? Mi fyddai'n aruthrol."

"Fawr mwy na llogi'r Dorchester y bore 'ma."

"Ond byddai'n rhaid iddyn nhw gytuno."

"Ffoniwch J.P.! Bydd yn falch o'ch brwdfrydedd a'ch blaengarwch, hyd yn oed os gwrthodith e'r syniad."

"Ond eich syniad chi yw e."

"Na, ddim yn hollol. Rhaid i chi fod yn fwy hyderus, Menna, a chofiwch nad oes gan hyn ddim byd i'w wneud ag Ellis a'r lleill. Chi drefnodd y derbyniad yma. Chi sy'n edrych ar ôl Telewales yn Llundain a chi sy'n nabod pobol yr asiantaethau: rhaid i J.P. ddeall mai eich patshyn chi ydi Llundain."

Safai Menna rhwng Gregg a'r drws; cyfarchai rhai o'r gwesteion hi'n gynnes wrth ymadael am eu swyddfeydd.

"Y'ch chi'n gweld?" meddai Gregg yn edmygus.

"I chi mae'r diolch am agor drysau."

"Y'ch chi wedi agor drysau i mi hefyd. Ewch amdani, Menna."

Efallai bod hynny'n wir, meddyliodd Menna y noson honno yn unigedd ei gwesty. Os oedd yna gydweithio o gwbl, roedd hynny'n digwydd rhyngddi hi a Gregg, nid rhwng Gregg ac Ellis. Agorodd ei chlud-gyfrifiadur a'i osod ar ei desg gyfyng. Gweithiodd syniad y trên allan yn drefnus, a'i anfon trwy fodem i Telewales; yna'i ddilyn drannoeth â galwad ffôn uniongyrchol i J.P.

* * *

Ar y trên yna – yng ngherbyd Telewales ar y ffordd yn ôl o Lundain – y cyfarfu Menna â Hilary, merch oedd yn gweithio i asiantaeth D.C.Thompson, a hi soniodd wrthi am yr Hugo Health Club. Y lle perffaith, meddai hi, i adfer corff ac enaid wedi dydd mor hectig ac alcoholaidd. Roedd popeth yno: pwll nofio braf, campfa i ferched, sawna a bar wrth gwrs – ac adnoddau swyddfa petai rhaid. Roedd yn ganolog hefyd – o dan westy yn Kensington – ond Aelodau'n Unig, a Merched yn Unig.

Wrth synhwyro awgrym o amheuaeth yn ymateb Menna i'r pwynt olaf, meddai Hilary: "Mae 'da nhw eu clwb eu hunain – y dynion – ac *mae* yna far cyffredin. Os oes 'da ti ddiddordeb, mi allwn dy gynnig am Aelodaeth Cyswllt i ddechrau."

Neidiodd Menna at y cynnig. Gan mai ar nos Iau y byddai Hilary'n arfer mynd trefnasant i gyfarfod yno'r wythnos wedyn: digon o amser i gael ei chais drwodd. Dyna oedd ei hymweliad cyntaf â'r Clwb, lle a fyddai, o hynny ymlaen, yn werddon o heddwch a hamdden yn ei bywyd.

Daeth i gyfarfod â merched eraill proffesiynol mewn sefyllfa debyg iddi hi, yn cael eu tynnu rhwng galwadau swydd drom a theulu; ac yno y cyfarfu ag Ilse. Yn wahanol i'r rhan fwyaf o'r lleill, roedd hi wedi rhoi heibio'r naill beth a'r llall. Bu'n gweithio mewn gwahanol adrannau o'r Weinyddiaeth Amddiffyn, bu'n briod ddwywaith; ond un bore arbennig, penderfynodd daflu'r cyfan i'r pedwar gwynt.

Yn y caban sawna y dechreuon nhw siarad. Aethant wedyn am drochiad byr, trawmatig i oerfel y pwll nofio, cyn ymlacio ar ei lan mewn gynau tywelog. Yno yr aeth Ilse ymlaen â'i stori.

"Ro'n i wedi bod mewn parti'r noswaith cynt. Ges i lot

gormod i yfed – fel arfer. Ond wnes i ddim mwynhau, o'n i mor *stressed out.* Y bore wedyn, deffrais i am ddeg. Deg! Awr gyfan yn hwyr – yn barod! Panics! Taflais i 'nillad amdanaf ond methais ffindio'r *un* esgid yma, un o sgidie fy mhâr 'gwaith'– am syniad blydi twp beth bynnag! Roedd gen i barau eraill neisach ond wnâi'r rheini mo'r tro ac yno ro'n i'n rasio rownd y 'stafell fel iâr ddi-ben a bwriais i'r goeden *yukka* 'ma drosodd nes bod pridd yn 'y ngwallt, yn 'y nillad, lan 'y nhrwyn, a safais i o flaen y drych ac edrych ar 'yn hunan, a gofyn y cwestiwn..."

"Pam? I beth?"

"Absolutely! Ac roedd y rhacsyn 'na o ail ŵr oedd gen i ym Mharis ar y pryd ar fusnes ond ro'n i'n gwbod pa fath o fusnes, a wedes i – sut alla i ddweud e heb fod yn rhy gwrs..."

"Mas â fe..."

"BUGGER IT! Iechyd da, Menna!" – a tharo'r gwydrau *Lime Reviver* at ei gilydd – un o *'health cocktails'* honedig y lle.

Un dal, bryd golau oedd Ilse, yn gwisgo lipstig rhy llachar a rhy dew ar ei gwefusau ymwthiol, a sbectols rhy fawr ar ei thrwyn. Yn ei deugeiniau cynnar, roedd yna ôl ymdrech i gadw'i hun yn ifanc, ond roedd bagiau dan ei llygaid, y croen fymryn yn bwdinog, a'r gwallt platinwm yn bradychu blynyddoedd o fyw yn y lôn gyflym. Roedd yna ferched tipyn harddach yn y Clwb ond gan hon yr oedd Ffactor X. Beth oedd e yn hollol, holodd Menna'i hun. Ynni, echblygrwydd, profiad o fywyd, neu ei phenderfyniad rhy unplyg i gael hwyl am ben pawb a phopeth? Beth bynnag oedd e, roedd Menna wrth ei bodd yn gwrando arni'n mynd drwy'i phethau ac amneidiodd ar y gweinydd bach Groegaidd i ail-lenwi eu gwydrau.

"Alla i ddim credu," protestiodd Menna, "ei fod e mor syml â hynny. Taflu job lan fel'na. Neis iawn os ti'n gallu fforddio, ond pwy sydd, yn y byd real?"

"Rwyt ti'n hollol iawn," meddai Ilse'n fwy difrifol. Aeth i boced ei gŵn i nôl pecyn sigaréts. "Nid gadael wnes i'r bore arbennig yna, ond penderfynu gadael. Do'n i ddim yn brin o geiniog wedi'r ysgariad cynta ac ro'n i wedi buddsoddi peth o'r arian. Wedyn, 'dryches i ar y print mân yn 'y nghytundeb gwaith a 'mholisi yswiriant – ac es i'n sâl. Wnei di ddim dweud wrth neb, wnei di Menna? Do'n i ddim mor blydi twp â cherdded syth mas o'r job i'r stryd – a finne'n mwynhau Llundain gymaint."

Cawsai Menna ychydig o sioc. "Ond twyll oedd hynny: celwydd."

"Wrth gwrs!"

"Ond sut wnest ti e? Beth am dystysgrifau meddyg a phethau fel'na?"

"Un o'r ychydig achlysuron," meddai'n athrawesaidd, "pan ma' dynion *yn* gallu bod yn handi."

"Felly..."

"Do, fues i'n *naughty girl* gyda Mr Meddyg, ond y canlyniad yw – wel mae'r canlyniad yn eistedd yr ochr arall i'r bwrdd iti'r eiliad hon yn yfed ei thrydydd *Lime Reviver*: Ilse Scharf, merch rydd!"

Edrychodd Menna arni'n anghrediniol, ond gwenodd ar ei gwaetha. "Wyt ti ddim yn credu hynny o ddifri amdanat ti dy hun?"

Edrychodd Ilse arni'n ddiniwed. "Be 'di'r broblem?" – a thanio sigarét.

"Wyt ti'n gweithio? Alla i ddim credu dy fod ti wedi hel digon o arian i fyw yn Llundain heb weithio."

"Naddo, wrth gwrs. Rwy'n gweithio dridiau'r wythnos mewn casino yn Park Lane ond ma' hynny'n 'y ngwneud i'n fwy, nid yn llai rhydd."

"Ôl reit," meddai Menna yn y man, "ond beth am ddynion?"

"Wel, beth *am* ddynion?" atebodd, fel petai'n gwestiwn ynglŷn â'r tywydd.

"Wyt ti eu hangen nhw, i fod yn rhydd?"

"Am gwestiwn twp! Wrth gwrs nad ydw i!"

"Ac rwyt ti'n hapus?"

"Cwestiwn gwirion arall, Menna. Pwy sy angen bod yn hapus o hyd? Oes raid i rywun fod yn hapus bob blydi munud? Mae'n syniad blydi pathetig beth bynnag."

Gwenodd Menna. "Ti'n byw heb ddynion, felly?"

"Wrth gwrs nad ydw i!"

"Ond dwedaist ti gynnau dy *fod* ti."

Rhoddodd Ilse ei sigarét ar fraich y sedd. "Rho fe fel hyn. Bob blwyddyn oddi ar imi adael y Sustem – 'na ti bum mlynedd – mae rhyw ddyn wedi talu am wyliau imi."

"Rwy'n gweld... mae mor syml â hynny?"

Trodd ei gwefusau tewion i lawr yn ddirmygus.

"Ac eleni?"

"Na, dim eleni."

"Pam, felly?"

Plethodd ei dwylo y tu ôl i'w phen. "Mae'n hasl ar y gorau, yntydi? Cael rhyw ddyn yn hel o gwmpas dy draed drwy'r dydd, a tithe eisie mwynhau. Mae gen i gwpwl o reolau bach. Os mai penwythnos ydi e, OK, rwy'n derbyn mai gyda hwnnw y bydda i, ac maen nhw i gyd angen profi bod 'na flewyn o leiff ar ôl yn eu pidlau bach trist – a'r rhai hen ydi'r gwaetha am hynny, wrth gwrs. Ond os ydi e'n fwy na chwpwl o ddyddiau – fy 'stafell fy hun bob tro, ac mae gan rai o'r dynion 'ma filas bendigedig. Ac wedyn mi fydda i'n rhoi 'nhroed i lawr ynglŷn â phob math o bethau bach gwirion – mi fydda i'n mwynhau gwneud hynny! – jyst i brofi mai Ilse ydw i ac nid rhyw Fusus dros dro i ryw ddyn."

Ystyriodd Menna. "Felly clicio un bys – dyn bach yn dod. Clicio bys arall – dyn bach yn mynd gartre a'i gwt rhwng 'i goese?"

"Rhywbeth felly."

"Der o'na. Dyw bywyd ddim mor syml â hynny. Mae 'da ti'r holl gymhlethdodau emosiynol."

Ymestynnodd Ilse ei choesau allan hyd at flaenau bodiau ei thraed – yr oedd eu hewinedd, sylwodd Menna, wedi'u peintio â'r un oren fflamgoch â'i gwefusau. Yna taflodd ei phen yn ôl dros gefn y gadair haul, gwthio'i bronnau allan, a chwifio'r sigarét fel hudlath o flaen y nofwyr oedd yn ymlafnio mor galed dros eu hiechyd yn y dŵr islaw.

"Beth yw'r gyfrinach, felly?"

Ond roedd Ilse wedi cau ei llygaid i'r byd. Osgoi ateb oedd hi, neu ei roi? Triodd Menna weithio'r peth allan. Roedd gweithio mewn casino'n sicr o fod yn help o safbwynt cyfarfod â dynion; ond ar ba gêm oedd hi yno? Oedd hi ar y gêm? Os oedd hi, mi allai ddewis ei phrae'n ofalus. Ond doedd hynny ddim yn taro Menna fel bywyd delfrydol iawn, na rhydd iawn, chwaith.

"Does dim cyfrinach," meddai Ilse, yn deffro o'r diwedd. "Ond mae 'na *rywbeth...*"

"Beth?"

"Rhwng dyn a merch..."

"Dim lot, oes e?"

Ni hoffai Menna mo'i hateb hawdd. Oedd hi'n sinig llwyr, neu efallai nad oedd hi'n mwynhau cwmni dynion beth bynnag: ai dyna sut y gallai eu diosg nhw fel hen ddillad?

"Mae gan rai ohonyn nhw," mynnodd Menna, " – beth ydi e? – ryw dalent neu brofiad o fywyd, rhyw Ffactor X. Mae bownd o fod rhai sy ddim yn wimps llwyr?"

"Enwa un."

Meddyliodd Menna. "Wel, beth am Napoleon? Ti'n gwbod: *L'audace, toujours l'audace...*"

Chwarddodd Ilse'n uchel dros y pwll. "Llongyfarchiadau, Menna! Ti wedi ffindio un! Nawr 'da fi gwestiwn lot caletach i ti: meddwl am un arall."

"Der o'na," protestiodd Menna. "Elli di ddim cyffredinoli fel'na am yr holl hil wrywaidd."

Eisteddodd Ilse i fyny. "Na alla i, wir? Reit, os nad wyt ti am i fi siarad yn gyffredinol, fe siarada i'n bersonol. Ydi'r dynion yn dy fywyd di mor blydi grêt?"

"Wel," meddai Menna'n anghysurus, "Dwy' ddim yn siŵr ydw i'n teimlo fel catalogio'u rhinweddau a'u gwendidau nhw yr eiliad hon."

"Wrth gwrs nad wyt ti – achos ti ddim am wynebu'r gwir."

"Plis, 'te, beth yw'r Gwir?"

"Y Gwir," meddai Ilse'n uchel a dramatig, "ydi bod dynion yn *bathetig!* Maen nhw'n feddal, maen nhw'n wan, maen nhw'n sentimental, maen nhw'n ansicr, maen nhw'n ddibynnol. Mae'u bywydau nhw'n troi rownd eu jobs bach pathetig a'u teganau pathetig: eu ceir, eu compiwtyrs, eu camerâu, eu cathod... Wir, Menna, buasen i'n disgwyl bod merch brofiadol, ddeniadol o d'oedran di wedi hen ddysgu y gelli di wneud unrhyw beth, bron, â *dyn*."

Tro Menna nawr oedd chwerthin yn uchel, ond yna meddai: "Ond os ydyn nhw mor anobeithiol – pam y'n ni'n trafferthu?"

"Rwy'n cydnabod," meddai Ilse, " 'blaw bod 'na rywbeth, beth bynnag ydi e – a dyw e byth yn para'n hir iawn – mi fuasai'r holl gêm yn hollol annioddefol, yn' base, ac yn ffars pur yn hytrach na thrasi-comedi erch."

Wedi gwisgo aeth y ddwy i'r bar cyffredin oedd gan Hugo's – ystafell gron, braidd yn foel, a bar yn y canol, wedi'i oleuo o'r llawr. Eisteddodd y ddwy ar stolion rhwng dau bâr o ddynion, gan bwyso ar y lledr botymog.

"Alla i ddim help â sylwi," pryfociodd Menna, "fod y bar yma'n dipyn mwy poblogaidd na'r bar merched-yn-unig."

"Mae angen y ddau, wrth gwrs..."

"Oeddet ti'n sôn am y dynion sy bia filas," meddai Menna yn y man. "Ti ddim yn digwydd nabod Maurice Gregg?"

"Be – oes 'da fe Ffactor X?"

"Na, na: cysylltiad proffesiynol."

"Dwi wedi clywed hynna o'r blaen, Menna – ganwaith."

"O ddifri, dwi jyst eisie cyngor merch. Ma' 'da fe fila ar ynys Naxos ac mae e wedi dweud y ca' i fynd yno fis Awst. Wir – onest – does dim byd rhyngon ni a fydd dim i dragwyddoldeb. Be faset ti'n 'neud?"

Edrychodd Ilse draw, ei llygaid yn llawn drygioni. "Be *fasen* i wedi 'neud? Rwy wedi'i wneud e, Menna fach. Rwy wedi bod yno'n hun..."

"Felly oedd e'n ôl reit?"

"A Rosanne hefyd, y ferch gwallt coch draw fan'na yn y gornel 'da'r hen foi 'na."

Edrychodd Menna draw at y rhan dywyll o'r ystafell lle'r oedd byrddau i ddau.

"Roedd e'n aelod o'r Clwb," aeth Ilse ymlaen, "mae'n dal i fod, hyd y gwn i, ond ddim yn dod yma hanner mor aml ag yn yr hen ddyddiau."

"Yr hen ddyddiau?"

"Roedd e'n arfer bod yn dipyn o ferchetwr."

"Maurice Gregg – pennaeth Gregg Associates?"

"Pwy arall?"

"Ond fuodd e'n reit ddiweddar yn arllwys 'i gwd am yr ysgariad ac am Gaergrawnt ac am gostau byw yn Llundain."

"Greda i. Ond Gregg ddewisodd fyw yn Llundain – *wedyn* daeth yr ysgariad. Doedd gan 'i wraig e, druan, ddim syniad beth oedd yn mynd ymlaen."

Meddyliodd Menna am oblygiadau hyn. "Felly mi fyddai'n beth annoeth iawn i fi dderbyn y gwahoddiad yna i'r fila."

"Menna!" bloeddiodd Ilse, "ti'n dysgu dim! *Wrth gwrs* dy fod ti'n mynd, os ydi e'n rhad ac am ddim! Maen nhw'n ddigon hawdd i'w trin..."

"I ti, falle, ond beth os bydd e'n trio rhywbeth 'mla'n?"

"Ti'n gallu handlo hwnna, Menna. Mae e *past it* erbyn hyn 'ta p'un."

A hithau'n dal i ddysgu, roedd Menna'n fud am ennyd.

"Yfa lawr," gorchmynnodd Ilse. "Wn i am far gwell o lawer yn Park Lane."

"Sa i'n siŵr a ydw i eisie'r math yna o nosweth."

"Ti, Menna, a dim ond ti sy'n mynd i benderfynu'r math o nosweth rwyt ti'n mynd i'w chael heno."

"OK, mi gawn ni un arall fan hyn," meddai Menna'n heriol.

"Dyna welliant!" chwarddodd Ilse, a'i tharo ar ei chefn. "*Barman!*" gwaeddodd, "– nawr ble roies i'r ffags 'na?"

17. Rhonwy

Llywiodd Dafydd ei hen Fiat i mewn i Stad Cibyn, Caernarfon a'i barcio o flaen uned Pendil. Yn ffodus roedd lle rhwng Vauxhall Calibra newydd sbon gyda'r rhif 'CYM 1' a Volvo Ystad metalig â bathodyn Plaid Cymru/Ewrop. Canodd y gloch yn y dderbynfa a daeth merch ato.

"Isio gweld Mr Rhys ei hun ydach chi: 'sgynnoch chi apwyntiad Mr..."

"Harris, Dafydd Harris. Mae e'n 'y nisgwyl i."

"Mae rhywun efo fo ar y funud. Ma' hi'n bedlam yma bob pnawn dydd Gwenar, ond mi dria i gael gafal arno fo i chi. Gymerwch chi banad tra 'dach chi'n aros, Mr..."

"Harris: Dafydd Harris..."

"Eisteddwch i lawr: ddylia fo ddim bod yn hir."

O'i sedd, gallai Dafydd weld drwodd at y swyddfeydd braf. Gwelai Rhonwy'n parablu'n brysur â ffigwr cyfarwydd: a barnu oddi wrth y trwyn paffiwr, yr ystumiau harti a'r siwt wen, neb llai na Gari Bacardi, cynhyrchydd deinamig, dwyieithog y rhaglen nosweithiol *Cym Inn*.

"*Fucking great,* Rhon," meddai'n uchel wrth i'r ddau ohonynt ddynesu at y dderbynfa.

"Dw inna'n llawn ffydd hefyd."

"O's *fuck all* fan'na i' nhw bigo arno. Ma'r *mix* nawr jyst beth maen nhw moyn. Ddylen ni glywed nôl o'r Taj mewn 'bwyti mis. *Fucking great...*"

"Duw, Dafydd rhen law," meddai Rhonwy gan droi ato. " 'Nei di aros am funud bach?"

Edrychodd Gari ar Dafydd am eiliad fel petai'n edrych ar hen gadair mewn sêl – er iddyn nhw gyfnewid ambell air dros rediad y blynyddoedd.

Buont yn siarad am sbel ger y Calibra. Pan ruodd hwnnw i ffwrdd daeth Rhonwy'n ôl i mewn.

"Gad imi ddangos y lle 'ma iti, Dafydd. Rhyw owtffit digon syml s'gynnon ni: yr ochr weinyddol yn fa'ma wrth gwrs, golygu ac ati ffor'cw, a'r llyfrgell fideo..."

"Mr Rhys," meddai'r ysgrifenyddes ar ei draws, "ma' Mr Mickey ar y ffôn i chi: *urgent*."

"O – esgusoda fi, Dafydd."

Daeth yn ôl mewn pum munud. "Neith eitam," meddai Rhonwy gan roi ei bin ym mhoced ei grys. "Rhyw foi yn gyrru rownd Cymru ar feic peniffardding, codi arian i liwcemia."

"I'r rhaglen *Cenedl* fase'r eitem yna?"

"Ia ia, lenwith slotan."

Cododd gobeithion Dafydd. "Ydi e'n iawn inni gael gair bach am y busnes datblygu 'ma?"

"Mi fydd *raid* iddo fo fod nes mlaen, Dafydd. Mae'n *hectic* yma rŵan. Be am y *Goat* tua saith? Rhyw barti bach yno hefyd, fel dwi'n dallt."

"Iawn, ond roedd 'na gwpwl o bethe braidd yn ddelicet, neu gyfrinachol wir..."

"Dim problem. Mi symudwn ni 'mlaen i rywle tawelach. A chofia dy fod di'n aros acw heno."

"Dyma'ch panad chi, Mr..."

"Harris: Dafydd Harris. Dim rhaid i chi drafferthu..."

"Ddrwg gin i fod o'n hwyr."

"Wela i di nes 'mlaen 'ta."

A'r cwpan coffi ar ei lin, edrychodd Dafydd draw eto at Rhonwy'n perfformio: ffigwr byr, ifanc yr olwg gyda'i fop o wallt du, yn gwrando ar hwn, yn cyfarwyddo'r llall yn effeithiol, hawddgar, naturiol a llwyddiannus; yn cyflawni ei holl addewid ar lwyfan bywyd.

Cofiodd Dafydd yn ôl at ddyddiau ysgol, a'r athro'n ei

siarsio: 'Mae'r potensial yna ond nid eto'r cyrhaeddiad: torchwch eich llewys, Harris: ry'ch chi'n gallu'n iawn!' Ai hwn yw ei berfformiad ef, meddyliodd Dafydd, y Dyn Tryloyw â'r Fiat Rhydlyd? Dychwelodd y cwpan i'r ferch. Na, dywedodd wrtho'i hun wrth gerdded allan: nid hwn yw'r perfformiad. Mae'n rhy chwerthinllyd. Gari Bacardi! – rhaid bod yna ddiffiniad arall o lwyddiant. Paratoad yw hyn i gyd, eto, am ryw berfformiad arall...

Ond os felly: ble, a phryd?

* * *

Am saith o'r gloch mentrodd Dafydd i mewn i'r *Goat*, Llanwnda, ond roedd hi'n teimlo fel un ar ddeg nos Sadwrn. Roedd y *post-shoot drinks* yn ei anterth: holl actorion a staff technegol y ffilm *Yn Ôl i Lanfihangel,* fel y deallodd wrth frwydro tua'r bar rhwng nifer o actoresau canol oed.

"Roeddat ti'n *really* glam yn y *dream sequence* 'na efo Richard," meddai un.

"Yr hogan *make-up* wna'th o, doedd gin i 'run frawddag lawn..."

"Yr actio dwi'n feddwl, yn y llygaid mae o..."

"Ofni dw i be wnân nhw yn y stafall dorri..."

"Does dim byd yn bod ar hynny, hogan. *If you've got it, flaunt it...*"

"Y blydi *amateur critics* 'na 'di'r drwg: dallt dim am ffilm..."

Sleifiodd Dafydd i gornel dawel, ond yn y man clywodd yr un rhai'n gweiddi *"Ronnie – hei ma' Ronnie 'di dŵad!" "Darling* ble ti 'di bod?" " 'Dan ni'n haeddu sws bach 'rôl yr holl waith calad yntydan, genod?"

Trodd Dafydd i weld pwy oedd wedi cyrraedd: neb llai na Rhonwy. "Dafydd 'rhen goes, ty'd yn nes at yr achos."

"Duwcs, ydi hwn, y peth mawr ffyri 'ma'n ffrind i chdi, Ronnie?"

"Hen ffrindia coleg, nabod ein gilydd yn dda iawn. Rŵan be 'dach chi'n gael i gyd, genod?" ac ymhen dim roedd

Dafydd yn cael ei drin fel tasen nhw'n ei nabod ers blynyddoedd maith. Yn ei sobrwydd roedd yn brofiad reit llethol a thaflodd ddeubeint sydyn yn ôl; doedd y teip yna erioed wedi apelio ato.

Chwaraeodd Rhonwy ei ran yn wrol ond synhwyrodd Dafydd cyn bo hir nad oedd ei ddiddordeb ef yn y rhain yn fawr mwy nag yntau. Roedd merch dawel, sbectolog – cynorthwyydd gweinyddol efallai – yn sefyll ger y bwrdd bwffe gyda chwpwl o fois camera: yn sicr doedden nhw ddim yn actorion. Yn ôl eu golwg, roedden nhw'n cael sgwrs gymharol gall a normal. Ond sylwodd Dafydd fod Rhonwy'n edrych draw atynt bob hyn a hyn. Braidd yn ddinodwedd oedd hi, mewn crys hir o ddenim llwyd, ei gwallt brown golau yn syrthio i lawr yn gudynnau dros ei hwyneb. Fe'u sgubai hwy'n ôl weithiau ag ystum deniadol, benywaidd.

"Wel, genod bach, ma'n *rhaid* i ni hel 'yn bolia, neu 'nawn ni ddim dal yn hir iawn ar ein traed," meddai Rhonwy gan ryddhau ei freichiau a nodio'i ben at Dafydd.

"Crist, Rhon," meddai Dafydd wrth y bwrdd bwffe, "oes gobaith cael gair call rywbryd?"

"Gawn ni warad â'r rhain reit sydyn, paid â phoeni."

Chwiliodd Dafydd am rywbeth mwy solet na phiclau pen matshen a bachodd ddwy goes cyw iâr a darn llipa o *quiche*. Oedd, roedd rhywbeth rhwng Rhonwy a'r ferch. Drwy gil ei lygad gwelodd hwy'n cyfnewid negeseuon cyflym. Ond roedd un o'r actoresau wedi bachu Dafydd eto.

"Aros efo Ronnie?"

"Credu 'mod i."

"Dim 'yn lle i ydi deud, yli, ond mae o'n edrach fel tasa gynno fo rwbath arall ar 'i feddwl heno 'ma. Ma' pawb yn *gwybod*, 'sti."

"Gwed ti. 'Smo ni'n cwrdd yn amal iawn."

Roedd ganddi lais hysgi bendigedig: rhywbeth digon agosatoch amdani, gwerinol hefyd. Deugain mae'n siŵr, corff tipyn iau na'i hwyneb.

"Mae o'n reit bwerus, 'sti, Ronnie. Ond ma' pawb ar y

gêm tydyn… Be ti'n 'neud, Dafydd?"

"Be ti'n feddwl?"

"Pa *waith*, idiot!"

"O, crafu byw fel tamed o ddylunydd. Dim byd glamyrys o gwbwl. Tlawd a balch fel petai."

"Ti'm yn udrach rhy dlawd," meddai gan slapio'i fol, "ond wela i'n syth nad wyt ti mo'r siort gwellt sy'n hongian rownd y Beverly Hills uffar 'ma. Dwi 'di blino arnyn nhw 'sti a'r bits actio ceiniog-a-dima 'ma dwi'n cael. Mae o'n fusnas reit *cut-throat* erbyn hyn, 'sti."

"Ti 'di meddwl am yrfa arall o gwbwl?"

"Dafydd," meddai gan edrych arno fel petai am y tro cynta. "Dwi'n licio siarad efo chdi. Ti'n neis, ti'n wahanol i'r rybish arall 'ma. Os wyt ti'n styc am rwla i aros penwsnos 'ma, yli, gei di 'ngherdyn i. Jyst rhag ofn fod Ronnie'n brysur, yntê."

Tra oedd hi'n chwalu a chwilio drwy ei ffair sborion o fag, dyma Rhonwy yn sleifio at Dafydd gan wincio: "Ti'n *ôl reit* dwi'n gweld."

Symudodd Dafydd gam oddi wrthi. Sibrydodd dan ei anadl: "Ffyc, *nagw*, ti'm yn gweld be sy'n digwydd?"

"O, ia."

Rasiodd ymennydd Rhonwy.

"Ti'm yma nos fory?"

"Na, wi'n mynd draw i Nefyn, gweld Jac."

"Ôl reit. Y teulu ddim adra heno, ti'n dallt: wedi mynd at yr yng-nghyfraths. Mi wna i newid 'y nhrefniada. Awn ni o'ma am ddeg. Ydi hynny'n iawn gen ti? Mi drefna i dacsi at y drws."

"Diolch yn fawr, ond…"

Ond roedd hi wedi ei fachu eto. "Tydi o ddim yn lle anodd 'i ffindio Dafydd ond rhaid ti gofio troi i'r chwith fel wyt ti'n dŵad… na, ffonia gynta, cyw, dyna fasa ora. Rŵan 'ta be'n union ddeudist ti wyt ti'n 'neud, Dafydd?"

* * *

Roedd tŷ Rhonwy yn hafan o dawelwch wedi halibalŵ'r *Goat*. Doedd Dafydd ddim wedi bod yn Llandwrog o'r blaen. Trwy ffenest y tacsi ymddangosai'n bictiwr o bentre. Safai tŷ Rhonwy ar lecyn uchel ar ei ben ei hun.

"Ti ffansi ffreiyp bach?" cynigiodd Rhonwy. "Fydda i ddim chwinciad. Helpa dy hun i gan o'r ffrij 'ma. Y blydi bwyd cwningan 'na'n da i ddim i neb."

Tra oedd Rhonwy yn y gegin cafodd Dafydd gyfle i ryfeddu eto at safon byw y dosbarth uwch Cymraeg. Roedd popeth yma'n feddal, yn foethus, yn aur a hufen: celfi cyrliog, ffug hen, drychau bach aur, *chandelier* gwydrog, llenni trymion fel llwyfan theatr. Er yn bedair stôn ar ddeg, teimlai Dafydd yn rhyfedd o fach a di-nod yng nghanol y cyfforddusrwydd cwmpasog.

Setlodd y ddau gyferbyn â'i gilydd o dan y cabinet gwirodydd a'r silffoedd llyfrau a gaewyd â drysau gwydr. Wedi ymosod ar y bwyd a'i olchi i lawr â lager, cymerodd Rhonwy frandi allan o'r cwpwrdd, ynghyd â'r gwydrau priodol. Wedi eu llenwi â iâ, cafodd Dafydd o'r diwedd gyfle i gyflwyno darlun llawnach o'r cefndir i helynt y datblygu yn Llangroes. Soniodd am y datblygiadau amheus eraill, ond wnaeth e ddim crybwyll y Milwr. Gorffennodd drwy bwysleisio *rôle* y cyfryngau yn y gwaith o godi ymwybyddiaeth a gwrthwynebiad.

"Iawn, mi wna i 'ngora Dafydd, ond be s'gynnon ni ar ddiwadd y dydd, o safbwynt newyddiadurol, mwy na s'gynnon ni eisoes?" meddai Rhonwy. "Dim lot, hyd y gwela i. Ella bod 'na un cwmni y tu ôl i dri datblygiad, ond ydi hynny'n stori? A toes 'na'r un fricsan na'r un rhofiad o fortar wedi eu taro i lawr yn un o'r tri lle. Iawn, ma'r plania *outline* wedi mynd drwodd yn Glan Hedd ond dim y rhai manwl."

"Ond rhaid bod 'na le i eitem ymchwiliol – y math ma'r rhaglenni Saesneg mwya mentrus yn eu gwneud – ar gwmni Berry Homes?"

"Ond wyt ti newydd gyfadda dau beth: nad ydi eu henw

nhw ddim yn agos i'r cais yn Llangroes, a bod 'na foi lleol arall wrthi rŵan yn trio cael ei law i mewn."

Swiliodd Dafydd yr iâ yn ei wydryn brandi. "Beth petai yna," meddai'n araf, "brawf pendant fod mudiad fel y Milwyr â diddordeb?"

"Be s'gin ti'n union?"

"Bod 'na ffrwydron wedi'u plannu."

" 'Sdim raid iti atab, ond wyddost ti'n bendant bod?"

"Na."

"Wel, dyna fo. Ond petaet ti'n gwybod yn bendant, mi fasa fo'n fatar digon difrifol i *V-Notice*."

"Beth yn y byd yw hwnna?"

"Sustem fetio straeon. *Terrorism UK Act, Public Media*. O safbwynt y Llywodraeth mae'r rhein fel yr IRA. Fasa fo jyst fel tasa'r IRA wedi 'u gosod nhw. Mi fasa'n rhaid inni glirio'r stori efo'r lle 'ma yng Nhaer rhag ofn bod 'na oblygiada seciwriti. Dwi'm yn hoffi'r sustem, ond mae'n ddealladwy, yntydi."

"Mm."

"Os cei di afael ar rwbath cletach, Dafydd, jyst coda'r ffôn. Os nad wyt ti am ei drafod o ar y ffôn mi allwn i ddod draw acw."

Gadawodd Dafydd y mater i fod, a derbyn cynnig Rhonwy o wirod. Trodd y sgwrs yn hollol naturiol wedyn at atgofion o aduniadau cynt, a hynt a helynt hwn a'r llall o'u cyfoedion coleg.

"Cofia fi at yr hen Jac pan weli di o," meddai Rhonwy. "Tipyn o rafiwr yn yr hen ddyddia, ond pen busnas da, dwi'n siŵr. Asu, o'dd o'n medru gneud petha gwirion iawn weithia. Ti'n cofio'r noson 'no gollodd o'i ddannadd. 'Na i byth ei anghofio fo'n cnocio'n stafall i bedwar o'r gloch y bora Sul hwnnw, a'r gwaed yn llifo o'i safn o."

"Ond oedd e'n gallu dal 'i gwrw fel arfer. Ti'n cofio'r *all-dayer* yn steddfod Caerdydd?"

"Oedd hwnnw'n lysh i'w gofio, 'toedd."

"Ti'n cofio'r diwedd, yn Titos?"

"Oedd 'na ddiwadd, dwa'? Ond dwi'n cofio Jac yn iawn,

mi gymrodd o'r meic oddi ar y boi, yndo, a ledio Hogia Ni o'r llwyfan, y boi disco'n panicio wedyn a'i switsio fo ffwrdd..."

"Ti'n cofio rhyw ferched – yn y disgo rwy'n feddwl?" mentrodd Dafydd.

"Mi oedd, yntoedd, a dwi'n siŵr braidd dy fod ti wedi cael gafal ar rwbath, oeddat ti'n dawnsio'n selog beth bynnag. Gest ti fachiad, y mochyn?"

Ceisiodd Dafydd guddio'r llawenydd o gael cadarnhad mor hawdd i'r cof yn ei freuddwyd – "Iesu na, dim shwd lwc."

"Dwi'm yn dy gredu di chwaith, ddest ti ddim o'na efo ni. Y rhai tawal sy'n brathu yntê. O'n i'n sylwi dy fod ti'n reit bopiwlar heno 'ma."

"Ie, mae'n ddrwg 'da fi os ydw i wedi drysu dy gynllunie di."

"Na, ro'n i'n meddwl amdanat ti 'run pryd, y diawl – ond wnei di ddim sôn, wnei di?"

"Dyw e ddim byd i fi."

Cynigiodd Rhonwy fwy eto o'r brandi i Dafydd ac arllwys dogn hael iddo'i hun.

"Ddeuda i wrthat ti Dafydd yn dy wynab, oeddat ti'n gneud petha rhyfadd yn dy ddiod, hwyr y nos. Diflannu'n sydyn, mynd am y genod. Oeddat ti'r un fath yn steddfod Aberteifi. Ti'n cofio'r noson ola – y barbeciw yn y maes pebyll yn y gola leuad. Oeddan ni'n yfad fflagons o seidar, criw bach dethol rownd y tân, Wil Sam yno'n mynd trwy'i betha, a rhyw foi yn strymian gitâr..."

"Cofio'n iawn. O'n i mewn stad eitha gwael erbyn y nos Sadwrn. Prin y cyffyrddes i â'r seidir ond wi'n cofio byta'r sosejis oer, llosg 'ma, a 'fale. Oedd 'na ddim perllan yn y cae nesa?"

"Dyna ni... oedd hi'n fythgofiadwy, y lleuad yna'n isal dros y coed a ninna'n malu cachu am bob peth a trio cadw'r blydi tân bach 'na'n fyw – ond mi est ti am dy gotsh, fel arfar."

"Naddo ddim. Ma' hwnna'n enllib."

"Na, compliment, be sy an' ti! Oedd 'na dair ohonyn nhw'n aros mewn rhyw baball hir, dal fatha un Indian, ac oedd un ohonyn nhwytha'n reit dal o ran hynny: am honna yr est ti, dwi'n cofio."

"Rhosa funud nawr..."

"Ond Iesu wyt ti bownd o fod yn cofio! Twyt ti newydd ddeud dy hun dy fod ti'n sobor – cym' sigâr bach i helpu dy go'."

Estynnodd Rhonwy sigarau allan o flwch arian. Cymerodd Dafydd un a sugno ar y tân. Eisteddodd yn ôl ym mhlygion meddal y gadair felen, a chraffu i mewn i'r cymylau o fwg a droellai'n ddiog rhyngddynt. Do, fe gafodd sgwrs hir â rhyw ferch, un mewn siaced Coleg Normal... na, y sgarff oedd yn goch a gwyrdd, nid y siaced... *Ie, Hi oedd hi: Dydd!*

Oedd hynny'n bosibl? Roedd yn gwneud synnwyr perffaith. Roedd steddfod Aberteifi cyn steddfod Caerdydd. Dyna pam roedd y cyfarfyddiad yn Titos mor hyfryd a rhwydd: ail gyfarfyddiad oedd e. Mae yna bobl nad yw dyn yn eu cofio, ond wrth eu hailgyfarfod. Ond roedd eu sgwrs gyntaf yn fwy naturiol, yn ehangach hefyd gan neidio'n rhydd o un pwnc i'r llall, o jôc i syniad athronyddol, a'r ysbeidiau o dawelwch mor ddi-straen â'r sgwrs ei hun...

"Pa flwyddyn oedd honna nawr?" holodd Dafydd.

"Be oedd hi dwa'...diwadd 'yn blwyddyn gynta ni? Tua '76 felly? Allsa hi ddim bod cyn hynny achos o'n i ddim yn dy nabod di'r diawl."

Oni fuon nhw – ef a Dydd – yn rhannu afal yn y golau leuad yna? Do, cofiai'r blas seidir yn ei geg yn rhoi tang i'r afal, ond be ddigwyddodd wedyn?

Gwenodd Rhonwy wrth wylio Dafydd. "O'n i'n iawn, on'd o'n i? Dwi'n gweld yr hen gydwybod yn troi, ddim yn licio'r dystiolaeth."

"Wyt ti'n iawn am y ferch, wi'n credu. Ti'n gwbod: mae'n swnio'n anghredadwy, ond mi allai fod yr un ferch yr o'n i gyda hi yn Titos."

"Tad annw'l, does 'na ddim byd anghredadwy yn hynny. Tydi pawb wrthi'n tynnu hen fflamia mewn steddfoda. Tasa'r blydi orsadd a rheina 'mond yn gwybod, dyna'r unig reswm da dros gadw'r hen ŵyl yn fyw."

Chwarddodd Dafydd.

"Ond *oedd* 'na rwbath rhyngoch chi, on'd oedd: cym on rŵan..."

"Na, jyst meddwl o'n i am y noson yn y maes gwersylla: y coed 'fale, y lleuad – oedd e'n real?"

"Os 'dan ni'n cofio'r petha yna i gyd, mae'n rhaid 'i bod hi. Nid bod dim byd sbeshial wedi digwydd, ond bod y profiad 'i hun yn hollol eisteddfodol, ysbrydol hyd yn oed yn 'i ffordd..."

Neidiodd Dafydd at hynny. "Dyna'r pwynt. Allen i ddim ei roi e'n well. Mae 'na brofiade sy'n Gymreig, sy'n wahanol, sy ddim yn gneud synnwyr yn nherme bob dydd..."

Nawr oedd ei gyfle i ofyn yr un cwestiwn na feiddiodd ei ofyn hyd yma: "Wyt ti'n cofio'r babell gwrw ar lawnt y *Post House*?"

"Rhyw frith gof. Tipyn o ganu a ballu?"

" 'Na ni. Wyt ti'n digwydd cofio rhyw foi yn sefyll am amser hir o flaen y babell: boi byr ond sgwâr, croen tywyll, crys glas a jins?"

"Nawr ma' hwnna, Dafydd, yn gwestiwn rhy galad hyd yn oed i newyddiadurwr â deunaw mlynedd o brofiad..."

Edrychodd Rhonwy draw at ei hen ffrind. Yn gorfforol doedd e ddim yn ddrwg, er bod yna bethau bach – y sgidiau blêr yna, er enghraifft – yn bradychu ei leiff-steil hen-lancaidd. Yn fewnol yr oedd y broblem wrth gwrs, y siarad meddal yma am y gorffennol ac am ryw hen gariad, a doedd y stori yna am y stadau newydd o dai ddim yn dal dŵr, rywsut, chwaith...

"Dafydd," meddai Rhonwy gan blygu ymlaen: "Gen i gynnig i'w roi iti, a dim ond hen fêt fasa'n cael y cynnig yma gen i. Wyddost ti'r hogan yna, yr actoras hen yna, oedd wedi mopio arnat ti heno..."

"Ffyc, paid â sôn: dim diolch."

"Mae'n ôl reit, 'sti. Ryff deiamond, wedi bod o gwmpas, dwi'm yn deud. A chofia tydi hi ddim yn hen chwaith. Tydi hi ddim diwrnod hynach na ni'n dau. Wel gynna yn y *Goat*, reit, dwi'n cyfadda, ro'n i'n meddwl amdana fi'n hun yn gynta, ond oeddwn i'n meddwl amdanat ti hefyd, ti'n dallt?"

"Alla i 'neud y tro heb y math 'na o help."

"Sori, do'n i ddim am awgrymu na allsat ti edrach ar d'ôl dy hun: nid at hynny o'n i'n dŵad. Rŵan 'ta, mi wn i dy fod ti wedi bod trwy amsar calad iawn, ond dim ond i brofi i ti nad dim ond mewn hen steddfoda ma' hwyl i'w gael, dwi'n cynnig gwely iti am wsnos gyfa yn y Marriott. Yn Abertawe mae o, gwesty bendigedig yn y marina, yr hen *Holiday Inn*. Fan'no 'dan ni'n aros dros y steddfod 'leni, gynnon ni *block booking*."

"Ond ma'r steddfod yng Nghastell-nedd!"

"Ydi ydi, ond be ydi hynny efo trafnidiaeth yr ugeinfed ganrif 'ma? Rŵan ma' gen i stafall ddwbwl yn f'enw i, mae o ar y cwmni wrth gwrs. Rŵan jyst landia 'cw nos Sul neu nos Lun. Os na fydda i'n digwydd bod yno'n hun, fydd 'na negas neu amlen yn dy ddisgwl di."

"Ti'n uffernol o garedig, Rhonwy, ond – wel – basen i fel pysgodyn mas o ddŵr ynghanol yr holl bobol teledu: sa i'n nabod neb ohonyn nhw."

"Steddfod 'di steddfod. Tydi petha felly ddim yn bwysig mewn steddfod. Wyt ti jyst yn gadael i betha ddigwydd, anghofio dy hun."

"Iawn, ond wi'n dal i deimlo 'mod i'n tresmasu. Rwy'n siŵr bo' 'da ti dy gynllunie dy hunan ar gyfer y 'stafell yna."

"Gad ti 'y mhetha fi i fi. Ella na fydda i ddim yna lot fawr p'run bynnag. Ddoi di?"

"Os wyt ti'n siŵr..."

"Os mêts, mêts, Dafydd."

"Sut alla i ddiolch..."

"Paid. Tydi o ddim byd i mi, ond ella rywbryd pan fyddan ni'n hen ddynion – a 'di hynny ddim mor bell i ffwrdd, 'sti – mi fyddan ni'n cofio'n ôl yn sentimental reit am ddyddia da steddfod Castell-nedd, a'r fodins buost ti'n sleifio i ffwrdd efo nhw..."

* * *

Roedd y gwely sbâr yn un dwbwl hael ac roedd Dafydd yn syrthio i gysgu ym mhlygion ei foethusrwydd pluog. Roedd wedi mwynhau, er gwaetha pawb a phopeth. Pwy gredai y bore 'ma y buasai'r daith hon i'r gogledd yn esgor ar wahoddiad mor ddiddorol? Mor bwysig yw peidio â gweithio popeth mas ymlaen llaw – fel y dywedodd Rhonwy ei hun am y steddfod; i fod yn barod i ildio i bethau na allwn mo'u rheoli, i bethau nad ydym yn eu deall yn iawn…

Fel Dydd. Roedd yn anhygoel, ond eto'n hollol naturiol a rhesymegol, eu bod wedi cyfarfod ddwywaith. A'r tro hwn, nid mewn breuddwyd ond mewn atgof a sgwrs gyffredin gyda thyst annibynnol i ategu'r cyfan. Roedd y Milwr yn wahanol; ond mewn difri, a fase fe ei hun yn cofio rhyw foi yn sefyll y tu fas i ryw dafarn ar ryw bnawn mewn un allan o ugain neu fwy o steddfodau?

Yn sicr, roedd Dydd yn bod yr adeg honno ond roedd yn rhaid iddo fod yn realistig ynglŷn â'r presennol. Mi fyddai hi, fel actores y rhannau bychain, yn ganol oed bellach, yn briod fwy na thebyg, ac â theiar am ei chanol. Yn fwy na thebyg – ond nid dyna'r pwynt…

Roedd yn ddiddorol mai mewn dwy steddfod y gwelsai hi. Oes yna bobl nad yw dyn yn eu cyfarfod ond mewn steddfodau, neu wyliau o'r fath? Yr ateb wrth gwrs yw oes, y *mae* yna bobl felly. Gallai enwi ugeiniau nad oedd e'n eu cwrdd â nhw ond unwaith y flwyddyn.

Ond mynnai rhyw lais bach y tu mewn i Dafydd ddweud bod Dydd yn wahanol, er na allai ddweud pam. Yr anwybodaeth yna – yn wir, yr ansicrwydd ai Dydd ei hun oedd nod y daith – oedd y cyfiawnhad dros barhau â hi. Nid taith oedd hi, ond siwrne o ymchwil breifat – am Dydd, am y Milwr, am beth? – nad oedd neb arall yn y byd wedi mentro arni o'r blaen…

18. Nefyn

Roedd yn rhaid i Rhonwy fynd i'w waith yn gynnar a chafodd Dafydd y bore Sadwrn iddo'i hun. Gyrrodd i Gaernarfon a chwilio am baned yn ardal y cei. Roedd yr awyr iach wedi clirio'i ben, a phan glywodd y dadlau a'r fflamio, y pryfocio a'r paldaruo Cymraeg o'i gwmpas, fe ddechreuodd amau rhai o'r pethau yr oedd mor siŵr ohonynt yng ngrym y brandi a'r mwg y noswaith cynt.

Gofynnodd Dafydd iddo'i hun mewn sobrwydd: beth petai *hi'n* cerdded i mewn i'r caffi 'ma nawr? Fyddai e'n ei nabod hi? Fyddai hi'n ei nabod e? Ac am be ddiawl y bydden nhw'n siarad petaen nhw, trwy ryw wyrth, yn nabod ei gilydd? Am berson go iawn yr oedd e'n chwilio – neu beth?

Ceisiodd Dafydd hoelio'r ffeithiau i lawr. Ai chwilio am ferch yr oedd e, i ddechrau? Dim byd mor od yn hynny ynddo'i hunan (onid yw'r rhan fwyaf o bobl yn treulio'r rhan fwyaf o'u hoes yn chwilio am Ryw Ferch neu Ryw Ddyn?) Os oedd e, beth oedd e'n gwybod amdani? Ei bod hi tua'i oedran e, ei bod hi'n dod o Ben Llŷn, ac iddi gael ei haddysg uwch yn y Coleg Normal, Bangor.

Ond o ble daeth y syniad ola 'na? Ai o liwiau ei sgarff hi, y nos Sadwrn yna yn y maes gwersylla? Neithiwr, roedd wedi dychmygu'r un lliwiau coch a gwyrdd ar ei siaced hi yn Titos, ond yng ngoleuni oer y bore, roedd yn glir i Dafydd mai ei feddwl ei hun oedd wedi chware tric. Pam? Y lliwiau cenedlaethol, lliwiau Cymru? Neu a oedd yna eglurhad symlach: iddi *ddweud* wrtho ei bod hi yn y Normal, naill ai'r tro cyntaf, neu'r ail. Os felly, mae'n bosib mai dychmygu'r lliwiau a wnaeth e'r ddau dro, ar ei siaced ac ar ei sgarff.

Peth arall od, meddyliodd, oedd y busnes steddfod 'ma. Eto, oedd ei ddychymyg mewn *overdrive?* Na, roedd yn wir: fe welsai hi ddwywaith mewn steddfod. Neithiwr, roedd wedi teimlo bod arwyddocâd yn hynny, ond y bore 'ma yng Nghaernarfon, roedd yn amlwg i Dafydd mai cyd-ddigwyddiad digon cyffredin oedd e.

Ydi steddfod yn wahanol? I Gofi, er enghraifft, beth ydi e ond un achlysur allan o gannoedd o bosibiliadau difyr: mae'n rhyw fath o steddfod rownd y flwyddyn. Roedd steddfod mor bwysig iddo fe am nad oedd e'n cael y Cymreictod yna yn ei fywyd bob dydd. Neu oedd yna fwy i'r peth? Hyd yn oed i Gofi? Am ei bod hi'n ŵyl genedlaethol?

Cododd, ond doedd hi ddim yn ddeuddeg eto. Penderfynodd brynu papur a mynd am beint i'r Albert cyn cychwyn am Nefyn, ac yno hefyd yr oedd criw Cymraeg yn mwynhau'n swnllyd, a recordiau Cymraeg yn chwarae ar y sgrechflwch a gofynnodd eto: beth ydi'r pwynt o symud ymlaen?

* * *

Roedd y gêm yn dal ymlaen pan gyrhaeddodd Dafydd Glwb Pêl-droed Nefyn, ac ar unwaith teimlodd yn gartrefol. Roedd hyn fel Rhydaman, ond fod y bêl yn gron. Fel gartref, roedd yna hen floeddio cynghorion rhad fel y disgynnai safon y chwarae i'r gwaelodion o effaith leiff-steil cyffredinol y chwaraewyr. Ac yna gwelodd Jac, yntau hefyd yn ei blygion wrth y gôl. Dylai fod wedi dod ynghynt i weld y cyffyrddiadau bach ffansi oedd ganddo, os oedd ei bêl-droed rywbeth fel ei rygbi 'slawer dydd.

Roedd y clwb yn orlawn ond mynnodd Jac fod Dafydd yn eistedd ynghanol ei gyd-chwaraewyr, pob un yn drewi o *shower gel* ac yn sychedig fel dreigiau. Roedd Jac yn amlwg yn dipyn o arwr i'r bois ifainc yn ei hen grys-T llwyd a'i wallt Elvis Presley ac roedd wrth ei fodd yn dweud pethau eithafol i'w herio.

"Hen fêt o Rydaman, hogia. Rebal. Ti'n dal i chwara, Dafydd?"

"Dim ers rhai blynydde. Henaint ni ddaw ei hunan."

"Dudwch wrtho fo, be ydi oed y gôli."

"Hanner cant," atebodd dau neu dri llais.

"Ond mae rygbi'n wahanol."

"Dwi'n gwbod hynny. Ti'n treulio hanner y gêm yn ista ar dy din yn disgwl wrth ryw sgrym neu leinowt."

"Rhywbeth tebyg iawn i ti pnawn 'ma, Jac!"

Chwarddodd y lleill, ac roedd Dafydd wrth ei fodd. Yn naturiol roedd y sgwrs yn llawn cyfeiriadau at chwaraewyr lleol ac at eu llu cocyps. Roedd hynny rywsut yn braf gan y câi ymlacio heb orfod cyfrannu llawer ei hun. Llifai'r cwrw fel dŵr, decpeintiau'n mynd a dod ar yr hambyrddau gwlyb, ac fel y dôi ambell wraig neu dad i lusgo allan rai o'r chwaraewyr, dôi criw newydd ifanc i mewn yn eu lle, allan ar gyfer y nos Sadwrn ac yn awchus am êl ac am hwyl.

Roedd Dafydd yn eitha chwil erbyn wyth o'r gloch. "Mae Emyr a Ieu yn mynd i Gaernarfon," eglurodd Jac yn frwd. "Gawn ni ffidan yn fan'no a lifft nôl efo nhw." Ond fe gollon nhw'r cysylltiad yn rhywle, a bodloni ar blatiad yn y siop tships leol cyn cerdded yr hanner milltir i'r tŷ.

* * *

Roedd Dafydd erbyn hyn yn ddyn gwahanol, os sigledig. Roedd y pethau mawr gynt a lenwai ei feddwl, yn awr yn fach. Roedd Jac (a'r gêm a Chaernarfon) wedi adfer ei hen hwyliau, a'r hen Ddafydd a ofynnodd yn blwmp ac yn blaen i Jac, a hwythau'n cerdded yn swnllyd drwy strydoedd cefn y dref: "Ti'n cofio rhyw fenyw o'r enw Dydd, Jac? Byw ffordd hyn, neu'n arfer byw 'ma. Tua'n hoed ni. Wedi bod yn y Normal?"

"Asu na, dim syniad," atebodd Jac, a throi'r sgwrs.

Wnaeth Dafydd ddim synnu at yr ateb, ond wedi cyrraedd

y tŷ, mentrodd eto: "Ti'n cofio steddfod Caerdydd? Cethon ni uffern o sesh ar y dydd Iau, a bennu lan yn Titos, y clwb nos, a 'nest ti dipyn o sioe o dy hunan."

"Wnes i, dwa'? Dwi'n cofio'r *Post House*. Pabell gwrw. Sesh reit dda..."

"Ti'n cofio wedyn yn y gwesty, a'r bistro, a'r sioe?"

"Duw, yr holl lefydd yna?"

"Wyt ti ddim yn cofio mynd ar y llwyfan, dwyn y meic, ledio pawb i ganu Hogia Ni nes i'r dyn dynnu'r plyg allan arnat ti?"

"Glywis i ryw hen sôn wedyn, debyg iawn, rhyw dynnu coes. Ti'n ffansïo lagar, 'ta gwin bach? Y cania 'ma'n oer neis... Rŵan, ti'n mynd yn ôl yn o bell. Duw, toes 'na'm gobaith cofio, oes 'na? A ma' hynny'n gysur, tydi? Be ti angan cofio ydi, be bynnag wnest ti, na toes 'na neb yn poeni dam, dim ond chdi dy hun."

"Na, nid hynny. O'n i'n trio cofio, nid am y canu, ond am y ferch 'na sonies i amdani."

"Dyna dwi'n ddeud. Os 'nest ti rwbath na ddylsat ti, 'blaw bo' hi'n gallu profi'r peth, Iesu, ffo am dy fywyd. Merchaid yn betha cyfrwys, 'sti."

Pwysleisiodd Dafydd eto nad trafferth o'r math yna oedd e: i'r gwrthwyneb os rhywbeth.

"Wi'n gwybod 'i fod e'n beth hollol dwp i'w ofyn wedi'r holl amser. Un dal, dene, oedd hi, o Ben Llŷn: roedd hi gyda ni tua diwedd y noson..."

Edrychodd Jac yn daer a beirniadol ar Dafydd. "Ti'n chwilio am fodan?"

"Na, dim ond chwilfrydedd. Mae'n hollol ddibwys, wir."

"Ai dyna pam dest ti fyny 'ma – rŵan dwi'n dallt."

"Nage wir! Crist, anghofia amdano fe!"

"Be 'di 'henw hi a lle mae'n byw?"

"Wel, Dydd, a dim syniad ond ei bod hi'n dod o rywle 'Mhen Llŷn 'ma."

"Hynny ddim yn golygu 'i bod hi'n byw 'ma rŵan."

Roeddent wedi setlo am y noson yn ystafell flaen tŷ Jac

oedd wedi'i foderneiddio'n gyfrwys gan gadw'r hen waith carreg. Roedd silffoedd llyfrau ar draws un wal, a thomen o fideos o danynt, ac roedd yna luniau – rhai amrwd o'r arfordir gan ryw artist lleol – uwchben y simnai.

"Dafydd," meddai Jac yn y man, "rhaid iti gael merchaid allan o dy ben, merchaid arbennig dwi'n feddwl, am sbelan. Dwi'n dallt dy fod ti wedi bod trwy gythral o amsar. Mae'n hawdd neidio o'r badall ffrio i'r tân... Dos i ffwr' am benwsnos, dyna 'nghyngor i, dy goc yn dy bocad fel 'tae, gweld be weli di, dim rhy agos i adra wrth gwrs..."

"Dim 'yn steil i, gwaetha'r modd."

Goleuodd wyneb Jac yn sydyn. Ceisiodd guddio'r wên fawr, ddrygionus oedd yn mynnu lledu'n anarchaidd ar draws ei wep.

"Dafydd, ma' gin i'r union un iti: Jên Pencae. Blydi hogan iawn, un o'r goreuon."

"Nid Jên oedd ei henw hi, Jac, ond *Dydd.*"

"Am blydi enw gwirion. O'n i'n ama' na chlywis i'n iawn y tro cynta. Sgin neb enw fel Dydd, na Nos, na Bora a ballu. Jên *ydi* hi, wyt ti'n dallt – wel mi allsa'n hawdd fod, 'yn galla? Fficsia i chdi i fyny efo hi. Dwi'n gneud ceir y teulu i gyd. Tua'r un oed â ni, un dal, ond tydi hi ddim yn dena 'lly: jyst normal 'sti, jyst neis."

"Oedd hi yn y Coleg Normal?"

"Ffwc, oedd."

Roedd yn rhaid i Dafydd ei hun chwerthin nawr. "Wyt ti'n tynnu 'nghoes i'r uffern celwyddog."

Cododd Jac ar ei draed yn chwifio'i gan Skol. "Dwi'n ffycin deud 'tha ti bod y fodan na'n y ffycin Colag Normal. Rŵan 'ta ble ma'r llyfr ffôn... Mi allsa hi fod allan nos Sadwrn, wrth gwrs. Tydi hi mo'r teip i aros yn tŷ, mae hi'n licio 'bach o hwyl..."

"Paid wir i Dduw: dyna'r peth ola wi moyn."

"Ond ti newydd ddeud bo' ti angan hogan."

"Naddo, wnes i ddim gweud y fath beth."

"Wel dwyt ti ddim yn normal."

"Dim *unrhyw* hogan wi'n feddwl."

"Dyma ni... Roberts, Roberts... dyma ni Pencae. 720232. Ah! Wiliam, Jac Huws yma: siawns cael gair bach efo Jên?... O'n i'n ama', na, dim negas, jyst deudwch bod Jac wedi ffonio, bosib ro' i ganiad eto tua hannar awr wedi un ar ddeg 'ma..."

Roedd awr gron arall tan hynny ac roedd Dafydd yn llawn ffydd na fyddai Jac, a thipyn mwy o Skol yn ei fol, yn cofio.

"Dwi'n nabod un neu ddau sy'n mynd trwy ysgariad, ac mae'n nhw'n mynd trwy uffarn. Eu teuluodd agosa nhw'n troi'n eu herbyn nhw, a'r fodan yn godro'r dyn am y ffyrling ola. Dwyt ti mo'r unig un, os 'di hynny'n gysur."

"Dyna pam wyt ti heb briodi'r diawl?" gofynnodd Dafydd.

"Duw, dwn i'm. O'n i isio'n rhyddid, ond ges i 'chydig bach o anlwc, hefyd: ond gin i hogan bach mewn golwg. Yr un hen stori 'te: elli di ddim byw hebddyn nhw, elli di ddim byw efo nhw. Tipyn o hen feri-go-rownd."

"O'dd Rhonwy fel 'se fe'n cal rhyw gymaint o geirch sbâr."

"Pawb at y peth y bo. Dwn i ddim be sy ar rai bois, yn gorod cael ffwrch o hyd. Ffwrch yn iawn yn 'i le, os ti'n cael hwyl efo fo, ond dwi'n ama faint o blydi hwyl ma' rhai o'r bois 'ma'n gael, wrth 'u golwg nhw. Maen nhw mewn rhyw straffîg diddiwadd yn cadw'r holl ddysgla'n wastad, a methu'n y diwadd fel arfar."

Aeth y sgwrs yn ei blaen yn yr un cywair a chyda rhyddhad, sylwodd Dafydd ar fys y cloc yn tipio heibio i 11.30; ond yna'n sydyn, neidiodd Jac ar ei draed: "Ffycin Jên! Iesu, fuo bron i mi anghofio." Deialodd y rhif, ei fraich gydnerth yn cadw Dafydd draw. "Jên?... Helô, Jac sy 'ma, Jac Garej. Hen ffrind coleg wedi galw heibio 'sti. Na, ffrind i mi, ond mae o'n dy nabod di hefyd. Mi fyddi di'n siŵr o'i gofio fo. Wna i mo'i enwi fo: sypreis neis iti... Ddrwg gin i fod hyn mor fyr rybudd... felly mi fydda nos fory'n iawn?"

Roedd Dafydd yn gandryll: "Jac y bastard, fe ladda i di am hyn."

"Na, ma' 'na hen griw 'ma, Ieu Rhos oedd fan'na'n cadw

twrw... na, na, mae o'n halan y ddaear. Mae o'n awgrymu un o dafarna'r Maes o gwmpas yr wyth 'ma, pryd o fwyd wedyn... o, sori, 'neith Bangor y tro'n iawn... *Fumbles*, na, y lein ma' sy'n ddrwg... O, wela i, bistro *Crumbles* debyg iawn, be sy arna i..." Yna troi at Dafydd: "Nos fory, lle o'r enw Crymbl, Bangor Ucha am wyth. Ydi, Jên, popeth yn iawn."

"Mae'n licio 'bach o steil, weldi," eglurodd Jac wedi rhoi'r ffôn i lawr. "Ma' rwbath bach reit ffasiynol amdani, hogan reit handi, deud y gwir wrthat ti..."

* * *

Dros frecwast hwyr y bore wedyn y llawn sylweddolodd Dafydd sut y drylliwyd ei gynlluniau a'i syniadau.

"Wyt ti wedi camddeall pethe, Jac. 'Sen i ishe bleind dêt 'sen i'n mynd ar blydi *Bacha Hi O'Ma*. Nid meddwl am ferch arbennig o'n i o gwbwl pan ddechreues i sôn am steddfod Caerdydd neithiwr."

"Ond enwist ti hi, 'ndo? Nos neu rwbath felly: er dwi'm yn deud na tydi Nos yn enw eitha i hogan, ar ryw olwg..."

"Gad dy blydi lolian," meddai Dafydd. "A ta beth – fydda i wedi mynd adre erbyn hynny. Gwell i ti 'i ffonio hi'n ôl nawr."

"Ond 'sdim angen i ti fynd adra tan bora fory."

"Wna i fyth gyrraedd erbyn naw os cychwynna i fory."

"Be: erbyn naw y bora, ar ddydd Gŵyl Banc?"

" 'Da fi fusnes i'w redeg, ar ben 'yn hunan, yn wahanol i ti."

Cododd Dafydd o'r bwrdd i wneud darn arall o dost iddo'i hun. "Ma' jôc yn iawn mewn cwrw, ond mae'n wahanol bore wedyn. Elli di ddim chware 'da bywyde pobol."

"Be ti'n sôn rŵan? Pwy ti'n feddwl ydw i – Saddam Hussein? Dafydd bach, cwlia lawr. Wn i be wnawn ni, awn ni am dro i ben Mynydd Nefyn; na, gin i syniad gwell o lawar, awn ni allan yn y cwch – mae'n ddigon braf."

"Iawn, ar yr amod dy fod ti'n canslo'r blydi Jên 'na."

"Gawn ni weld am hynny."

"Uffern, pam 'set *ti'n* mynd mas 'da hi, os yw hi'n beth

mor uffernol o handi?"

"Mi faswn i, 'blaw bod gin i rywun arall mewn golwg. A fel matar o ffaith," – cafodd Jac fflach arall o ysbrydoliaeth – "mi *fuo mi* efo hi, flynyddodd yn ôl, ac roedd hi'n ôl reit."

"O fel'na, ife? Nawr rwy'n gweld beth yw'r feddyginiaeth s'da ti mewn golwg."

"Gin ti feddwl fel siwar, Dafydd, wir!" meddai Jac gan daflu'r llestri i'r sinc. "Mae'n ufflon o ferch neis, fel cei di weld heno 'ma. A sut ddiawl wyt ti mor siŵr nad y ffycin Nos 'ma ydi hi? Ti sy wedi gneud bôls o'r enw, dyna i gyd, a bôls go iawn hefyd os ca i ddeud."

* * *

Roedd Porth Dinllaen yn graddol gilio ac awel fain yn codi allan yn y bae. Ond fel y symudai'r cymylau o ffordd yr haul, dôi gwres sydyn, braf i leddfu'r oerfel – yna byddai ton yn sblasio'i hewyn oer dros ymyl y cwch. Cawsai Dafydd fenthyg siwmper wlanog gan Jac ac yr oedd yna ganiau Guinness ar waelod y cwch i gynhesu ei du mewn.

"Cwch neis, Jac."

"Brynis i hi llynadd. O'dd gin i hen un bysgota, ond ro'n i'n 'sgota llai a llai. Esgus odd o p'run bynnag i fynd allan o'r garej. Yna'r ha' d'wetha, ddigwyddis i weld y Sais 'ma'n llusgo hon i mewn o flaen y pympia petrol, ac mi selion ni fargan yn y fan a'r lle. Cwch blesar pur ydi hi imi rŵan, grêt i fynd ar 'y mhen 'yn hun pan fydda i wedi laru ar bawb."

"Duw, ti'n laru ar bobol?"

"Y brawd 'cw a'r hen ddyn yn mynd dan groen rhywun weithia. Tydi bod mewn busnas teuluol ddim yn fêl i gyd. Rhyw hen betha personol yn drysu penderfyniada busnas syml, call. Dwi'n ama bod 'na ryw hen eiddigadd gwirion yn dal i'w corddi nhw am imi gael colej – anhygoel y dyddia hyn yntydi..."

"Hwnna'n fy synnu."

"Ond mae'n iawn ar y cyfan."

"Beth am yr ochr ariannol? Gneud hi'n iawn?"

"Allsan ni 'neud lot mwy. Weithia fydda i'n meddwl: clirio'r decia'n llwyr, dechra rhywbeth newydd sbon 'yn hun, ond wedyn fydda i'n meddwl am y problema newydd ac felly dwi'n pwyso a mesur petha – yn y cwch 'ma."

Roedd Dafydd yn pwyso a mesur pethau hefyd. Roedd wedi dychmygu'i hun ar daith gyfrin, ar fordaith efallai. Roedd yn awr ar fordaith lythrennol – ond bod y cwch yn pwyntio i'r cyfeiriad anghywir. Triodd Dafydd gofio ei hen resymeg tu-chwith – gweld be ddaw, peidio gofyn cwestiynau rhy fanwl, bod yn effro i'r annisgwyl. Roedd yr agwedd hamddenol yna ym mhobl Pen Llŷn, ac yn Jac. Pam felly roedd 'na lais yn protestio mor gryf y tu mewn iddo? Wrth agor y can Guinness, tybiodd Dafydd iddo gael yr ateb pam na fyddai busnes y blydi Jên yna byth yn gweithio mas.

"Dim am blydi Dydd na Nos na Jên o'n i'n chwilio, Jac, ond am y Crac."

"Crac: am be ddiawl wyt ti'n sôn rŵan?"

"Crac. Hwyl. Crac Cymraeg."

"Crac Cymraeg? Swnio'n OK. Be ydi o felly?"

Ond cyn i Dafydd gael cyfle i ymhelaethu roedd Jac wedi sbarduno'r modur a syrthiodd Dafydd yn ôl fel y llamodd y cwch ymlaen.

"Yamaha 1000," eglurodd Jac. "Tipyn o bowdwr ynddo fo." Yn y man roeddent allan yn y môr agored, wedi deffro drwyddynt.

"Ond oeddat ti'n sôn am ryw ferchaid Cymraeg..."

Chwarddodd Dafydd. "Nage, ond dyna'r camsyniad ma' pawb yn 'i 'neud. Ti'n mynd am y Crac – yr hwyl – a falle cei di, wel..."

"Grac o'r siort arall?"

"Ond 'neith e ddim gweithio'r ffordd arall. Ti'n mynd am y ferch heb fynd am y Crac a ti mewn trwbwl – a ffars llwyr, weithie..."

Edrychodd Jac yn feirniadol ar Dafydd. Roedd e'n amlwg yn mynd trwy gyfnod caled.

"A dyna pam nad oes dim pwynt i'r busnes Jên 'ma. Rhaid i ti ffonio hi Jac – nawr. Rhaid inni droi'n ôl. Neu fe ffonia i hi."

Ond wnaeth Jac ddim sylw ohono.

"Crist," aeth Dafydd ymlaen. "Pa fath o ferch sy'n neidio fel'na at bleind dêt? Rhaid ei bod hi'n hollol despret."

"Tydi o ddim yn bleind, Dafydd. Mae hi'n fy nabod i ac mae'n gwybod dy fod ti'n hen ffrind imi. Ac os oes raid iti wbod, dwi wedi ffonio hi'n barod. Bora 'ma."

"Beth?"

"Jyst i gadarnhau. Do'n i ddim isio iddi deimlo'n fach, 'sti, am 'y mod i wedi ffonio yn 'y nghwrw. Ma' gin bawb 'i deimlada. Felly paid â phoeni, fydd hi'n ôl reit. Rilacs, Dafydd bach, rilacs, a sôn wrtha i am y busnas Crac 'ma."

Diffoddodd Jac y modur a gadael iddynt siglo'n rhydd ar y tonnau. Tynnodd ddau borc pei a thomatos allan o flwch plastig. Bwytaodd Dafydd nhw'n awchus, a'u golchi i lawr â mwy o Guinness.

"Rhywbeth sy'n digwydd yw e. Ti wedi bod mewn steddfod, a gweld Eirwyn Pontshân yn dechre arni. Roedd e yna yn y *Post House*..."

"Dwi'm yn 'i gofio fo..."

"Ond mi allith ddigwydd yn rhywle: cwt y chwarel, lle bynnag mae 'na gwmni da. Oedd yr hen Gymry'n cael y Crac trwy'r amser... telyn yn tincial, bardd yn sbowtio cynghanedd, a phawb yn dawnsio."

"Dawnsio?" meddai Jac, yn fwy amheus nag erioed o sadrwydd Dafydd. "Dawnsio gwerin?"

"Paid actio'n dwp, y diawl! Ti yw'r arbenigwr. Ti oedd wastad yn mynd am y Crac. Ti'n cofio Iwerddon, y tripie rygbi?"

"A, *tripia!* Os ma' dyna 'di'r Crac 'ma, dwi o'i blaid o. Argol, y petha' 'naethon ni, gallsan ni'n hawdd gael 'yn carcharu."

"Trip Iwerddon oedd yr un. Pryd oedd hi, '82, '83? – Clwb Rygbi Caernarfon..."

"Diawl, ti'n iawn."

"Y *crawl* o'r *O'Donoghues* i'r *Jurys*, y parti 'da crach Dulyn ac wedyn 'da'r menywod 'na i'r *Revolution,* y clwb nos 'na, wyt ti'n cofio?"

"Lle trendi a'r merchaid yn smart ddiawledig a llunia arwyr 1916 hyd y walia i gyd yn fflachio bob lliw dan y gola strôb. Ddylian ni fod wedi aros efo nhw."

"Ond wedyn 'mla'n i'r Revolution go iawn..."

"Y parti IRA yn y llofft 'na..."

"Wna i byth anghofio hwnna. Pawb yn cydio dwylo a'r lle fel y bedd pan o'n nhw'n canu'r caneuon annaearol 'ma o'r gorllewin pell. Iesu gwyn..."

"Tipyn o noson – peryg' hefyd."

Gorweddodd Jac yn ôl yng nghefn y cwch, a thaflu un goes dros yr ymyl. A'r cymylau wedi cilio, tywynnai'r haul i lawr yn gynnes.

"Ti'n gwybod beth," dywedodd Dafydd toc. "O'dd y trip yn wych, ond oe't ti ddim yn gwybod 'ny nes taro nôl i'r ddaear. Ti'n cofio ni'n aros yn y *Little Chef* Gaerwen ar y ffordd nôl?"

"Am wn i..." meddai Jac yn gysglyd.

"O'n i'n methu stopio chwerthin, gweld yr holl bobol barchus wedi clymu lan yn 'i gilydd, yn bwyta brecwast cynnar fel lladd nadrodd, y cyllyll a'r ffyrc yn malu fel peirianne gwinio. Oedd tripie fel'na'n ein rhyddhau ni'n ddiawledig. Dyna pam nad tripie cyfnod coleg oedd y rhai gore ond y rhai wedyn."

"Ia, ffoi oddi wrth y wraig a'r job."

"Ddim run peth i ti, falle?"

"Gin bawb 'i rwtîn."

Gan fod y gwynt wedi gostegu, gadawodd Jac i'r cwch siglo'n ddi-angor yn ei unfan. Yn ôl tua'r bae dawnsiai lliwiau ambell iot sgleiniog: roedd hi'n Sul olaf Mai ac yn Ŵyl Banc. Nawr ac eilwaith rhuai bad rasio heibio'n agos gan roi ysgytwad i'r cwch. Caeodd Jac ei lygaid wedi rhoi'r can Guinness olaf i lawr. Ar goll i'r byd ac i sgwrs, anadlai'n ddwfn, ei geg ar agor.

Eiddigeddai Dafydd at ei gyflwr bodlon. Ond efallai mai

wedi blino'n rhacs yr oedd e ar ôl wythnos galed o waith, o drio cadw trefn ar y garej, y tîm pêl-droed a chadw Dafydd ei hun ar y rêls. Wnaeth e awgrymu neithiwr na fyddai'n rhedeg y garej am byth, os âi popeth yn iawn gyda'r 'hogan bach'. Falle iddo gael siom flynyddoedd yn ôl, pwy a ŵyr? Ai sioe, felly, oedd y jôcs amrwd a'r agwedd poeni-dam i guddio pryder am bobl eraill, ac i dynnu sylw oddi wrtho'i hun?

Halen y ddaear, meddyliodd Dafydd wrth iddo yntau hefyd ddechrau ymlonyddu. Roedd yr haul yn boeth uwchben, y gwylanod yn deifio'n ddioglyd o dano gyda'u crawc hiraethus, a harbwr Nefyn ymhell – a Jên Pencae hefyd...

* * *

Gan ddilyn esiampl Jac, caeodd Dafydd ei lygaid – ond ni allai gysgu. Mynnai ei feddwl aros yng nghaffi Gaerwen, a chyda'r *re-entry* yna i'r ddaear wedi profiad y trip, a'r gwrthdaro rhwng safbwynt y Crac a safbwynt y Drefn. Doedd y brecwastwyr diwyd ddim i wybod mai arglwyddi – bodau rhydd a newydd – oedd y iobs swnllyd a darfai arnynt, ac y byddai'r weledigaeth yn parhau. Yn y gwaith fore Llun, gwneud pwynt o barcio'r car yn gam ar draws llain breifat rhyw sbrigyn diflas (gan gyflawni dyhead cudd wythnosau lawer), yna dweud wrth y bòs i stwffio'r jobyn Saesneg diolch-yn-fawr...

Yr oedd yna benderfyniad pendant i beidio â newid; i wneud y job – ie – ond ar ein telerau ein hunain. Cadw'r blaenoriaethau'n iawn, gofalu mai'r pethau cyntaf fyddai'n aros gyntaf o hyn ymlaen: diogi, cymdeithasu, miwsig a merched, Cymru a Hei Leiff. Ond pa mor hir y pery'r penderfyniad gwiw? Rhyw wythnos efallai, a dyna ni eto'n gweithio'n hwyr i orffen rhyw dasg i'r pennaeth adran. Ond y drasiedi yw nad iddo fe yr y'n ni wedi ildio, ond i ni'n hunain: ry'n ni *am* wneud y job iddo fe...

Beth yw sesh, steddfod, trip felly ond atgof difyr i'n goglais ni mewn canol oed, i'n hatgoffa cymaint o fois oedden ni: i'n cadw yn y tresi, nid i'n hysbrydoli i newid. Nid cipolwg cyfriniol ar Gymru wahanol yw'r Crac, ond *safety-valve* i'n cadw'n hapusach yn y Gymru gaeth...

Yna cofiodd Dafydd eto am Eirwyn Pontshân – yr eithriad i'r rheol. O flaen ei lygaid, gwelai e'n neidio i fyny ac i lawr fel iô-iô gan ddechrau mynd i hwyl a gafael yn ei lapeli a sôn am y *pethe bychain ond maen nhw'n bethe mawr* – yna'r jôcs coch, emynau wedi'u llofruddio, diarhebion dychanol, ac atgofion celwydd golau a lot o hen drawiadau...

Pa steddfod oedd hi? Nid Caerdydd, nid y Post House. Yn gynnar yn yr wythnos, rhyw bnawn dydd Mercher efallai. Dim byd wedi'i drefnu, criwiau yno'n ddeuoedd a thrioedd – ond nawr yn dechrau cyfarch, adnabod ei gilydd. "Mae'n dda 'ma... O'n i fod i stiwardio... O'n i fod i gwrdd â Dr Tudur... Mae'r wraig yn 'y nisgwyl i... Rwy'n blydi *beirniadu...*" Dechrau setlo i mewn, bachu seddau, diosg cotiau, tynnu wats; nawr 'te, mae'n bryd inni gael trefn ar y *rowndiau...*

Y gwrandawiad yn gwella. Y criwiau bellach yn gynulleidfa. Eirwyn yn taflu'i gap gwyn i'r awyr, chwerthin a bloeddio ymateb, awydd yn codi am gân...

Crac Cymraeg... Crac Cymraeg... Crac Cymraeg... crawciai'r gwylanod uwchben.

Agorodd Dafydd ei lygaid.

Ble'r oedd e?

Môr glas o'i gwmpas, awyr las uwchben, yr haul yn belen felen a Jac fel sach hapus o datw yn chwyrnu'n braf, a'i goes yn hongian dros ymyl y cwch.

Cododd Dafydd ei goes yntau dros ymyl y cwch. Gwyddai, y byddai, y tro hwn, yn cysgu cystal â Jac...

* * *

Teimlodd Dafydd boen sydyn, cas yn ei goes a'i gorff. Roedd rhywbeth caled wedi'i daro – a'i frifo.

"For God's sake grab it, or you're both goners..."

Cymerodd rai eiliadau iddo sylweddoli beth oedd yn digwydd. Gafaelodd yn y bachyn a thynnu'r rhaffyn trwm, gwlyb ato.

Pwniodd Jac yn ei asennau. "Ry'n ni'n mynd am y creigiau! Bacha'r peth 'ma – gloi!"

"Get a move on for God's sake or we're gonna leave it to the lifeboat. You got flares?"

Sylweddolodd Jac y perygl a llwyddo i glymu'r bachyn mewn pryd; trodd y cwch o gwmpas a dechreuodd yr iot fawr wen eu tynnu allan o'r cerrynt.

Rhythodd Dafydd a Jac i fyny ar wynder mawr y llong ysblennydd. Oddi ar ei dec edrychai pedwar wyneb mawr, hyll i lawr arnynt – dau ŵr a dwy wraig ganol oed mewn anoracau morwrol, unffurf, nefi blŵ.

A welsai nhw yn rhywle o'r blaen?

Gwaeddodd un ohonynt: *"You were bloody lucky we were near. Say, what would you do without the English?"*

19. Crumbles

Parciodd Dafydd ei gar ar Ffordd y Coleg a cherdded yn araf tua Bangor Uchaf. Roedd yna Guinness yn ei waed, cur yn ei ben, a chlais ar ei goes. Roedd gwiriondeb y syniad hefyd wedi dychwelyd â grym mawr. Mor ffarsaidd ac eithafol ddiniwed yr holl syniadau cracpot yna am 'Dydd'. Chwysodd drosto mewn embaras pur.

Triodd gadw meddwl agored, ond methu. Doedd dim posib y gallai'r cyfarfyddiad yma arwain at unrhyw beth o gwbl, ac wrth gerdded heibio i'r *Belle Vue*, gwyddai mai realiti syml y sefyllfa oedd ei fod ar fin talu ffortiwn am bryd nad oedd e eisiau gyda merch y byddai, o dan amgylchiadau cyffredin, yn rhedeg can milltir oddi wrthi.

Edrychodd â braw ar yr arwydd lawysgrifenedig y tu mewn i'r drws: *Jessica and John welcome you to Crumbles Homefood Restaurant. Please ring the handbell, and please feel completely at home. The magazines are for your perusal and the sunflower seeds are free of charge.*

Pwysodd Dafydd yn erbyn ffrâm y drws ac edrych yn hiraethus tua Ffordd Caergybi: y *Globe*, y *Vaults*, y *Belle Vue*. Y fath baradwysau o heddwch a rhyddid...

"Please come in, sir. Have you booked?" meddai dyn bach neis mewn ffedog wen gyda llun o'r *Moulin Rouge* ym Mharis.

"Ym..."

"Ah, it's Mr Harris, isn't it? We have reserved a very nice corner table for you – do come in, sir."

"Y, Cymraeg – y'ch chi ddim yn siarad Cymraeg?"

"I beg your pardon, sir."

"Yes, you can beg my pardon. You don't have a single word of Welsh here. You want to change your attitude if you want custom from the native population."

Gwelwodd ac ymsythodd y dyn bach. *"Perhaps it's YOUR attitude and assumptions that need examining. We are very aware that we are in Wales. We have genuine Welsh local dishes on the menu and as for the language, I admit that it's our loss entirely that we haven't as yet had the chance to learn it. We have considered joining night classes but it's particularly difficult for us, running a restaurant as we do."*

Cafodd Dafydd ei demtio'n gryf i gerdded allan ar Dir Cenedlaethol. Ond wedi ateb egwan, caniataodd i'r dyn ei dywys at sedd fechan ynghanol coedwig o ddail trofannol. Er mor sychedig oedd e, gwrthododd ddiod ac eistedd ar ei ben ei hun gyda phentwr o ôlrifynnau o *Ideal Home*.

Edrychodd yn wyllt o'i gwmpas. Roedd yn garcharor, wedi'i ddal o'r diwedd yn ei ddiffygion ei hun, ei benwendid hollgwmpasol. Myn diawl fe fyddai ei hen ffrindiau'n chwerthin yn o harti petaen nhw'n ei weld e nawr wedi'i drapio mewn fforest o ddail a Seisnigrwydd, fel slyg ar letysen yn barod i'w fwyta'n fyw gan ryw ddynfwytwraig ganol oed o fol y wlad.

Rhwng y dail gallai weld y llythrennau *UMBLE* a beintiwyd tu chwith ar wydr y drws – rhy blydi gwir, meddyliodd ond nawrte pwyll bia hi. Triodd gofio daearyddiaeth Bangor. Roedd ei gar ar Ffordd y Coleg: gallai slipio i lawr lôn yr hen ysbyty, ar hyd Ffordd Deiniol, ac i fyny Love Lane. Ugain munud, a byddai'n Ddyn Rhydd eto. Edrychodd y tu ôl iddo: tebyg bod y dyn bach yn fishi yn y gegin.

Yn hamddenol, yn ddidaro, ac yn edrych drach yn ôl, cododd a cherdded yn syth i mewn i ferch dal, ysgwyddog, yn gwisgo lipstic coch a ffrog flodeuog. Cwympodd y ddau yn erbyn ei gilydd a dymchwel rhai o'r potiau. Achubwyd Jên gan y wal ond syrthiodd Dafydd i ganol y dail a'r ffrwcs.

"Sori! *Dafydd* yntê?"
"Na, fy mai i'n llwyr..." – gan frwsio'r pridd oddi ar ei got.
"Dowch â fo i mi."
"Na, wir, dyw e ddim byd, mwy o dywod na phridd, dod o'r Sahara fel y blydi planhigion."
"Does dim planhigion yn y Sahara."
"Wel o'r jyngl 'te."
"A does 'na ddim tywod yn y jyngl."
"Wel mae'r dyn bach wedi gneud mistêc yn rhywle," a chwarddodd y ddau. Canodd Dafydd y gloch fach tylwyth teg, ac eisteddodd y ddau, Dafydd yn dal i 'sgubo'i got.
"Wel ma' hi'n *neis* iawn 'ma, 'run fath."
"Cartrefol iawn os ti'n ddyn du. A helpa dy hun i'r hade gyda llaw: maen nhw'n rhad ac am ddim."
Chwarddodd Jên eto, ac estyn am y soser.
"Diolch yn fawr ichdi am y gwahoddiad, Dafydd. Ffeind iawn."
"Un o gastie Jac, rwy'n ofni. Nid 'mod i'n rhoi'r bai arno fe – nid *bai* rwy'n feddwl – hynny yw..."
"Does dim angen iti ymddiheuro. Mae o jyst fel Jac. Cesyn 'di o, 'te?"
"Y'ch chi'n hen ffrindie, rwy'n deall?"
"Nabod 'yn gilydd ers dyddia ysgol."
"Yn y coleg yn Aber gwrddon ni. O'n i'n digwydd dod am benwythnos i'r gogledd, rowndio cwpwl o hen ffrindie, cymysgu busnes a phleser. Ond braidd mwy o bleser na busnes rwy'n ofan. Mae mor hawdd colli cysylltiad."
"Pawb yn mynd 'i ffor' 'i hun. Priodi a ballu, pawb isio gwella'i fyd."
"Dyna be wnes i – priodi – wel, wi'n dal yn briod, yn *dechnegol* briod..." Baglodd Dafydd eto dros ei eiriau. Doedd e ddim am roi'r argraff ei fod ar ei hôl hi, ond ar y llaw arall doedd e ddim am ei sarhau trwy orbwysleisio'r peth.
"Dwi'n dallt," meddai Jên. "*Problema*."
"Rwyt ti'n llygad dy le – digon o'r rheini."
"Dwi, hefyd, wedi cael fy siâr."

Daeth gwraig atynt a'u llywio at y bwrdd a chyflwyno bwydlen fawr, clawr lledr ond roedd Jessica'n llawn amynedd gyda'i chwsmeriaid newydd, gwladaidd. Yn dal, yn denau a thrwynog gwisgai ffedog blastig, loyw fel un ei gŵr, ond gyda'r neges *Women On Top.* Am eiliad fer teimlodd Dafydd don o gydymdeimlad â'r boi bach.

"Well I think I'll try the Menai Marine Mousse to start," meddai Jên gan daro'i bys i lawr y ddalen femrwn, *"and then the Bouillabaisse Mexicane with Wholegrain Brown Rice."*

"An excellent choice, Madam."

Pan welodd Dafydd y pris – £12.50 – aeth yn syth at yr eitem rataf a welai sef y *Succulent Breast of Free Range Local Welsh Chicken with French Fries and Petit Pois.*

"And for Starters, sir?" gofynnodd Jessica.

"No, I don't think..." – ond wrth deimlo pwysau cytûn y ddwy fenyw yn gwasgu arno, newidiodd ei feddwl: *"Well why not the Shrimp Fantasia..."*

"And wine, sir?"

"Oh the Crumbles House White. Sounds local. Let's have it all. Big Spender they call me back home."

"That's the spirit, sir," meddai Jessica'n hapus, *"most enlightened, and now let me light the candles for you and I hope you have an enchanting evening together."*

* * *

"Yfwch lawr," meddai'n galonnog wrth Jên. "Cystal inni fwynhau mo'r dam bit..."

"Mi wna i rannu'r costa, cofia."

"Dim o gwbwl. Fi ofynnodd, chware teg."

"Na wir, dw i ddim yn bwyta allan yn aml."

"Yn amlach na fi, wi'n siŵr."

"Na, ma' *Lasagne* yng Nghlwb y 'Sbyty yn *treat* i mi. Dwi'n gorfod gneud 'yn siâr o shifftia nos."

"Fel plowmans yn y Clwb Rygbi i fi pnawn dydd Sadwrn: uchafbwynt gastronomig yr wythnos."

Edrychodd Dafydd o gwmpas yr ystafell. Ychydig barau eraill oedd yno – crach o'r coleg, fe dybiodd – a'r rheini'n cael eu cuddio gan y fforest balmwydd: cysgod yr oedd ef, hefyd, yn ddigon balch ohono.

"W'st ti be, Dafydd, dwi'n siŵr 'mod i wedi dy weld ti rwla o'r blaen. Rwbath cyfarwydd am dy wynab di ond nid ym Mangor fuost ti yn y coleg, naci?"

"Na, yn Aber o'n i, gyda Jac. Yn y Normal oeddet ti?"

"Naci, y Santes Fair, am ddwy flynadd." Rhegodd Dafydd Jac dan ei anadl am ddweud celwydd noeth. "Wedyn es i i nyrsio ac yn Ysbyty Gwynedd ydw i ers blynyddodd rŵan – dwi'n un o'r dodrafn... Lle dw i wedi dy weld di, 'ta? Mewn steddfod ella? Ma' 'na wyneba ti'n teimlo ti'n nabod nhw'n iawn, a dwi'm yn sôn rŵan am bobol ti wedi anghofio'u henwa nhw..."

Aeth ias i lawr cefn Dafydd. "Peth od dy fod ti'n gweud hynny nawr..."

"Be sy mor od ynglŷn ag o?"

"Mae 'na bobol ti'n nabod dim ond o steddfod i steddfod, er enghraifft... Buest ti yn steddfodau Caerdydd, Aberteifi?"

"Dwi'n ofnadwy o sâl am gofio steddfoda, fel petha ar wahân dwi'n feddwl. Ma' nhw'n un *blur* mawr i mi – fel un *orgy* mawr diddiwadd. Dwi 'di bod yn rhan fwya, ond mi es i i Portiwgal un flwyddyn pan fu Dad farw a ches i ddim hannar cymaint o hwyl yn fan'no. Ma'r Metron yn reit dda, yn gadal i griw ohonan ni gymryd wthnos gynta Awst i ffwrdd. Maes pebyll oedd hi'n yr hen ddyddia ond carafán reit grand rŵan wrth gwrs. Os gweli di griw o ferched cant oed yn dal i garafanio, y ni fyddan nhw."

"Ti siŵr o fod yn cofio Caerdydd. Roedd hi'n steddfod wahanol i'r arfer, o fod mewn dinas fel'na."

"Rwla ar y cyrion oedd hi 'ntê? Cofio gorod gyrru lot i fyny ac i lawr y drafffordd."

"Ti'n cofio'r *Post House*, y dafarn 'na ar y ffordd i Gasnewydd?"

"Na, dwi'm yn credu i mi fod yn fan'no."

"Wyt ti'n cofio'r sioe 'na yn Titos – Rifiw Cymdeithas yr Iaith – mewn clwb nos tu ôl i'r Theatr Newydd?"

"Dwi'n ofni ma' un gybolfa fawr 'di'r cyfan. Ma' rhywun wedi bod mewn cymint o sioeau, nosweithiau, dawnsfeydd dros y blynydda, ond dwi'n siŵr ma' mewn steddfod dwi 'di dy weld ti achos dwi'n berffaith siŵr 'mod i wedi dy weld ti o'r blaen."

Tra gosododd Jessica y ddau *starter* yn eu lle, teimlodd Dafydd yn rhyfedd. Nid y profiad *déjà-vu* yn hollol – a doedd e ddim am eiliad yn meddwl mai hon oedd Dydd – ond roedd y ffordd roedd hi'n sôn amdano fe yn codi ofn arno, y gallai ef fod yn 'Ddydd' iddi hi. Gorffennodd y platiad shrimps a'r gwin ac arllwys mwy i Jên.

"Ddim yn gyrru?" gofynnodd Dafydd.

"Na, aros ym Mangor drwy'r wsnos a mynd adra ar benwthnosa rhydd. Tair ohonan ni'n rhannu fflat oddi ar Colej Road."

"Cyfleus."

"Os nad wyt ti'n berffaith siŵr dy fod ti'n saff i yrru, cei di aros acw ar y soffa, â chroeso."

"Na, well i fi weithio'n ffordd nôl tua Nefyn. Gobeithio bod yn 'y ngwaith erbyn cinio fory."

Edrychodd Jên arno'n bryderus. O dan effaith y gwin ysgafn, roedd sustem Dafydd wedi cael adferiad ac yr oedd yn dechrau mwynhau ei hun.

"Falle mai fi sy wedi gneud camsyniad, cofia," meddai gan ailafael yn ei wydryn. "Dyw e ddim yn hollol amhosibl. Falle mai fi sy'n cymysgu steddfode. Falle nad yn steddfod Caerdydd oedd Titos..."

Chwarddodd Jên. "Ond dim ond yn fan'no y gallsa Titos fod!"

"Ond y sioe, y ferch, y bobol, y profiad: elli di fyth fod yn hollol siŵr..."

"Y *ferch*?"

"Rhyw ferch neu rhyw foi ma' rhywun yn ei weld dim ond mewn steddfode, fel oeddet ti'n sôn amdana i gynne fach..."

"Wnes i rioed feddwl amdano fo yn y ffordd yna, chwaith: do'n i ddim yn meddwl na *allswn* i fod wedi dy weld ti rhwla arall..."

Rhoddodd Dafydd ei lwy a'i fforc ar y bwrdd.

"Sa i'n siŵr beth wi'n trio weud. Ond mae'n digwydd, on'd yw e: wyt ti'n gweld rhywbeth yn rhywun arall, a rhywun arall – gwahanol – yn gweld 'run peth ynot ti, ond nefar, byth, y bydd y ddau berson yn gweld 'run peth yn 'i gilydd. Neu ydi hwnna'n dywyll bitsh eto?"

"Na, dim o gwbwl. Ges i'r profiad yna am saith mlynedd."

"Be ti'n feddwl?"

"Credu 'mod i'n nabod person, ond doeddwn i ddim. Yna un dydd mi aeth o, jyst gadal negas ar damad o bapur, a dwi'n 'i weld o ar y stryd ac mae o'n deud 'Helô' fatha 'swn i'n hen athrawas iddo fo, nid yn hen gariad."

Sobrodd Dafydd.

" 'Na beth ddigwyddodd i fi. Do'n i ddim yn 'i nabod hi, ac roedd hi'n wraig imi. Aeth hi ar ôl deuddeng mlynedd. Ond o'n i trwy'r amser yn gweld dim ond beth o'n i eisie'i weld."

"Ma' nhw'n deud nad oes neb yn nabod neb yn y diwadd, yntydyn?"

"Falle bod hwnna'n gysur – ein bod ni i gyd yn ffycd! Yfa lawr!"

"Iechyd da! Nid fy lle i ydi deud, Dafydd, ond os wyt ti'n gyrru..."

"Popeth dan control, paid â phoeni. Rwy'n cyfri'r glaseidie fel bancyr... Ond i daro nodyn mwy optimistaidd: ellith y gwrthwyneb fod yn wir? Bod gan rywun bwyntiau da, ond nad wyt ti ddim yn eu gweld nhw er eu bod nhw yno. Bod rhywun yn chwilio a chwilio am rywbeth sydd o dan ei drwyn?"

"Ella wir, ond dwi ddim yn credu 'mod i'n euog o hynny."

"Na, ond falle 'mod i..."

Ai'r gwin oedd yn mynd i ben Dafydd – neu'r profiad penysgafn o wybod y gallai Jên fod yn Dydd petai e'n dymuno iddi fod? Roedd hi'n hawdd siarad â hi, yn Gymreig, yn fenywaidd ei natur. Ddim mor ddeallus â Dydd, efallai – ond, eto, tric y cof?

Cododd ei ben a sylweddoli bod Jên yn ei wylio. Os nad Dydd oedd hi, dyma'i gyfle olaf i gadarnhau hynny. Gofynnodd Dafydd: "Oeddet ti'n nabod rhai o ferched y Coleg Normal?"

"Oeddwn, a rhai o'r Brifysgol, 'ran hynny."

Gwenodd Jên. "Ti'n chwilio am rywun, 'yn dwyt ti?"

"Os yw hi'n bod... Glywest ti erioed am ferch o'r enw Dydd?"

Ystyriodd Jên am eiliad. "Enw go anghyffredin. Dwi ddim yn cofio neb o'r enw yna, ond mi roedd yna Hedydd."

Cyffrôdd Dafydd. "Wyt ti'n cofio rhywbeth amdani, sut un oedd hi?"

"Rhosa funud. Roedd hi'n iau na fi, o dre Pwllheli dwi'n meddwl. Roedd hi wastad yn mynd adra ar benwythnosa ac mi gafodd job yn Lloegar wedyn – o ia, a dwi'n cofio rhyw sôn iddi gael job yn y de, 'i bod hi'n reit anhapus yn Lloegar."

"Ble yn y de?"

"Wir, Dafydd, ti'n waeth na Mastermind! Sut ar y ddaear wn i? Prin o'n i'n nabod yr hogan."

Cyrhaeddodd y melysfwyd, ac ildiodd Dafydd i arweiniad Jên a mentro ar *Jessica's Own Country Kitchen Apple Crumble Topped with Real Cream.*

"Rhaid dy fod di'n meddwl 'mod i'n wallgo, Jên."

"Wyt ti fel 'sat ti ddim *yma* drwy'r amsar, dyna i gyd."

"Cwmni rhyfedd ar ôl gwahoddiad mor od – sut oeddet ti'n teimlo o dderbyn neges fel'na?"

"Wel sut basa unrhyw ferch yn teimlo: grêt!"

Cnodd Dafydd ei wefus mewn cywilydd. "Mae'n anodd credu ein bod ni newydd gyfarfod. Alla i ddim, chwaith, gredu mai dyma'r tro cynta."

"Dwi'n teimlo'n hollol 'run fath, Dafydd. Gyda llaw – a dwi ddim isio iti gamddallt – ond ma' gin i yn y fflat 'cw rei hen *albums* o ddyddia coleg, os wyt ti o ddifri'n chwilio am rywun. Wrth reswm, ma'r rhan fwya'n bersonol ond mi allsa fod yna lun yn rhywle."

"Na, diolch iti ond bydd yn rhaid i fi yrru nôl."

"Ti ŵyr os wyt ti'n saff i 'neud."

Mynnodd Jên dalu hanner y bil er gwaethaf protestiadau Dafydd. Wrth agor y drws allan iddi, meddai Dafydd, gan guddio'r teimladau a gorddai y tu mewn iddo: "Fe gerdda i di'n ôl at y fflat. Mae 'nghar i yn Ffordd y Coleg. "

* * *

"Wyt ti'n siŵr na ddoi di mewn? Ti angan panad o goffi cry', ddudwn i."

Ond nid hon yw Dydd, meddai Dafydd wrtho'i hun. *Does dim pwynt felly. Dim ond cymhlethu pethau wnâi mynd i mewn, parhau'r berthynas. Mae'n garedicach torri'r peth yn awr, haws i fi ac iddi hi.*

"Y tro nesa," meddai Dafydd, "pan fydd 'da fi fwy o amser. Fe drefna i rywbeth, dim angen mynd trwy Jac."

"Wir, Dafydd?"

Y ffŵl, yn dweud celwydd i godi ei gobeithion, ac ma' hi'n gwybod hynny hefyd. Gore po gynta y gwnei di ffoi o faes dy gachaduriaeth.

Cusanodd Dafydd hi'n ysgafn. "Dishgwl ar ôl dy hunan, a charia 'mlaen i chwilio!"

Edrychodd Jên arno braidd yn siomedig. "Hwyl, Dafydd."

Cerddodd Dafydd yn gyflym ar hyd Ffordd y Coleg. *'Caria 'mlaen i chwilio' – TI'n dweud wrthi HI! Am beth blydi twp i ddweud wrthi, sbwylio'r noson mewn gwirionedd. 'Dal i gredu': dyna oeddet ti'n trio'i ddweud sbo, nid bod hynny'n gneud llawer mwy o synnwyr.*

Safodd wrth ei gar. Doedd hi ddim yn rhy hwyr iddo fynd yn ôl. Dim ond chwarter awr, a dyna'i roi ei hun allan o'i boen unwaith ac am byth. Tenau iawn oedd y posibilrwydd wrth gwrs ond châi e byth y cynnig eto. Petai dim tystiolaeth, gorau oll: diwedd y chwilio, diwedd y stori – a diolch byth am hynny.

Taniodd y car gan wybod na fyddai'n ddigon dewr. Clymodd ei wregys yn araf; o'r diwedd cychwynnodd, a gyrru'n orofalus i lawr yr A5. Oedd e dros y terfyn yfed? Onid yw pryd mawr o fwyd yn sugno alcohol? Trodd o dan bont y rheilffordd, a gyrru ymlaen i Gaernarfon, gan gadw o gwmpas 35 milltir yr awr.

Yn awr, cystwyodd ei hun ymhellach. Nid oherwydd y lluniau y tro hwn, nac am fod yn annoeth, ond am fod yn llwfr. *Y diawl difeddwl, gormod o gadach i ddangos owns o gyfeillgarwch mwy na'r disgwyl i ferch ddymunol a Chymreig. Na, nid slashen – iawn – ond beth yw'r ots am hynny? Mae bywyd mor fyr, a dyna gyfle arall wedi'i golli am byth. Os nad wyt ti'n dangos y blewyn lleia o wrhydri yn y pethau bach, mor wag yw unrhyw sôn am helpu'r Milwr.*

Mae 'na bwynt lle mae twpdra a chachaduriaeth yn cwrdd a fan'na wyt ti, boi. Twll i ferched real. Mae merch ffantasi'n bwysicach. Twll i Jên, twll i'r Dydd sydd YN Jên – pwysicach rhedeg ar ôl y rhith yn y sgarff goch a gwyrdd. Na, nid twpdra yw hynny, na chachaduriaeth: dwyt ti ddim yn haeddu geiriau mor grand: ti ddim gwell na wancyr...

Yn sydyn, sylweddololodd Dafydd fod yna olau llachar y tu ôl iddo. *O na, plis dim Slobs, dyna goron ar y cyfan – ond diwedd addas i daith mor wallgo. Dwy flynedd heb drwydded, a bydd hi'n Ffarwél Ffaro arnat ti, boi...*

Roedd y golau'n dal wrth ei din, ond yna ciliodd. Wedi troi i ffwrdd, mae'n rhaid. Ond daeth y golau eto. Ai'r un car, neu gar arall, ni wyddai. Nes cyrraedd Caernarfon, yr oedd yn weddol siŵr ei fod yn cadw'r un pellter oddi wrtho; wedyn, allai e ddim dweud – ac erbyn hynny doedd e ddim yn poeni.

20. Clychau Aberdyfi

TUA DEG FORE LLUN, herciodd Dafydd i lawr i'r gegin. Roedd darn o bapur ar y bwrdd: Jac yn ei wahodd i daro heibio i'r garej ar ei ffordd adref. Chawson nhw ddim sgwrs y noswaith cynt. Doedd Jac ddim yno pan gyrhaeddodd Dafydd yn ôl tua 12.30: wedi mynd at ei gariad, fe dybiodd.

Berwodd wy iddo'i hun. Heb ei gloc tywod arferol, doedd hi ddim yn dasg hawdd, ond roedd yn benderfynol o'i goginio a'i fwynhau. Yna gwnaeth dost a choffi. Gyda'i frecwast ar ei lin, lloffodd trwy'r *Daily Post* a gwrando ar gynffon y bwletin newyddion deg. Doedd e ddim yn canolbwyntio ond clywodd gyfeiriad at ryw *chalet* gwyliau a aeth ar dân neithiwr yn ardal Boduan.

A hithau'n ddydd Llun Gŵyl Banc, doedd e ddim yn bwriadu rhuthro'n ôl. Doedd dim gobaith canolbwyntio ar waith a'i ben wedi'i biclo gan alcohol, blinder ac euogrwydd. Fe grwydrai yn araf ar hyd yr arfordir ac fe ddylai allu ailafael bore fory. Mwynhaodd oedfa hir a llwyddiannus yn y tŷ bach, eto gyda'r *Daily Post*; yna casglodd ei frws dannedd a'i rasal a'u taflu i mewn i'r Fiat.

Aeth yn ôl i'r gegin i adael nodyn i Jac. Fe fyddai'n brysur yn y garej heddiw a chystal torri'r aduniad yn ei flas. Oedodd wrth y ffenest gyda'i golygfa o Nefyn a'r môr.

Am eiliad, fe'i cyfareddwyd. Pwysodd ar y sil. Tai blith draphlith, gerddi, strydoedd a siopau, coed, pobl, cynhesrwydd. Terasau ar onglau od yn rhedeg ar draws ei gilydd, gerddi'n stribedi hirion yn rhedeg i lawr o'r tai yn y coed, yna'r tai mawr crand yn edrych dros y môr. Dim siawns bod yr un Deian Morse na Berry Homes wedi bod yn agos i'r lle 'ma. Ar ddiwedd y dydd – ar ddiwedd y *Dydd*, achos roedd stori *Dydd* wedi gorffen neithiwr, hefyd, on'd oedd – oedd e eisiau mwy na hyn?

Ond Llangroes oedd ei dynged a gwyddai na châi lonydd nes cael ei fywyd yno i drefn. Clodd y drws a thanio'r Fiat ac anelu'i drwyn am Bwllheli. Wedi troi i'r dde ar y groesffordd sylwodd pa mor agos i Nefyn yr oedd Boduan. Ni allai gofio'r bwletin yn glir, ond hyd y cofiai ni soniwyd bod y tân yn amheus.

Doedd e ddim yn swnio fel job Milwyr, rhyw *chalet* bach. Dim rhyfedd iddo fethu lleoli'r Milwr, a hwythau heb eu dal ers ugain mlynedd. Methiant yn fan'na, felly, a methiant hefyd 'da Rhonwy – dim ond addewid niwlog i roi sylw i'r datblygu petai yna stori galetach. A methiant gyda Dydd. Ond fe gafodd wahoddiad i Eisteddfod Castell-nedd.

Roedd y cof am neithiwr yn dal i'w boeni. Roedd y swper yn well na'r disgwyl, ond y diwedd yn anniben. Ond fel'na mae bywyd real. Fe allai ailddechrau ei fywyd rhywiol gyda Jên, ond doedd dim pwynt. Rhaid i'r 'peth' yna fod rhwng dau berson. Yr oedd yn dilyn, felly, y byddai'n rhaid i Dydd fod yn gariad iddo – ond oni fyddai'n haws torri Dydd mas hefyd a chyfadde'n onest mai'r cyfan yr oedd e moyn oedd cariad?

Yn hytrach na gyrru'n syth i lawr i Ddolgellau, trodd i'r dde am y dollffordd i Harlech. Parciodd o dan y castell, prynu tocyn a mynd i mewn. Tipyn o gastell, a thipyn o gamp i Glyn Dŵr ei gipio oddi ar y Saeson ond roedd y diawled wedi ei adfeddiannu heddiw.

Bwriadodd gael paned ond methodd ddiodde'r torfeydd twristaidd a dagai'r palmentydd rhwng y siopau *Welsh Crafts* a *Farmhouse Fudge*, a throdd y car am Aberdyfi. Fe gâi hoe yn fan'na. Cawsai ryw gymaint o iechyd meddwl yno o'r blaen.

Parciodd ger y cei yn Aberdyfi. Prynodd hufen iâ yn ôl ei hen arfer ac eistedd ar un o'r seddau yn edrych dros aber y Ddyfi.

Chwiliodd, fel y gwnaeth droeon o'r blaen, am y smotyn llwyd lle'r oedd ei gartref yr ochr draw i'r dŵr. Cofiodd yn sydyn am Siani – a sylweddolodd, gyda chywilydd, *bod* yna ferch a garai, yr oedd arno ei hangen, a hithau ei angen ef. Oedd raid iddo fod wedi gwastraffu tridiau o'i fywyd yn crwydro Cymru fel rhech ar ddisberod er mwyn dod o hyd i wirionedd mor syml? Yna cofiodd am gynnig Lleuwen. Wrth gwrs, ffradach y blydi swper oedd wedi peri iddo gau Siani allan o'i feddwl...

Yna clywodd sŵn digyswllt y tu ôl iddo: sgrechian brêcs. Yna llwch ac oglau llosg. Trodd Dafydd ei ben. Yno roedd Range Rover gyda thri dyn yn dod ohono, dau mewn lifrai heddlu.

* * *

"Enjoio'r eis crim?" gofynnodd Eddie.

"Beth yw'r gêm?"

"*Criminal arrest*," meddai'r hynaf o'r ddau blismon.

Amneidiodd y llall – un tew, hyll yn cario cyffion – ar i Dafydd godi, ond cariodd ymlaen i orffen ei hufen iâ. Mewn chwinciad ffliciodd y plismon yr hufen iâ i'r gwter a chau'r cyffion am arddwrn Dafydd a garddwrn Eddie.

"Ond beth ydw i wedi'i 'neud?"

"*Conspiracy* ydi'r cyhuddiad, gyfaill," meddai'r plismon hen. "Mi gewch chi'ch *chargio'n* ffurfiol yn y *station*."

"Ond be ddiawl ydw i wedi'i *'neud*?" gofynnodd Dafydd eto, ac erchylldra'r sefyllfa'n gwawrio arno.

"Mi gewch wybod hynny'n fuan iawn," meddai. Roedd dros ei hanner cant, â wyneb rhychiog, blinedig. Roedd yn amlwg yn blismon uchel ei statws, yr oedd delio â man arestiadau islaw ei sylw arferol. "Sgynnoch chi oriada'ch car?" gofynnodd yn fecanyddol.

"Ond *conspiracy* am beth?" erfyniodd Dafydd.

"*Arson*, gyfaill. Dwi'n gofyn i chi'n gwrtais: ydach chi am roi goriada'r car i mi?"

"Wela i ddim pam..."

"Reit 'ta cymrwch nhw oddi arno fo."

Fferetodd yr un tew drwy bocedi Dafydd a cherdded at y Fiat.

Trodd Dafydd at Eddie. "So dyma ni'r Cymro mawr, ife? Y gwerinwr glew?"

Meddai Eddie: "Dyw *politics* ddim *interest* i fi."

"Oedd e, myn uffern i."

"Pawb â'i farn yntefe. Y'n ni'n byw mewn *democracy*."

"Ti'n meddwl hynny?" gan edrych ar y cyffion.

"*Interest* ni yw'r gyfreth, a cachwyr sy'n tanio tai."

"Sa i wedi tanio tŷ yn 'y mywyd."

"So beth o't ti'n 'neud yn dreifo rownd y North am bedwar dydd? Jyst dishgwl ar y cestyll, gweld y *sights*, ife? 'Da ti ddim job? Dim catre i fynd iddo fe?"

Anwybyddodd Dafydd y sen. "Alla i dreulio pedwar mis yn y gog os wi'n dewis, yn gweld unrhyw beth wi moyn."

"Fel hen *lead mines*?"

Gwelwodd Dafydd: "Pam lai?"

Gwenodd Eddie'n faleisus. "Ti yn y cachu gwboi, a ti'n gwbod 'ny."

Daeth y Fiat yn ôl a sefyll y tu ôl i'r Range Rover.

"*Let me check the keys,*" meddai'r un pwysig wrth yr un boliog. Wedi iddo fodloni bod allweddi'r tŷ yn y bwndel, meddai: "*We go first: you keep right behind,*" yna wrth Eddie: "Rŵan ma'r hwyl yn dechra. Ewch â fo i'r cefn."

* * *

Stripiwyd Dafydd o'i sgidiau, waled, wats, arian poced, hances boced, beiro, pecyn o fints ac un tocyn mynediad Cadw. Arllwyswyd cynnwys y waled ar y bwrdd a rhestrwyd pob eitem ar y ffurflen. Nodwyd ei enw llawn, cyfeiriad, swydd, taldra, pwysau, lliw llygaid a gwallt, ac unrhyw farc neu nam corfforol y gellid ei adnabod wrtho.

"Yr ydych yn cael eich arestio," meddai'r Uwcharolygydd

Ivor Jones Parry, "ar amheuaeth o *conspiracy* mewn cysylltiad â tua deugain o droseddau o *arson* yn mynd yn ôl i 1970. Cewch eich *chargio* mewn pedwar dydd ac mi fydd yr heddlu'n gwneud cais i'r llys, yn wyneb difrifoldeb y cyhuddiad, i'ch cadw i mewn o hynny tan yr achos ei hun."

Wedi cyfweliad tâp gorfodol, tynnu llun ac olion bysedd (ddwywaith: un copi i'r heddlu a'r llall i'r *National Identification File*), arweiniwyd Dafydd yn ôl i'w gell. Ymhen tuag awr, daeth yr Uwcharolygydd Ivor Jones Parry ato.

"Fel rydach chi'n deall, ry'n ni'n eich cadw chi mewn perthynas ag un o'r troseddau mwyaf difrifol posib o dan gyfraith gwlad. Mae'r drosedd o *arson* yn cario cosb o ugain mlynedd o garchar. Rŵan ein bod ni wedi llwyddo i ddal y rhai sy'n gyfrifol, mi fyddan ni'n cymryd pob cam posib i ddod â matar *terrorism* Cymreig i ben unwaith ac am byth. Mi fyddwn ni felly yn mynnu'r gosb eitha i bob un ohonoch. Ydach chi'n deall hynna? Yn awr yn ystod y pedwar dydd nesa mi gewch eich interogetio, a gallwch fod yn dawel eich meddwl ar un peth: y bydd yr *interrogation* honno yr un fwyaf cofiadwy a gewch chi yn eich bywyd byth."

Edrychodd arno'n dosturiol cyn cloncio'r drws metel ar ei ôl.

Roedd gan Dafydd ddwy flanced lwyd a matres. Roedd y gell yn wag heblaw am y gwely a phot piso. Roedd dau fotwm yn wal y gell: un i weithio dŵr y tŷ bach, ac un ar gyfer argyfwng.

Rhoddodd Dafydd un flanced amdano, a'r llall dan ei ben, a gorwedd ar y matres fel baban mewn croth.

* * *

Roedd tri dyn yn y gell, un ohonynt yn cymryd cofnodion, un yn recordio, ac un yn holi.

"Rŵan, Dafydd Harris – ac y mae'r sgwrs yma'n cael ei recordio am *3.40 a.m. Tuesday May 24* – ydi o'n recordio'n iawn? – *1234, 1234, fine* – ydach chi'n cofio mynd am dro i fyny *Elen Valley* ar brynhawn dydd Sul, *15th of May*?"

"Ydw."

"Rydach chi'n cofio mynd i'r *Disused Lead Mines* ym mlaen y Cwm ac i'r lle y mae *shaft entrance known as...*" – darllenodd o'r papur o'i flaen – "*No 3 Access Tunnel, East* ond sydd wedi ei lanw ers rhai blynyddoedd efo *gravel*."

"Na, sa i'n gwbod dim am hwnna. Sa i'n deall dim am fwyngloddio."

"Wel mi roeddach chi'n dangos cryn ddiddordab ynddo fo ar y dydd yr ydan ni'n sôn amdano fo ac yr oedd eich ymddygiad yn gyffredinol amheus."

"Ydi e'n amheus i fynd am dro i'r wlad?"

"Ydi mae hi," atebodd yr Uwcharolygydd, "os ydach chi'n aros am gryn chwartar awr gerllaw *cache* o ffrwydron a guddiwyd yn ddiweddar iawn tua deg metr i mewn yn y *gravel* yna."

"Sa i'n gwybod dim am unrhyw ffrwydron."

Edrychodd y dyn yn hollol oeraidd ar Dafydd.

"Ella y galla i roi proc i'ch cof chi. Rydan ni'n sôn am ddeunaw kilo mewn chwech o flychau plastig *Semtex Grade One*. Hefyd yr oedd yna flwch yn cynnwys *detonators* ac *electronic timers* – digon felly i chwythu i fyny ddwedwn ni stryd gyfan o dai yn Belfast. Mae o'r teip y ma'r IRA yn ei ddefnyddio hefyd."

"Ond petai 'na ffrwydron yno, a 'sen i'n gwybod amdanyn nhw, fasen i'n wallgo i fynd yn ôl at y guddfan. Pam ar y ddaear dylen i?"

Edrychodd y dyn ar y ddau arall ac ysgwyd ei ben, cystal â dweud, mae gynnon ni nytar fan hyn.

" 'Dan ni ddim yn gwybod, ydan ni? Dyna dwi'n ofyn i chi. Ella'ch bod chi eisio tshecio bod 'na ddim o'ch hoel chi yna. Ella'ch bod chi wedi colli rhwbath pan guddioch chi nhw. Mae'n rhaid eich bod chi wedi treulio oria lawar yn rhofio cyn y gallsach chi gyrraedd i lawr i'r dyfnder yna."

"Rhofio! Sa i'n gwybod dim am unrhyw rofio!"

"O'r gora, Dafydd: jyst deudwch be 'dach chi'n wybod."

"Ond sa i'n gwybod dim!"

Rhoddodd y plismon ei feiro i lawr a throi yn ei sedd. Ni allai Dafydd weld ei wyneb yn glir, gan mor isel y bylb noeth rhyngddynt.

"Rŵan 'ta, Dafydd, mae 'na ddwy ffordd o 'neud petha mewn achosion fel hyn. Mae 'na ffordd hawdd, a mae 'na ffordd galad. Rŵan Sarjant cym'wch 'i wregys odd'arno fo: 'dan ni ddim am i Dafydd 'neud dim byd gwirion efo'i hun ryw ganol nos, ydan ni?

"Rŵan 'ta, os meddyliwch chi am y peth am un eiliad, gan 'yn bod ni'n gwybod y gwir, does 'na fawr o bwrpas i chi drio'i wadu fo, oes yna?"

"Ond sa i'n gwybod dim am y ffrwydron."

"Felly mae hi i fod, ia?" meddai Parry'n galed. "Tiwn gron?"

Cymerodd saib, ac estyn am ddarn o bapur. "Ella y dyliwn i'ch atgoffa chi yn gynta am rei ffeithia eraill, perthnasol. Ydach chi'n nabod un John Madog Hughes, Awel Bêr, Nefyn – neu ydach chi'n gwadu hynny hefyd?"

"Wi'n nabod Jac ers blynyddoedd."

"Wel, mae Mr Hughes i mewn efo ni hefyd ac mae o wedi bod o gryn gymorth i ni yn ein hymchwiliada. Mae o wedi cyfadda iddo losgi *Chalet No.12, Boduan Holiday Village, Boduan, Gwynedd* yn oria cynnar bora Llun ac mae o hefyd wedi cyfadda iddo fo roi cymorth technegol efo rhai *incidents* eraill. Mae o'n ddoeth iawn wedi penderfynu, er ei les ei hun, dweud y cyfan mae o'n wybod am y mudiad terfysgol a elwir yn gyffredin, Y Milwyr. 'Dach chi'n gweld, mi roedd y Garej yna'n ffrynt hwylus iawn iddo fo, ac mae o'n wirfoddol wedi rhoi nifer o eitema o offer inni a fydd yn *exhibits* allweddol iawn yn yr achos llys, pan fydd o..."

"Ond alla i ddim credu..."

"Mae ei *statement* o gynnon ni, ond ymhellach na hynny, mi rydan ni ychydig bach yn ansicr – hyd yma – ynglŷn â'ch rhan chi yn llosgi'r *chalet* yn Boduan ar y nos Sul yna. Ychydig *bach*, 'te. Rydan ni'n gwybod eich bod chi wedi bod yn swpera'n reit hwyr yn..." – edrychodd eto ar y papur – "*...Crumbles Wholefood Restaurant, Upper Bangor, Bangor, Gwynedd with*

Miss Jane Lucinda Roberts, 47 College Crescent, Upper Bangor, Bangor, Gwynedd a'ch bod chi'n gyrru'n ôl i Nefyn o fewn rhai oria i'r amsar y gwnaeth yr *arson* gymryd lle."

"Wrth gwrs," cofiodd Dafydd, "chi oedd yn gyrru yn 'y nhin i. Ond os y'ch chi'n gwybod cymaint â hynny, ry'ch chi hefyd yn gwybod na fues i'n agos i'r *chalet* yna."

"Ydan ni, hogia?" meddai gan droi at y lleill. "Dydan ni ddim. Fydd y barnwr ddim. Fydd y rheithgor ddim..."

"*Bastards...*"

"Felly mae o fyny i chdi, Dafydd, yntydi?" meddai'n fwyn.

Cofiodd yn ôl i'r noson. Roedden nhw felly'n gwybod am ei yrru simsan. Ond yn hytrach na'i gael e am yrru ac yfed, fe ddalion nhw'n ôl er mwyn ei fframio am drosedd lawer mwy. Ond busnes Jac wedyn: roedd hynny'n anhygoel. Roedd e'n dal dŵr o ran y cyfle a'r posibiliadau, ond wnaeth Jac erioed ymddiddori mewn gwleidyddiaeth, fel fe. Neu tybed ai dyna pam nad oedd e'n gwleidydda'n gyhoeddus?

Roedd Dafydd yn chwysu. Gofynnodd am wydraid o ddŵr. "Rhowch lasiad bach iddo fo, Sarjant. Mi fydd yn help iddo fo gofio." Trodd yn ôl at Dafydd.

"Rŵan 'ta, os penderfynwch chi ymddwyn yn ddoeth, a bod yn agorad efo ni, mi alla i ddeud wrthach chi y bydd hynny o fantais i chi pan fydd yr achos yn cael ei glywed ac mi fyddwn ni'n gwneud yn siŵr fod y barnwr yn cael gwybod am eich hymarweddiad chi. Ar y llaw arall, os ydach chi am 'neud petha'n anodd i chi'ch hun, yna eich dewis chi ydi hynny. Wneith o ddim felly o wahaniaeth i ni gan fod y ffeithia gynnon ni p'run bynnag. Ond o'ch safbwynt personol chi, ma' 'na dipyn o wahaniaeth rhwng blwyddyn neu ddwy – ella wedi'u gohirio – ac ugain mlynadd," – a chymryd y gwydr oddi arno.

"Ydach chi'n well rŵan wedi cael ychydig bach o ddŵr? Rŵan 'ta'r cwestiwn cynta s'gynna i ydi pwy ddaru gysylltu efo chi ynglŷn â chuddio'r ffrwydron? Ma' gynnon ni syniad go lew ond mi fasa'n well i chi ateb y cwestiwn yn 'ych ffordd 'ych hun."

"Neb, wnaeth neb ddweud..."

"Pwy oedd o, dowch rŵan, Dafydd."

Yna sylweddolodd Dafydd, gyda rhyddhad rhyfedd, nad oedd e'n gwybod enw'r Milwr, na'i gyfeiriad, na dim amdano. Mi allen nhw'i holi tan Ddydd y Farn.

"Sut, felly, roeddach chi'n gwybod lle'r oeddan nhw?"

Atebodd Dafydd, yn fanwl gywir: "Do'n i ddim yn gwybod bod yna ffrwydron yn y lle ddisgrifioch chi."

"Rŵan rydan ni'n deall nad ydach chi isio bradychu'ch ffrindia, ac mae hynny'n naturiol, ond mi ddylach ofyn y cwestiwn, pa fath o ffrindia sy'n barod i'ch rhoi chi mewn sefyllfa mor enbyd â hyn? Y chdi sydd yn y cachu rŵan, yntê?"

" 'Sda fi ddim ffrind na neb yn y sefyllfa yna."

"Felly mae'i dallt hi, ia? "

Edrychodd Dafydd i fyny ar y tri wyneb mawr hyll, disymud. Am faint oedd hyn i bara?

"Dwi'n meddwl y ca i sigarét bach," meddai'r Uwcharolygydd yn ffug-hamddenol. Estynnodd am leitar i'w boced, cynnau sigarét yn araf, a chwythu'r mwg i wyneb Dafydd.

"Mwg, Dafydd, tân – ynta dŵr glân: dyna'r dewis os liciwch chi. Ugain mlynedd o fyw hefo tri neu bedwar homo mewn celloedd â chwd a chachu hyd y walia; ynta derbyn dy fod ti wedi gneud mistêc. Os gwnei di dy ora drostan ni, yna mi wnawn ni ein gora drostat ti."

" 'Sda fi ddim byd i'w gyfadde."

"Ôl reit 'ta." Trodd at y lleill. "Dwi'n meddwl bod Dafydd 'ma wedi cael digon i feddwl amdano fo, am y tro. Mi fyddan ni'n ôl mewn rhyw awr, jyst digon o amsar iddo fo hel 'i feddylia."

Cododd a throi'n ôl at Dafydd cyn ymadael. "Dwi'n siŵr braidd yr hoffech chi weld y ferch, Siani yntê?" – gan oedi'n drioglyd dros yr enw – "yn tyfu i fyny. Mae hi newydd ddechra yn yr ysgol fawr, yntydi? Fasa hynny ddim yn gwbwl amhosib, petaen ni'n gallu profi ichi gael eich camarwain gan bobol eraill..."

Goroedodd yr Uwcharolygydd wrth droi'r allwedd yn y clo a gadael i'r cadwyni gloncian yn erbyn ffrâm metel y gell.

* * *

Aeth hi'n bump – mi drodd chwech o'r gloch – ond dim sôn amdanyn nhw. O'r diwedd llwyddodd Dafydd i gysgu ond cafodd ei ddeffro am hanner awr wedi gan y swyddog bwyd, a wthiodd blatiad o lwydni meddal trwy dwll yn y drws. Am eiliad, wyddai Dafydd ddim ble'r oedd e. Roedd sŵn canu yn ei glustiau – nid emynau y tro hwn, ond cerdd dant. Roedd e'n ôl yn yr Ŵyl yna yr aethon nhw iddi flynyddoedd yn ôl. Aethon nhw i mewn heb dalu: roedd hi'n hanner nos a thafarnau'r dre wedi cau. Roedd côr merched ar y llwyfan yn canu Mab y Bwthyn:

"I'w llygaid a'i dyfnderoedd mawr
Tywalltodd lawer toriad gwawr;
Rhoes iddi'n galon fflam o dân
Oddi ar un o'i allorau glân..."

Yng ngrym y gerddoriaeth ddiamser, teimlodd eto'r cynhesrwydd a deimlodd wedi'r freuddwyd am y sesh yng Nghaerdydd: y sicrwydd o Gymru Rydd sy'n rhoi ystyr i bopeth...

Gwthiodd y bwyd i ffwrdd, a chau ei lygaid eto. Yr oedd am i'r profiad barhau. Roedd e'n ôl yn yr Ŵyl, yn gwrando ar y côr. Ac yn y rhes flaen roedd un ferch dal, denau braidd, yn canu â'i holl galon. Adnabu Dafydd hi'n syth: Dydd. A gwyddai nad wedi gorffen yr oedd ei ymchwil amdani, ond newydd ddechrau.

RHAN 3
CANFOD

21. Millbank

O'i ffenest ar seithfed llawr rhif 15 Millbank, Llundain, edrychodd Godfrey Heath i lawr ar bier Lambeth a'r rhesi o bobl a giwiai, fel morgrug du, ar gyfer y badau pleser. I'r chwith, ymffurfiai llinyn hir, blêr ar hyd lan yr afon i'r Senedd: mwy o dwristiaid. Os oeddent yn lwcus, caent y wefr o weld yr Aelodau Seneddol yn clebran allan ar y terasau o dan y cynfasau glas a gwyn; os anlwcus, gallent o leiaf glicio'u camerâu at wychder Gothig adeilad senedd Westminster.

Doedd Heath ddim am warafun iddynt eu pleserau diniwed: o bell ffordd. Ni fyddai'n dymuno iddynt gyfeirio'u sylw at y ddau adeilad anferth neoglasurol ychydig i fyny'r afon lle'r oedd ef a dwy fil arall yn gweithio: pencadlys Gwasanaeth Diogelwch Mewnol Prydain Fawr. Tra oedd y gwleidyddion yn y siop siarad i lawr y lôn i mewn ac allan o'u seddau mor aml â'u gwelyau, yr oedd ganddo ef a'i gydweithwyr job am oes – yn delio â phroblemau go iawn.

Problem go iawn, ac yn sicr nid un i glepfa gyhoeddus, oedd problem terfysgaeth Gymreig. Fel Pennaeth Adran F3 o'r MI5, yr adran sy'n gyfrifol am derfysgaeth fewnol yng Nghymru a'r Alban, fe wyddai Godfrey Heath fwy amdani na'r rhan fwyaf o bobl. Er na chafodd ei apwyntio tan ddwy flynedd yn ôl, gwyddai'n dda iawn am y siomedigaethau a'r camsyniadau a'r rhwystredigaethau; am y chwarter canrif o fethiant i ddal y Milwyr a'r llosgwyr tai.

Yn y cyfnod yna daliwyd un dan oed, un meddwyn, ac un gwan ei feddwl, a charcharwyd un arall am anfon matsys drwy'r post. Record go drychinebus – hynny ydi, tan y bore 'ma. O'r diwedd roedd yna lygedyn o obaith o ddod â'r holl fater i ben, a hynny o ganlyniad i gynllun a ddyfeisiodd ef ei hun. Nid heddwch perffaith oedd ei nod, ond gwneud Cymru fel yr Alban; nid rhwystro'r gweithredu ymfflamychol unigol, ond dileu pob mudiad trefnedig.

Trodd Heath at Sutch, ei recriwt newydd, ifanc. "Mae'n braf iawn allan yna'r bore 'ma. Dwi'n ffansïo tro i'r Atrium – gwneith les i mi."

"Cym'rwch y pnawn i ffwrdd. 'Dach chi'n ei haeddu wedi newyddion mor dda. Mae'r ddau yna'n swnio'n addawol iawn – y proffeil yn ffitio."

"Dwy' ddim am ddathlu'n rhy gynnar. Yn sicr maen nhw o galibr gwahanol iawn i be rydan ni wedi'i rwydo hyd yn hyn. Digon deallus i drefnu mudiad, ond digon agos i'r ddaear i fod â'r wybodaeth, y cysylltiadau – a'r cymhelliad."

"Chi oedd yn iawn drwy'r amser, syr. *Sotfly, softly, catchee mousie...*"

"Anghofiwch y 'syr' yna wir! Cawn ni weld yn y man ai *mousies* ydan ni wedi'u dal, neu ryw anifail arall. Mae'n dibynnu be ddigwyddith nesa. Os cawn ni *lead* neu ddau – rhywbeth i'n harwain at weddill y mudiad – a jyst ychydig bach mwy o dystiolaeth galed..."

"Y ffrwydron yna sy'n gneud y gwahaniaeth. Heblaw am y rheini, faswn i ddim mor siŵr chwaith. Ond mae'r ddau beth gyda'i gilydd yn gwneud pedwar..."

"Mae'n ymddangos felly. Dwy' ddim yn disgwyl y bydda i'n hwyr iawn, felly peidiwch trafferthu i'm *pageio*, oni bai bod 'na ryw argyfwng."

Roedd Heath yn falch o frwdfrydedd ac ynni Sutch, ond dyheai'n awr am ymateb mwy cytbwys ei hen gyfaill, Molineux. Buont gyda'i gilydd flynyddoedd yn ôl yn Rhydychen; roedd e'n awr yn ysgrifennydd parhaol i weinidog yn Adran yr Amgylchedd – nid syndod wedi ei radd 'PPE' dosbarth cyntaf. Ni fyddai Heath yn dweud wrth Sutch na neb arall o'i gydweithwyr ei fod ar fin trafod mater mor gyfrinachol â strategaeth Rentokil gyda rhywun allanol; ac yn waeth na hynny, â dieithryn, sef y trydydd person a wahoddwyd i'r cinio. Ond roedd ganddo fwy o ffydd ym marn Molineux nag yn y rhan fwyaf o'i gydweithwyr, yr oedd eu gyrfa bersonol a'u buddiannau adrannol mor aml yn lliwio'u hymateb.

Dargyfeiriodd ei ffôn, casglodd ei got, sicrhau bod y negesydd electronig yn ei boced yn gweithio, yna i'r lifft. Dangosodd ei gerdyn wrth y ddesg ddiogelwch ar y llawr isaf cyn mynd allan. Yna cerddodd yn frysiog trwy'r maes parcio yng nghefn yr adeilad a throi at lannau'r afon Tafwys.

* * *

Wedi'i adnewyddu gan awel yr afon, cerddodd Godfrey Heath i fyny grisiau Rhif 24, Millbank. Fwy neu lai gyferbyn â phencadlys yr MI6, roedd yn gyrchfan boblogaidd i swyddogion y ddau wasanaeth cudd, a gwleidyddion a'u cynffonwyr. Cymerodd lifft i'r llawr uchaf ac yno, o dan y to gwydr a ffurfiai ymbarél uwch ben cylch o swyddfeydd agored, yr oedd bwyty'r Atrium gyda'i awyrgylch parhaol wanwynol. Adnabu'r gweinydd ef ar unwaith a'i dywys at ei fwrdd arferol. Yno'n disgwyl amdano gyda gwenau croesawus a photel agored o win yr oedd ei hen gyfaill Dick Molineux, a'r Maurice Gregg yna y soniodd amdano.

Rhyw fath o gamsyniad oedd hynny. Gwahoddwyd Gregg yn wreiddiol er mwyn trafod problem Sam Smyth – er na wyddai Sam Smyth, fwy na Gregg, am gysylltiad yr MI5 â'r cynlluniau datblygu yng Nghymru. Ond wedi newyddion y bore 'ma, roedd y sefyllfa wedi gweddnewid, a Heath yn awyddus i drafod Rentokil gyda Molineux. Gyda'r fath ddatblygiad diddorol, doedd Smyth ddim bellach mor bwysig. Gan y byddai'r drafodaeth yn sicr o dresmasu'n drwm ar diroedd diogelwch, yr oedd wedi ffonio'i gyfaill rai oriau ynghynt.

"Dyw e ddim yn un ohonon ni, Dick."

"Nac ydi, ond math o was sifil ydi e – yn union fel y mae

ditectif preifat yn wahanol i un yr heddlu."

"Mae hynny'n wahaniaeth go fawr."

"Ydi. Ond mae'i fywoliaeth yn dibynnu ar ei dact a'i ddoethineb. Dwi'n ei nabod ers dyddiau Rhydychen a dwi ddim yn cofio'r un brad o ymddiriedaeth."

Roedd yr argraff gyntaf, yn sicr, yn un ffafriol. Gafael llaw cadarn, ond yn bwysicach, rhyw ddeallusrwydd chwareus yn ei lygaid, a oedd mor brin, gresynai Heath, yn ei gydweithwyr ei hun.

Wedi delio â'r fwydlen a chyfnewid sylwadau arwynebol am newyddion y dydd, trodd Heath at Molineux. "Mi soniais i wrthych chi bod gen i ryw newyddion da."

"Beth – y'ch chi'n dad eto, Godfrey?" pryfociodd ei ffrind.

"Na, na thad-cu chwaith, gwaetha'r modd."

Ond roedd Molineux wedi deall yn syth bod yr amser wedi dod i ymddifrifoli. Ffigwr tal, crwca oedd e mewn cot siec fras, â ffordd ecsentrig o siarad a fyddai'n fwy cartrefol mewn darlithfa na swyddfa.

"Rydan ni'n tri," meddai, "yn deall natur y drafodaeth heddiw... Er nad y'ch chi'ch dau wedi cyfarfod o'r blaen, dwi'n gwybod, o adnabod y ddau ohonoch yn dda, nad oes dim angen sôn am fater cyfrinachedd..."

"Mi gewch chi 'ngair i, 'run fath," meddai Gregg.

"Rydan ni'n tri'n mynd yn ôl dipyn pellach na'r sbrigod ifanc 'ma sy'n meddwl am ddim ond eu gyrfa a'u pecyn pae. Mae gynnon ni flaenoriaethau eraill, on'd oes?"

Yr oedd y llwyfan yn barod, felly, i Heath ddechrau darlunio'r cefndir.

"Rentokil ydi'r enw sy gynnon ni ar y drefniadaeth barhaol, o fewn MI5, i ddelio â therfysgaeth Gymreig. Enw gwirion – ond o leia dydi e ddim yn cynnwys y ffigwr '2000'.

"Yn 1982 y penderfynodd llywodraeth y dydd ymddiried i ni y dasg o gydlynu gwaith y gwahanol heddluoedd – Sifil, Arbennig – ac ACTU. Dyna'r acronym – defnyddiol, am unwaith – am yr Active Counter Terrorist Unit, Wales, adran ysbeidiol fywiog o'r SAS. Ond yn niwedd yr wythdegau aeth y cyfan yn gyhoeddus pan ddatgelodd Douglas Hurd ein *rôle* ni yn y senedd.

"Y brif broblem ar hyd yr amser oedd, yn syml: y blydi *arsonists.* Dros gyfnod o chwarter canrif, dim ond rhyw riff-raff ymylol a ddaliwyd. Defnyddiwyd y dulliau arferol – *agents provocateurs* yn bennaf – ond heb lwyddiant. Arweiniodd hyn at rwystredigaeth ac at orfrwdfrydedd rhai o'n staff iau, y daeth eu tactegau amrwd i sylw'r wasg mewn un achos llys anffodus a dadleuol yng ngogledd Cymru. Roedd Rillington, y bòs, o'i cho' a chafodd Warren, fy rhagflaenydd, fynd i dreulio gweddill ei ddyddiau mewn swydd isel iawn yr ochr draw i'r afon."

Gwrandawai Gregg yn astud tra oedd Molineux yn paratoi ei bib ar gyfer yr ysmygiad hir yr oedd wedi edrych ymlaen ato drwy'r bore.

"I dorri stori hir iawn yn fyr, mi benderfynais o blaid tacteg feddalach. Roedd ACTU a'r lleill yn gandryll, wrth gwrs. Y syniad, yn syml, oedd denu'r terfysgwyr allan o'u tyllau trwy godi, neu fygwth codi, stadau anferth o dai mewn ardaloedd sensitif. Fe lwyddon ni, trwy Adran yr Amgylchedd, i gael cydweithrediad y Swyddfa Gymreig ac un datblygwr preifat."

"Peidiwch â sôn am hwnnw," meddai Gregg gan godi'i law mewn ffug brotest.

" 'Dach chi'n nabod ein ffrind, dwi'n casglu?"

"Ond sut llwyddoch chi i'w gael e i mewn? Does dim rhaid i chi ateb, wrth gwrs..."

Cyrhaeddodd un o'r cyrsiau bwyd, yna aeth Heath yn ei flaen. "Un o syniadau Dick oedd e. Fe ddefnyddion ni Atkins, sy'n gweithio o dan Dick, a'i anfon i weld Sam Smyth tua naw mis yn ôl. Yn y bôn, taflu pres at yr adyn. Ar yr wyneb, *discretionary grant* o dan ryw ddogfen bolisi wnaethon ni ei llunio at y pwrpas. Nawr mi *roedd* '2000' yn y teitl – rhywbeth twp fel 'Cymru 2000: Strwythur Anheddau a Chysylltiadau'. Yn naturiol chafodd Atkins fawr o job perswadio Smyth i lanw ffurflen yn ei gymhwyso i 80% o holl gostau paratoi cais cynllunio ar gyfer stad o dai o fewn y tiroedd arbennig a nodwyd ar un o'r mapiau wnaethon ni."

Wedi i Gregg dreulio'r wybodaeth, meddai: "Nawr rwy'n deall: arian oedd y cyfan."

"Beth arall *sydd* i'w ddeall ynglŷn â Smyth? Fe lunion ni gytundeb eitha manwl. Byddai'n colli ei 20% os byddai'r cais yn methu ond yn cael llawer iawn mwy os byddai'n llwyddo. Fe drion ni awgrymu – heb ddweud hynny'n hollol blaen – y byddai'r Swyddfa Gymreig yn 'hyblyg'."

Yfai Gregg ei win yn dawel tra disgynnai'r darnau i'w lle. "Mi es i i'w weld e rai misoedd yn ôl," meddai. "Galwad fusnes pur. Ond ches i ddim synnwyr o gwbwl 'dag e. Roedd ganddo obsesiwn am y datblygiadau yma yng Nghymru – a nawr rwy'n deall pam. Ddaethon ni ddim ymlaen o gwbwl, chwaith. Mi ces i e'n ddyn annymunol. Felly ges i sioc pan wahoddodd e 'i hun i'n swyddfa ni ddechrau'r wythnos diwethaf. Roedd y *bombshell*, wrth gwrs, wedi disgyn yn y cyfamser."

"Ro'n i'n mynd i sôn am hynny. Fe dynnodd y tirfeddiannwr lleol allan o'r cytundeb â Smyth. Ergyd i ni, hefyd, gwaetha'r modd."

"Dwn i ddim beth oedd e'n disgwyl i ni ei wneud iddo fe. Roedd e o'i go', wrth gwrs," meddai Gregg.

Meddai Heath: "Fe gawson ni ddôs o'i dymer, hefyd – neu Atkins, druan! Hawlio mwy o arian, bygwth a brygowthan – ond beth allen ni wneud? Ychydig oedd Smyth yn sylweddoli ein bod ni yn yr un twll ag yntau. Wnewch chi ddim sôn am hyn, wnewch chi Maurice, wrth yr un enaid byw. Petai'r *Nashies* yn cael rhyw amcan ein bod ni y tu ôl i'r datblygiadau yma..."

"Ond roedd Smyth wedi amau rhywbeth – rhyw ddimensiwn gwleidyddol – yn o gynnar. Dyna pam alwodd e'r cwmni bach Cymraeg yna i mewn."

"Mi wyddon ni am hynny. Mi driodd Smyth gael Atkins i dalu'u bil nhw, hyd yn oed! Doedd e ddim yn ffortiwn – ond *cheek* y dyn!"

"... ac wrth gwrs dyna pam galwodd e gyda ni'r wythnos diwethaf. Meddwl bod gynnon ni fwy o glowt na'r cwmni bach Cymraeg."

Gwrandawai Molineux yn astud tra oedd y ddau'n parhau i gymharu nodiadau, yna meddai: "Ond mi sonioch chi, Godfrey, fod gynnoch chi newyddion da inni'r bore 'ma."

"Yn hollol. At hynny ro'n i'n dod. Nid at ddiwedd y stori, dwi'n hollol siŵr, ond at ddiwedd pennod efallai. 'Dan ni wedi dal dau ohonyn nhw. Dau derfysgwr. Newydd glywed ydan ni'n swyddogol. Mi gawson ni gynhadledd yn gynharach y bore 'ma – un o'r pethau fideo 'ma. Maen nhw'n swnio'n ddilys, mae'n rhaid i mi ddweud. Dau yn eu tridegau hwyr. Nabod ei gilydd. Addysg brifysgol. Record droseddol – ond digon pell yn ôl. Yr un o'r ddau yn *paid-up Nashies*. Ac un ohonyn nhw'n byw yng nghanol un o'r ardaloedd datblygu."

Roedd hi'n ddau o'r gloch yn barod, a'r bwyty'n dechrau gwagio. Codai dynion siwtiog o'r byrddau, y gweinydd yn eu helpu i lywio'u breichiau i mewn i'w cotiau.

Yn y cyfamser edrychai Molineux yn gwestiyngar ar Heath. Derbyniodd chwarter gwên yn ôl. Yr oeddent yn adnabod ei gilydd yn rhy dda: doedd dim angen i Molineux ddweud nad oedd ef, Heath, yn llwyr gredu ei eiriau ei hun.

Torrodd ar y tawelwch: "Mae 'na nifer o bethau yn eich stori chi, Godfrey, sy ddim yn gwneud synnwyr i mi... ond cyn hynny, gyfeillion: coffi? *Liqueurs?*"

* * *

"Felly," meddai Molineux, a'i bibell wedi ymgartrefu yng nghornel ei geg ac yn codi a disgyn ar ei ddannedd, "yr hyn sy gynnon ni ydi dau derfysgwr sydd wedi eu dal am wrthwynebu datblygiad sy ddim yn mynd i ddigwydd?"

Roedd Heath yn gyfarwydd â'r *pose* ffug academaidd y byddai ei ffrind weithiau'n ei fabwysiadu. Mynnai wisgo tei coleg Brasenose ac roedd yn siŵr ei fod yn modelu'i hun ar un o'i hen ddarlithwyr.

Gofynnodd Gregg: "Mae'r datblygiad arall, lleol, felly'n mynd ymlaen? Ydw i'n gywir? Ac mae hynny'n gwneud gwahaniaeth?"

Edrychai'r ddau arall ar Heath. "Peidiwch edrych arna i. Alla i ddim darllen meddwl y terfysgwyr."

"Go brin," meddai Molineux, "ein bod ni'n disgwyl hynny. Ond mi fuasen i'n disgwyl, gan eu bod nhw dan glo, eich bod chi'n gwybod (a) ydyn nhw'n gwybod am y cynllun lleol, os nad (b) ydyn nhw'n ei wrthwynebu."

"Mi fydda i'n derbyn y *transcripts* fory," meddai Heath, "o'r cyfweliadau â'r ddau. Efallai y bydd yna wybodaeth yn y rheini."

"Ers pryd maen nhw i mewn, felly?"

"Dydd Llun. Yng Nghaernarfon, gogledd Cymru. Ond y sefyllfa, o safbwynt y dystiolaeth sy gynnon ni yn eu herbyn nhw ydi, nad oes dim ots ydyn nhw'n gwybod am y cynllun lleol yma, ai peidio. Ond er mwyn i mi allu egluro, mae'n rhaid i mi eto dresmasu ar dir cyfrinachol."

Aeth ymlaen gan fwynhau'r gwrandawiad astud: "Mae gynnon ni ffrwydron – a pheidiwch," meddai gan droi at Gregg, "â dweud wrth Smyth!"

Chwarddodd Gregg yn nerfus, "Dim peryg."

"Dau *cache*, un wedi'i guddio yn y bryniau uwchlaw Lancross, a'r llall ger traeth ar Ynys Môn. Rydyn ni'n gwybod amdanyn nhw ers tair wythnos ac wedi'u cadw dan wyliadwriaeth pedair awr ar hugain. O ganlyniad, mae gynnon ni dystiolaeth bendant fod un o'r terfysgwyr yn gwybod am leoliad un ohonyn nhw."

Ond doedd Molineux ddim i'w drechu mor hawdd. "Pryd gawsoch chi'r dystiolaeth yna, ac a oedd hynny cyn, neu ar ôl i'r ffarmwr yna dynnu allan?"

"Alla i ddim dweud o 'nghof, ond dwi'n credu i'r ffarmwr dynnu'n ôl gynta."

"Ond os felly..."

"Os felly: dim byd, Dick. Fel y dywetsoch chi'ch hunan, mae'n dibynnu a oedd y terfysgwyr yn gwybod am hynny."

Daeth y gweinydd â'r coffi a'r caws a bisgedi ac wedi cael y rhain i drefn, ailafaelodd Molineux yn ei bib, a chraffu ar Heath: "Nid *chi* blannodd nhw?"

"Chwarae teg..."

"Arglwydd mawr, pwy soniodd am chwarae teg! Mae'n hen dric."

"Ddim y tro yma, beth bynnag. Rydw i wedi tshecio'r ffynhonnell fy hun."

"Beth oedd eu hansawdd nhw?"

"Dim problem. *Semtex Grade 1,* deunaw kilo, gyda'r *bits and bobs* i gyd hefyd. Yr un stwff yn union â'r IRA."

"Faint o dai fyddai hynny'n eu gwaredu?"

"Mae'n dibynnu sut maen nhw'n cael eu gosod, effaith tân ac ati."

"Dwsin o dai?"

"Efallai."

"Y cwestiwn dwi'n ei ofyn," aeth Molineux ymlaen, "ydi ai er mwyn eu defnyddio y plannwyd y ffrwydron?"

"Amhosib dweud."

"Sut clywsoch chi amdanyn nhw, felly?"

"O le da, fel dywedais i."

"Mi ro' i ganpunt ar y bwrdd na wnaethoch chi ddod ar eu traws nhw eich hunain."

Gwenodd Heath. Dyna'n union pam y byddai'n mwynhau ciniawa gyda Molineux: y cwestiynau lletchwith, angenrheidiol. "Mi gewch chi gadw'ch canpunt, Dick. Twrch yn ardal Caernarfon roddodd wybod i ni. Dyn parchus canoloed mewn swydd uchel mewn llywodraeth leol y cawson ni afael arno ddiwedd y chwedegau, pan oedd y Tywysog Charles yn fyfyriwr yng ngholeg Aberystwyth, cyn yr Arwisgo. Daethon nhw o hyd i ffrwydron yn ei fflat ond fe gafodd fynd yn rhydd ar y ddealltwriaeth y byddai'n ein helpu ni bob hyn a hyn."

"Asiant dwbwl felly?"

"Asiant sengl yn ôl ein bois ni. Yn naturiol mae'n cael ei wylio'n fanwl ers blynyddoedd. Mae'r cais cynllunio yn y gogledd, yr un ar y Menai Straits, wedi mynd tipyn pellach na'r un yn Lancross: y cyngor lleol wedi pasio'r cynllun amlinellol. Cyfarfodydd cyhoeddus o bob math wedi bod, a rhai llai cyhoeddus. Mae'n honni iddo fynychu un o'r cyfarfodydd cyfrinachol a chael y wybodaeth o fan'na."

"Rhaid nad ydi e'n cael ei wylio'n fanwl iawn felly."

Cododd Heath ei ysgwyddau. "Dyna'r cyfan wn i. Yr Adran Arbennig ŵyr y manylion."

Ond dal i gnoi ar ei bib a wnâi Molineux. Roedd y paneidiau coffi wedi'u hen wagio.

"Y cyfan ddweda i, Godfrey, ydi: gobeithio i'r Arglwydd bod gynnoch chi'r rhai iawn. Os nad y rhain ydyn nhw, yna does gynnoch chi ddim terfysgwyr – a does gynnoch chi ddim datblygiad, chwaith."

"Dyna," meddai Heath yn araf, "yr oeddwn i'n ofni y basech chi'n dweud drwy'r amser."

"Ar y llaw arall," meddai Molineux, "dydi pethau byth fel maen nhw'n ymddangos. Dyna un wers ry'n ni i gyd wedi'i dysgu erbyn canol oed. Mae'n bosib mai sgwarnog ydi holl fusnes y datblygu – o safbwynt y terfysgwyr, rwy'n feddwl. Efallai nad yno y mae eu gwir ddiddordeb nhw. Dydyn nhw ddim yn dwp. Mi allan nhw fod yn eich camarwain chi'n fwriadol. Fy nghyngor terfynol i chi, Godfrey, ydi dim ond hyn: cadwch eich llygaid ar agor. Cadwch wyliadwriaeth fanwl iawn ar bob targed posibl, ac ar bob *suspect* posibl. Ac os ca i fentro dweud, Godfrey: gwyliadwriaeth *fanylach* nag sydd gynnoch chi rŵan."

* * *

Gwyddai Godfrey Heath y byddai'n rhaid iddo roi ei ddyfarniad i Ivor Jones Parry erbyn pedwar o'r gloch drannoeth. Os oedd Dafydd Harris a John Hughes i'w cadw i mewn yn hwy na hynny, byddai'n rhaid paratoi dogfennau ffurfiol i'w cyhuddo o droseddau penodol. Daeth yr adroddiad fforensig o gwmpas amser te, a'r rhai telathrebol wedi pump o'r gloch. Y rhai olaf fyddai'r *transcripts* o'r cyfweliadau, wrth gwrs. Mynnai Parry eu cadw'n ôl tan y funud olaf rhag ofn y byddai yna dystiolaeth 'newydd' – ond esgus dros ddiogi oedd hynny, yr oedd Heath yn amau.

Gyda gwydryn o ddŵr ffynnon wrth ei benelin, astudiodd yr adroddiadau'n ofalus. Doedd dim tystiolaeth fforensig i gondemnio'r un o'r ddau: ychydig iawn o olion a adawodd pwy bynnag blannodd y ffrwydron. Fel y disgwylid, defnyddiwyd menig plastig a welingtons trymion a ddistrywiwyd, mae'n sicr, wedi'r weithred. Canfuwyd rhai llinynnau o wallt ond nid oeddent yn cyfateb. Yn naturiol, mewn tirwedd mor anial, doedd y tywydd o ddim cymorth chwaith.

Wedyn edrychodd ar yr adroddiadau telathrebol o Martelsham a Cheltenham, ac yn olaf yr adroddiad cyfrifiadurol o'u hadran fewnol yn Millbank. Mi fyddai wastad yn teimlo ychydig yn flin wrth dderbyn stwff oddi wrth 'hams yr Hams'. Er eu bod yn cyflogi mwy nag MI5 ac MI6 gyda'i gilydd, y cyfan y gallen nhw ei gynhyrchu oedd y *print-outs* cyfrifiadurol di-ben-draw 'ma heb eu chwynnu na'u dadansoddi'n iawn.

Roedd yr un ar Dafydd Harris yn rhestru ei holl alwadau ffôn a ffacs am y deuddeng mis diwethaf ac o leiaf yn nodi enw pob derbynnydd. Cymerodd ddeng munud iddo fwrw golwg dros yr enwau. Roedd Bill Owen, o'u hadran fewnol, wedi cael cyfle i farcio unrhyw batrymau arwyddocaol (e.e. y rhai i swyddfa arbennig yn Aberystwyth), ac ni welai ef bwrpas mewn trio tracio'r lleill. Diolch byth, doedd gan yr un o'r ddau fodem na chyfeiriad e-bost neu buasai'n rhaid disgwyl adroddiadau eraill eto.

Ni chyrhaeddodd yr adroddiad o'r cyfweliadau, a'r tapiau, tan fore Gwener. Darllenodd Heath nhw gan gadw cwestiynau Molineux mewn golwg. Yn anhygoel, ni holwyd nhw o gwbl am y cynllun datblygu lleol. Nid am y tro cyntaf, rhegodd Heath dwpdra'r heddlu cyffredin – ond efallai na wyddai Ivor Jones Parry ei hun am y cynllun. Os felly, ar bwy roedd y bai? Fe wyddai'r Heddlu Arbennig, yn sicr. Diffyg cyfathrebu, eto fyth. Gellid cadw'r ddau i mewn i'w holi'n fanylach am y pwnc ond go brin y gwnâi'r atebion wahaniaeth i'r penderfyniad yr oedd yn rhaid iddo'i wneud nawr: eu rhyddhau, ai peidio.

Mae'n dra phosib y buasai swyddogion iau a mwy diamynedd wedi penderfynu eu cadw nhw i mewn ar gyhuddiad fel cynllwynio gyda sylw arbennig i'r *chalet* yna a losgodd ACTU. Doedd yr un o'r ddau wedi canu eto, ond gyda mwy o bwysau, efallai y gwnaen nhw. Byddai'r bygythiad o achos Llys y Goron yn siŵr o grisialu'u meddyliau. Ond gohirio'r broblem fuasai hynny. Y cwestiwn sylfaenol yr oedd yn rhaid i Heath ei ofyn iddo'i hun oedd: ai'r rhain oedd y Milwyr?

Edrychodd eto dros eu ffeiliau personol a throseddol: Harris wedi cyflawni un drosedd gymhedrol ddifrifol, ond dim ond un achos o wrthod talu trwydded teledu yn erbyn Hughes. Sylwodd i'r ddau ohonynt gael addysg brifysgol yn yr un lle.

Cymerodd luniau'r ddau allan a'u rhoi ar ei ddesg. Defnyddiodd ei ddychymyg i asesu eu personoliaeth a'u diddordebau a'u bywydau dros y blynyddoedd diwethaf. Ni allai berswadio'i hun mai'r rhain oedd cnewyllyn y mudiad terfysgol, eithafol, penderfynol y buon nhw ar ei drywydd ers cyhyd. O'r ddau, Hughes oedd y mwyaf amheus ond yn ei erbyn ef yr oedd y dystiolaeth wanaf.

Wedi dod yn ôl o ginio ddydd Gwener, aeth drwodd i Gaernarfon ac o'r diwedd at Ivor Jones Parry.

"Gollyngwch nhw'n rhydd," gorchmynnodd Heath heb ragymadroddi. "Does gynnon ni ddim byd arnyn nhw. A byddwch reit neis ynglŷn â'r peth..."

"Yn rhydd? Alla i mo'ch credu chi! Does gynnoch chi ddim syniad... Wedi'r cyfan yr ydan ni wedi'i 'neud drwy'r wythnos, yr holl dystiolaeth rydan ni wedi'i chasglu – i gyd i ddim byd?"

"Na, nid yn hollol. Dy'n ni ddim wedi gorffen â nhw. Y rheswm dros eu rhyddhau nhw ydi er mwyn eu gwylio nhw. A'u gwylio nhw'n iawn, dwi'n feddwl: bedair awr ar hugain. Dwi am gael adroddiadau dyddiol o hyn ymlaen."

"Mwy fyth o blydi gwaith papur..."

"Mi allai'r rhain arwain at y Milwyr. Ond nid nhw ydyn

nhw, ydych chi'n deall?"

"Sut gallwch chi fod mor siŵr?"

"All neb ohonon ni fod yn hollol siŵr. Ond os ydw i'n anghywir – mi rhaffwn ni nhw i mewn eto. Hynny ydi, os na fyddwch chi wedi gadael iddyn nhw ffoi i Siberia neu Fongolia Allanol."

22. Chandlers

DRYSWYD y trefniadau ynglŷn â Siani wedi carchariad Dafydd. Yr oedd hi i fod yn Llangroes ar y dydd wedi ei ryddhau, ond gan na allai Dafydd wneud y trefniadau arferol ganol wythnos, gofynnodd i Ellis (a atebodd y ffôn) a allai hi ddod i fyny ar unwaith. Ffoniodd Menna'n ôl i ddweud na, ac ymhellach, nad oedd ganddi hi mo'r help ei fod yng ngharchar ac y dylai fod yn ddiolchgar ei bod hi ac Ellis yn gallu edrych ar ei hôl tra oedd i mewn. Syfrdanwyd Dafydd, eto, gan yr hyn a ystyriai yn agwedd ddiawledig o oeraidd ei gyn-wraig, ond wedi pedair noson ddi-gwsg mewn cell tamp, doedd ganddo mo'r nerth i brotesio.

Roedd Dafydd wedi colli gweld ei ferch am dair wythnos, felly, pan ddaeth Menna â hi i Langroes. Synnodd braidd iddi drafferthu i'w hebrwng yn bersonol, ond roedd gan Menna ei rhesymau. Ni wyddai Dafydd bod Menna am dreulio'r nos Wener gyda Lleuwen, a'i bod am drafod y cynnig o wyliau i Siani yn Llechen Las dros bythefnos olaf Awst fel y gallai hi fynd â hi i ynysoedd Groeg am y pythefnos cyntaf.

Roedd Lleuwen hefyd yn awyddus i drafod y datblygiadau yn Llangroes gyda Menna. Roedd Menna'n barod i roi clust i'w ffrind ac hefyd yn falch o'r cyfle i gael trafodaeth agored ar fater amhosib ei drafod yn gall gydag Ellis, a oedd mor groendenau'n ddiweddar ynglŷn ag unrhyw fater yn ymwneud â'i waith.

Roedd Ellis, ar y llaw arall, yn poeni fwyfwy am ei berthynas â Menna. Roedd yn amau'n gryf iddi ddal gwybodaeth am gynlluniau Deian oddi wrtho ar adeg go dyngedfennol, ond buasai'n siŵr o ffrwydro petai e'n meiddio ei chyhuddo o hynny. Penderfynodd mai'r peth doethaf fuasai gohirio trafodaeth ar y mater tan ryw nos Sadwrn rydd – a rhydd oddi wrth Siani.

Roedd hi'n ganol Mehefin, felly, cyn y gallodd Ellis archebu ei hoff fwrdd ym mwyty'r *Chandlers* ar bier Penarth. Gyda'r bwyd o'i flaen, y Bae islaw, a Menna, hyd y gwelai, mewn hwyliau da, penderfynodd Ellis fachu ar ei gyfle.

* * *

"Mae'n braf yntydi?" meddai Ellis. "Ond dwn i ddim pam, mae fel 'tai hi'n anos o hyd inni gael amser fel hyn efo'n gilydd..."

"Mwy o reswm i fwynhau heno. Rwyt ti'n iawn, does dim curo ar y lle yma: brafiach na'r *Wharf*."

Edrychodd Ellis ar draws y Bae at y fil o oleuadau bychain a befriai yn y tywyllwch. "Rydan ni wedi cael amserau da yma on'do? Wedi cael sawl syniad gwirion, sawl dadl wyllt."

"Ydi hynny'n mynd i newid?"

"Nac ydi, gobeithio..."

Gwyrodd Ellis ei wydryn yn erbyn un Menna. "Dwn i ddim, mae'r amserau yna'n mynd yn brinnach, rywsut. Rydan ni mor ddiawchedig o brysur ein dau. Ac mae diwrnod arall o'r wythnos wedi llithro o'n gafael ni, a ninnau heb erioed drafod y peth... Ydi hyn yn barhaol, neu dros dro? Roeddet ti'n arfer dod yn ôl bob nos Iau."

"Wedi blino'n rhacs ac mewn hwylie drwg. Dyna sy'n dy boeni di?"

"Ond roedd hi'n noson i ni'n dau."

"Fawr o noson, oedd hi? Dwed y gwir. A pha mor aml oeddet ti i mewn?"

"A dyna Siani. Os oes gen i rywbeth ymlaen, mae'n rhaid imi 'neud trefniadau gwarchod. Ac mae'n noson arall iddi heb ei mam."

"Ond mae'n iawn i ti fod allan?"

"Na, dwi ddim yn dweud ei bod hi'n iawn."

Ochneidiodd Menna gan ymosod ar ei phlatiad o fwyd môr. "Rwy'n gweld dy fod ti'n benderfynol o sbwylio'r noson."

"Mae'n rhaid inni drafod hyn rywbryd. Dydi hi ddim yn hawdd i'r un ohonon ni. Does yr un ohonon ni'n fwy euog na'r llall. Siani sy'n ei chael hi waetha."

Dywedodd Menna'n wan: "Rwy'n gwneud 'y ngore, Ellis, cred ti fi... felly beth wyt ti'n awgrymu?"

"Dy fod ti'n dod adre nos Iau – dyna i gyd."

Dododd Menna ei chyllell yn swnllyd ar draws ei phlât. "Falle dy fod ti'n iawn. Falle y dylen ni wynebu ffeithie."

"Ynglŷn â beth?"

"Siani wrth gwrs. Beth bynnag wnawn ni neu na wnawn ni, hi, yn y diwedd, fydd yn penderfynu ymhle, a gyda phwy, y bydd hi'n byw."

"Ond Menna: mae hynny dair neu bedair blynedd i ffwrdd! A p'run bynnag, ro'n i'n meddwl ein bod ni wedi cytuno mai gyda ni y bydd hi. O leia, ein bod ni'n gwneud popeth posib er mwyn hyn. Er mwyn iddi gael mam a thad yn hytrach nag un rhiant..."

"Wel," meddai Menna, "dydi Dafydd dim yn eunuch, ydi e? Beth petai e'n ailbriodi?"

Bu tawelwch anghysurus.

"Felly mae'n amlwg dy fod ti wedi newid dy feddwl."

"Dim ond trio bod yn realistig – er ei lles hi..."

"Ac mi fydd o er ei lles hi i golli ei mam?"

"Wir, paid â bod mor felodramatig. Fydd yna ddim torri cysylltiad, gobeithio. Rwy am wneud popeth drosti: mae'n ferch i mi. Ond y ffaith ydi na ellith hi ddim byw gyda'i dau riant naturiol – ac mae pob plentyn yn gadael y nyth yn hwyr neu'n hwyrach."

"Mae hynny'n wahanol, ac yn y dyfodol. Ond y sioc mwya ydi, nid dy glywed di'n dweud hyn, ond 'i ddweud o mor sydyn."

"Ti sy wedi mynnu troi'r pryd yma'n seiat holi, nid fi."

"Ond petawn i heb, pryd fuaset ti wedi sôn? Mae rhywbeth wedi digwydd, Menna. Mi fuasen ni wedi trafod peth fel hyn o'r blaen yn hollol agored a naturiol."

"Ond ry'n ni *wedi*'i drafod e gannoedd o weithie, Ellis – hyd at syrffed."

Sychodd Ellis ei dalcen â'r napcyn: roedd hi'n dwym yn y bwyty er gwaetha'r wyntyll fawr Singaporaidd.

"O'r gore. Ond mater nos Iau. Mae'n golygu dy fod ti i ffwrdd dair noson yr wythnos: dyna bedwar dydd allan o bob saith."

"Gwranda, Ellis," meddai Menna, yn dechrau colli amynedd. "Nid fi ddewisodd ochor Llundain y gwaith, fel gwyddost ti'n dda iawn. Ro'n i wastad eisie gweithio yng Nghaerdydd, yma yn y Bae. Ond os oes raid gwneud y gwaith, cystal 'i wneud e'n iawn. Ac mae'n golygu 'mod i'n gallu cael apwyntiade yn hwyr pnawn Iau a bore Gwener."

"Ac mae hynny'n hollol angenrheidiol, ydi o?"

"Ydi, mae'r gwaith yn cynyddu fel ry'n ni'n gneud mwy a mwy o'r hyrwyddo ein hunain. Ond mae'n fwy na hynny. O'r diwedd, ac yn ara bach, mae pethe'n dechre dod at 'i gilydd. Rwy'n dechre ffindio'n ffordd o gwmpas, dechre dod i nabod pobol."

"Gregg? Trwy Gregg?" cyfarthodd Ellis.

"Mae e wedi 'nghyflwyno i bobol yn yr asiantaethau ac mae un peth yn arwain i'r llall ac mae cael nos Iau yn lleihau'r straen. Rwy'n gweithio'n well ac rwy hyd yn oed yn hapusach. Gan dy fod ti mor sensitif, wyt ti ddim wedi sylwi ar hynny hefyd?"

"Os wyt ti'n dweud..."

"Felly gawn ni enjoio'r bwyd nawr?"

Oedd, roedd yn rhaid i Ellis gyfaddef iddo gael y teimlad ei bod hi, yn ddiweddar, rywsut yn fwy bodlon – ond hefyd yn fwy hunangynhaliol. Doedd e ddim yn rhan o'r peth. Oedd yna rywun arall? Wrth iddynt fwyta mewn tawelwch, mynnodd y posibilrwydd yna dyfu fel madarch gwyllt yn ei ben. Gallai drafod busnes Llangroes eto: roedd yn rhaid cael hyn allan o'r ffordd yn gyntaf.

Yr oeddent ar y melysfwyd pan blymiodd Ellis i'r dwfn. "Menna: mae'n rhaid imi ofyn un peth iti. A dwi'n teimlo'n

reit ryfedd yn gorfod 'i ofyn o gwbwl..."
"Wel?"
"Roeddan ni'n trafod y mater nos Iau 'ma ac mae'n amlwg o'r ffordd rwyt ti'n siarad 'i fod o'n mynd i fod yn beth parhaol. Wel, dwi wedi dweud nad ydw i'n hapus efo'r syniad, ond dwi'n ei dderbyn o, os wyt ti'n dweud 'i fod o'n gwneud bywyd gymaint yn haws iti."
"Ydi, ac i Delw."
"Digon teg. Ac rwyt ti'n gyffredinol hapusach, fel rwyt ti'n dweud..."
"A be sy'n bod ar hynny?"
"Rydan ni ddynion, dwi'n gwybod, yn aml yn euog o roi dau a dau efo'i gilydd i 'neud pump..."
Edrychodd Menna'n syn arno.
"Wel be fuaset *ti'n* meddwl petawn *i* i ffwrdd bob nos Iau ac, wel, yn 'gyffredinol hapusach'?"
Roedd hi bron â dweud y buasai'n uffernol o falch, ond daliodd ei thafod.
"Rydan ni wastad wedi credu mewn bod yn onest efo'n gilydd yntydyn ni? Menna: wyt ti'n gweld rhywun?"
"Beth?"
"Felly mi rwyt ti? Gwell gen i gael y peth allan..."
Wedi saib angenrheidiol o theatrig, meddai Menna: "Wel, os wyt ti'n mynnu: ydw."
Gollyngodd Ellis ei anadl; cwympodd y llwy yn flêr ar draws y plât.
"O'n i'n blydi amau," sibrydodd. "Dwi'n blydi naïf yntydw?"
"Wyt, Ellis," atebodd Menna'n llon.
Mewn islais brwysg, gofynnodd: "Blydi Gregg?"
"Dim diolch!"
"Wel pwy ydi o?"
"Dim *fo* ydi e."
"Beth yn y blydi byd..."
"Rwy'n gweld merch."
"Ond... ond hels blydi bels dwi ddim mor wael â hynny

gobeithio."

"Ddim wastad..."

Gwylltiodd Ellis. "Rwyt ti'n chware rhyw blydi gêm wirion rŵan. Pwy ydi hi a be sy'n mynd ymlaen rhyngoch chi? Deud y stori'n strêt, Menna."

"Ilse ydi ei henw hi ac ry'n ni'n cwrdd mewn clwb iechyd yn Kensington bob nos Iau ac ry'n ni'n ffrindie ac yn cael lot o hwyl gyda'n gilydd a dyna i gyd!"

"Ie, ond..."

"Ond be?"

"Wel, pam nos Iau i ddechrau? Oes raid iddi fod yn nos Iau?"

"Na, does dim *rhaid*, am wn i. Dyna pryd rwy'n teimlo fwya fel ymlacio: diwedd 'yn wythnos waith i yn Llundain."

"Ie..."

Edrychodd Menna allan trwy'r ffenest ac yfed ei gwin yn araf.

"Wel – ydi'ch perthynas chi'n... gorfforol, 'lly?"

"Dwi'n methu credu hyn... God, Ellis, mae 'na ran ohonot ti sy'n perthyn i'r Flintstones. Os oes 'na rywbeth yn bod ar ein perthynas ni, rwy'n meddwl y dylet ti edrych arnat dy hunan yn gynta."

Bwytaodd Ellis ei *gâteau* mewn tawelwch. Gwell iddo adael pethau yn union fel roedden nhw, a gohirio Unrhyw Fater Arall tan rywbryd eto.

"Pa adnoddau sy'n y clwb 'ma? Dwi wedi bod yn meddwl ers tro y dylwn i ymuno â rhyw glwb neu *gym* fy hun. Rydw i'n rhy hen i boitsho efo ryw sgio dŵr a phethau felly, ond mae angen rhywbeth ar yr hen gorpws. Beth wyt ti'n feddwl o'r syniad o gael rhyw 'stafell *gym* yn 'yn lle ni yn y Watershed? Buasai'n gwneud lles i bawb, llacio tensiynau, a be fasa fo'n costio, cwpwl o filoedd?"

"Dyna dy awgrym calla di heno, Ellis..."

* * *

Ar y pnawn Llun cyntaf yng Ngorffennaf cynhaliodd cyfarwyddwyr Delw, fel arfer, eu cyfarfod ariannol misol. Fenwick fyddai'n teyrnasu dros y rhain a byddai'n dechrau drwy roi darlun cryno o'r sefyllfa fenthyg a'r llif gwaith ar droad y mis cynt. Doedd yr olygfa ddim yn heulog, a doedden nhw ddim yn disgwyl iddi fod. Roedd y cwtogi a'r ad-drefnu yn y sector gyhoeddus yn parhau, ac roedd cwsmeriaid eraill yn ailedrych yn feirniadol ar eu gwariant PR. Roedd rhai'n trefnu i wneud y gwaith yn fewnol, eraill yn rhoi rhan o'r gwaith allan i dendr. Roedd y cwmni bychan o Aberystwyth, Exit, yn elwa o hyn, a Delw'n dal i waedu.

Crynhodd Fenwick y sefyllfa: "Oni chawn ni gontractau newydd, da yn fuan, bydd yn rhaid inni docio'n costau ac ystyried diswyddo; a phetai'r sefyllfa'n dal i waethygu, byddai'n rhaid inni edrych ar ein tenantiaeth o'r adeilad yma."

"Be?" ffrwydrodd Ellis. "*Symud?*"

"Na, ond mi allen ni is-osod rhan o'r llawr. Ein rhent i British Ports yw'r gost unigol fwyaf ar wahân i gyflogau. Dy'n ni ddim wedi cyrraedd y pwynt yna eto, ond mi ddaw'n gyflym os bydd y graff trosiant yn dal i blymio. Rhaid i ni hefyd ystyried y fantolen. Does gynnon ni fawr iawn o asedau capital. Yn dechnegol, mi allen ni fod yn masnachu'n anghyfreithlon."

Roedd Ellis yn gyfarwydd â phesimistiaeth Fenwick. Fel yr unig gyfarwyddwr anghynhyrchiol yr oedd yn rhaid iddo gael ei lwyfan a'i wrandawiad; amheuai ei fod hyd yn oed yn cael pleser o beintio'r darlun du. Ond gadawodd y cyfarfod yn is ei ysbryd nag arfer. Roedd yn *rhaid* dod â mater Smyth i ben. Roedd ei £20,000 yn dal i losgi yn ei waled, a'r posibilrwydd o golli'r cyfan ddiwedd Gorffennaf yn un real iawn. Ac roedd yn rhaid dod â mater Telewales i ben hefyd: chawsai erioed gyfle i redeg ar ôl y blydi gwleidydd Llafur yna.

* * *

"Os ydi Gregg yn cynnig, does dim pwynt i ni," meddai wrth Menna y noson honno.

"Ie, 'cydweithio'!" aeth Ellis ymlaen, yn pwyso'n ôl yn y soffa. "Pwy mewn difri sy'n twyllo pwy? Ond wela i ddim ffordd arall o handlo Telewales. Mae'r amser yn rhy fyr, y buddsoddiad ariannol yn rhy drwm inni wneud y peth ein hunain. Rhaid i ni wneud cynnig ar y cyd efo Gregg. Rhaid i mi fynd i'w weld o – jyst fi a fo, neb arall – a sortio'r peth allan unwaith ac am byth."

"Ti'n iawn," meddai Menna. "Mae e wedi bod yn fishi yn meithrin y cysylltiadau personol. Dyna pam aeth e i'n derbyniad ni yn y Dorchester: i lyfu staff Telewales."

Roedd y teledu wedi'i ddiffodd – ni allai'r un ohonynt ddiodde gwylio mwy. Roedd Menna'n mwynhau Martini, ac Ellis yn arbrofi â chwrw ysgafn o Alsace yr oedd newydd ei ddarganfod yn Tesco ac yn ei yfed yn syth o'r botel. Cystal amser â dim, tybiodd Ellis, i godi mater Berry Homes.

"Mae Berry Homes hefyd yn llithro drwy'n dwylo ni," aeth ymlaen. "Can mil y flwyddyn o golled os na chawn ni gytundeb llawn; hanner hynny rŵan."

Ddywedodd Menna ddim.

"Fe soniodd o wrthat ti am Langroes yn' do? Gregg?"

"Iechyd, fe wedes i hynny wrthot ti oesoedd yn ôl."

"Ond ddywedaist ti ddim byd am gynllun Deian?"

"Wrth gwrs do fe! Ydi dy gof di'n pallu?"

"Ond nid pryd hynny. Nid yn y pythefnos tyngedfennol yna rhwng cael cytundeb Smyth a'i golli. Roedd Deian yn gweithio drwy'r amser i danseilio cynllun Llangroes, ac mae o wedi llwyddo wrth gwrs. A dyna pam mae Smyth wedi rhwygo'n cytundeb ni i fyny."

Taflodd y botel gwrw i'r fasged a thynnu top un arall.

"Wel, oeddet ti'n gwybod?"

Cododd Menna'i hysgwyddau ac estyn am y zapiwr teledu.

"Paid – dwi isio cael hyn allan..." Pwysodd yn erbyn y silff lyfrau a chwifio'r botel â'i fraich dde.

"Ellis, mae'n well iti gwlio lawr neu mi fyddi di'n dyfaru."

O dan effaith y cwrw, ynghyd â rhwystredigaethau'r dydd a'r penwythnos, aeth Ellis ymlaen yn anarferol o ymosodol. "Dwn i ddim wyt ti'n sylweddoli pa mor dynn ydi hi'n ariannol. 'Dan ni'n colli cyfri ar ôl cyfri, a dim achos dim rydan ni'n 'neud o'i le. Gawson ni gyfarfod cyfarwyddwyr y bore 'ma. I fod yn hollol blaen, rydan ni mewn *deep shit*. Os nad ydi petha'n gwella'n fuan iawn, mi fydd yna doriadau staff, a gwaeth..."

"Mae'n ddrwg 'da fi glywed. Ro'n i'n amau hyn ers meityn."

"Yn hollol. Roeddet ti'n gwybod hynny, hefyd."

"Ond roeddet ti'n dweud o hyd bod popeth yn ffein."

"Ta waeth, mi roedd yna gyfnod o rai wythnosau ddechrau mis Mai pan allsan ni fod wedi troi popeth rownd. Gallasen ni fod wedi melysu'r dyn Lewis yna, a gwneud pethau eraill."

"Fel, er enghraifft?

"Wel mae'n debyg y gallsan ni hyd yn oed fod wedi medru cael Morse ar ein hochor ni."

"Chlywes i erioed shwd rwtsh."

"Wel – os na – mi allasen ni fod wedi newid ochrau. Ond do'n i ddim yn gwybod ar y pryd, o'n i? Doedd gen i ddim syniad am hyn – ond mi roedd gen ti, Menna. Mae'n rhaid dy fod ti, a gwraig Deian yn ffrind gora iti. Mae'n rhaid 'i bod hi 'di deud, os nad oeddat ti wedi gofyn."

"Beth: dweud am un o gynllunie cyfrinachol, proffesiynol ei gŵr hi? 'Da ni bethe lot mwy diddorol i'w trafod, cred ti fi."

"Felly rwyt ti'n gwadu dy fod ti'n gwybod dim."

Meddai Menna'n ofalus: "Beth yw'r gwahaniaeth? Achos hyd yn oed petawn i'n gwybod, fasen i ddim wedi dweud."

"Wyt ti'n dweud hynna o ddifri?"

"Wrth gwrs."

"Wyt ti'n gwybod beth ydi oblygiadau hyn?"

"Rwy'n gwybod beth ydi oblygiadau cydweithio â Smyth a defnyddio tactegau mochaidd i ladd gwrthwynebiad democrataidd. Gwaeth na *deep shit* ariannol ydi *deep shit* moesol."

"Felly mi wnest ti benderfyniad o flaenoriaethau moesol."

"Do."

"Felly *roeddat* ti'n gwybod."

"Beth yw'r gwahaniaeth? Rwy'n cymryd cyfrifoldeb llawn beth bynnag."

"– O gymryd penderfyniad, heb yn wybod i mi, a allai olygu diwedd Delw?"

"Os ydi parhad Delw'n dibynnu ar waith brwnt – ydw."

Cerddodd Ellis at y ffenest, a cherdded yn ôl. "Felly mae o'n waith brwnt ydi o? Diolch yn fawr am dy ddyfarniad – ond beth ydi'r gwaith? Beth ydi o, ar ddiwedd y dydd, ond joban PR? Ac os ydi o'n 'frwnt', falla bod PR 'i hun yn 'frwnt'. Neu wyt ti tan heddiw wedi byw bywyd hollol bur a glân?"

"Rwyt ti'n malu awyr eto. Mae hyn yn wahanol ac rwyt ti'n gwybod 'ny."

"Ond ydi o?"

"*Come off it*, Ellis. Ydi Gregg ddim wedi dangos iti ei *shopping list* bach hyll o 'awgrymiade'?"

"Gregg, ia? Rŵan dwi'n dechrau deall."

"Felly mae'n wir?"

"Be sy'n bod arnat ti – *gwir?* Wrth gwrs ei fod o wedi cynnig rhai syniada sbel yn ôl ond mynd trwy'r moshwns oedd o, dyna i gyd. Ond beth wyt ti'n 'i ddweud ydi, am ei fod o'n dod wrth oddi Gregg, mae o'n frwnt?"

"Na, nid am ei fod e'n dod oddi wrth Gregg..."

Aileisteddodd Ellis yn y gadair wiail, a cheisio ymdawelu. "Reit 'ta, dydi'r gwaith ddim yn frwnt am ei fod o'n wleidyddol. 'Dan ni'n cytuno ar hynny o leia, gobeithio. Achos dyna lein Gregg, yntê: gwaith gwleidyddol..."

"Ie, gwaith pwyso, lobïo..."

"... ar y sustem, ar wleidyddion, ar weision sifil, ac ar y cyhoedd – fel 'dan ni'n gneud, wrth gwrs. Rŵan ble mae'r llygredd moesol? Ai'r gwahaniaeth ydi'r cwsmer? Rhwng gweithio i Smyth a, ddywedwn ni, i Deian Morse? Ydi gweithio i un yn foesol gachlyd, ac i'r llall yn bur fel nant y mynydd? A'r ddau yn codi'r un tai?"

"Dyw e ddim mor syml â hynny. Mae'r ddau gynllun yn wahanol hefyd."

"O, ydyn nhw? Ond pa mor wahanol? Un ffordd neu'r llall, mae 'na stadau anferth o dai newydd i'w codi yn Llangroes. Yn eu sgil nhw, mi fydd cwmnïau Cymraeg yn cael gwaith ac yn eu plith nhw mi fyddwn ni neu mi fydd Deian Morse. Be 'di'r gwahaniaeth pwy?"

Ffliciodd Menna drwy ryw gylchgrawn tra oedd Ellis yn parhau i daranu.

"Reit 'ta, anghofiwn ni am hynna i gyd. Mi wnawn ni ddeud dy fod ti'n iawn, bod 'na rywbeth moesol annymunol ynglŷn â gwaith Smyth. Ond mae yna bethau eraill i'w rhoi yn y dafol, on'd oes, cyn y gallwn ni fforddio'r *luxury* o roi dedfryd? Pethau fel y cwmni yma, Delw – am ei werth – ac efalle nad ydi o o werth mawr iawn. Ond petai o'n mynd dano, meddylia'r bywyda fasa'n cael eu chwalu, y trasedïa bach unigol, y teuluoedd a'r priodasau fasa'n diodda i ddechrau, heb sôn am y golled i'r wlad. Wel, dwi'n gobeithio y basa rhywun, rhywle yn gweld bywyd Cymru ryw 'chydig bach yn dlotach ar 'yn hola ni. Ydi hynny i gyd ddim yn cyfri am rywbeth? Ddylia hynny gael ei roi yn rhywle yn y llyfr cownt? Neu ydw i wedi wastio'r ugain mlynadd diwetha 'ma?"

Cododd Menna ei llygaid o'r cylchgrawn. Pan oedd hi'n hollol siŵr ei fod wedi gorffen, meddai: "Y pwynt ydi, os ydi holl ddyfodol Delw'n dibynnu ar gael un cytundeb amheus, wel, does 'na ddim lot o ddyfodol iddo fe beth bynnag, oes e?"

Cododd Ellis a cherdded yn araf tua'r ffrij, yna arllwys sudd ffrwythau a iâ i'r ddau ohonynt. Roedd yn dawelach ei dymer pan ddaeth yn ôl.

"Falle 'mod i wedi myllio braidd heno 'ma. Dwi ddim yn siŵr pam. Straen mae'n debyg. Dwi chwaith ddim yn siŵr ydw i'n anghytuno, gymaint â hynny, efo dy agwedd di at Smyth na hyd yn oed at ei waith o. Bastard o ddyn ydi o, yn bwldozio pawb sy'n ei ffordd o. Falle mai beth sy'n 'y nghorddi i, neu'n fy siomi fi 'chydig bach, yw na wnest ti ddim dweud dim byd. Na wnest ti ddim trafferthu i'w drafod o gyda mi, ar adeg pan wyddet ti ei fod o'n bwysig. Fe gadwaist ti'r cyfan i ti dy hun."

"Do'n i'n gweld dim i'w ennill, ar y pryd, o godi cnec am rywbeth o'n i'n deall cyn lleied amdano, nad o'n i ddim am ddeall mwy amdano, ac nad o'dd ddim busnes i fi beth bynnag."

"Wel ie, ond…"

"Ond beth?"

"Wel mi allen ni fod wedi penderfynu gyda'n gilydd oedd o'n bwysig. Oedd gen ti wir cyn lleied o ddiddordeb?"

Bu tawelwch, yna meddai Menna: "Dwy' ddim am dy frifo di wrth ddweud hyn, ond dwy' ddim am fod mewn perthynas lle mae'r naill bartner a'r llall yn teimlo rheidrwydd i rannu pob teimlad, pob syniad, pob amheuaeth fach – heb sôn am gael yr un farn ar bopeth."

"Ond dwi'n cytuno'n llwyr, Menna," meddai Ellis yn daer. "Dydw i, chwaith, ddim isio'r math yna o berthynas ddibynnol. Ond dwi'n digwydd bod yn gyfarwyddwr cwmni, a chdithau'n cyd-fyw gyda mi, yn gweithio i'r un cwmni; nid mater personol oedd hyn ond un masnachol hefyd."

"Doedd 'da fe ddim byd i'w wneud â'n job i."

Hoeliodd Ellis ei lygaid arni. "Mae'n golygu mwy iti, yndydi? Llangroes?"

"Na, nid Llangroes fel y cyfryw."

"Mae 'na rywbeth ynglŷn â'r lle yna – rhywbeth nad wyt ti byth wedi'i adael ar ôl?"

"Nonsens, Ellis."

"Tybed? Rydyn ni'n dau yn bownd o fod yn cario rhyw gymaint o *baggage* o'n hen briodasau, beth bynnag ddwedwn ni'n agored, neu wrthyn ni'n hunain hyd yn oed. Mae Dafydd a Molly wedi, wel, helpu i'n ffurfio ni fel yr ydan ni a phetait ti'n deud wrtha i rŵan fod y cynllun yna'n gneud drwg i Langroes ac yn gneud drwg i Dafydd, ac na allet ti 'i gefnogi o heb fradychu dy orffennol dy hun, – wel mi faswn i'n derbyn hynny ac hyd yn oed yn parchu hynny."

"Nid dyna oedd e."

"Felly beth?"

"Dim byd..."

"Mae hwnna'n atab hurt."

Ond i Menna, roedd rhywbeth ychydig yn druenus yn y ffordd yr oedd Ellis yn mynnu ei deall, mynnu ei chynnwys, mynnu rhesymu popeth, mynnu gwybod pethau nad oedd hi'n siŵr ohonynt ei hunan.

Meddai hi o'r diwedd: "Basen i'n falch i allu teimlo'n fawrfrydig at Langroes, ond dydw i ddim. Rwyt ti ar y trywydd anghywir – neu falle nad oes 'na ddim trywydd."

Cododd yn dawel a throi tua'r llofft, gan adael Ellis wrtho'i hun. *Does dim trywydd?* meddyliodd Ellis. Beth yn y byd mae hynny i fod i'w feddwl?

23. Wolverley Court

Roedd gan Sam Smyth dŷ mewn stad ddethol ar gyrion Caer, ail dŷ ym mhentref Strathkinnes ger St.Andrews, ac ail gartref yng nghlwb golff Wolverley Court, yn y coedwigoedd i'r gorllewin o Gaer.

Yno y byddai'n ffoi i gipio rhai oriau o hamdden oddi wrth broblemau ei swyddfa yng nghanol y ddinas – a chael amser i ailedrych yn fwy hamddenol ar yr un problemau, naill ei ar ei ben ei hun, neu mewn trafodaeth â'i gyd-aelodau. Y tu mewn i'r adeilad amlystafellog, ffug-gastellog roedd yna fariau braf, cyfleusterau arlwyo a chynadledda, ac adnoddau swyddfa modern. Y tu allan roedd clwb golff gorau'r sir.

Ond anaml, y dyddiau hyn, y byddai Smyth yn cydio yn ei ffyn golff. Roedd ganddo lawer ar ei feddwl, a chyflwr y diwydiant adeiladu fel yr oedd. Roedd miliynau o bobl wedi canfod eu bod yn byw mewn tai sy'n colli eu gwerth, a'r galw am dai newydd yn crebachu er gwaethaf ystrywiau'r Canghellor a holl ymdrechion y cymdeithasau adeiladu i demtio prynwyr tro cyntaf. Aeth cannoedd o gwmnïau adeiladu i'r wal a gorfu i Berry Homes gau rhai o'u his-gwmnïau. O safbwynt Smyth, felly, roedd y broblem o gael caniatâd i ddatblygu stadau newydd yng Nghymru yn ddim ond rhan o'r broblem ehangach o sicrhau llif cyson o waith i safn draflyncus y cwmni.

Nid am y tro cyntaf, teimlodd na allai fforddio cymryd pythefnos lawn o wyliau, ond roedd Vicky, ei wraig newydd, ifanc, yn benderfynol o gael ei ffordd.

"Yr unig dŷ s'gynnoch chi ddiddordeb ynddo," meddai, " 'di un heb ei godi! Gynnoch chi dŷ bendigedig yn yr Alban a 'sgynnoch chi ddim syniad beth i'w wneud ag e. 'Dach chi heb fod yn agos ers y 'Dolig."

"Braf gwybod ei fod o yno," meddai Smyth yn amyneddgar. "Mi gawn ni ddigon o gyfle eto. Mae'n anodd ar y funud, dyna i gyd."

"Os nad ydan ni'n mynd mis Awst, Sam, yna dwi'n mynd fy hun."

"Mi fyddwch chi'n *bored to death* mewn pentre fel'na."

"Pentre? Pa bentre? Yn St. Andrews fydda i yn y clybiau: dim prinder *sugar-daddies* yn y Royal and Ancient, Sammy bach."

Gwyddai Smyth fod y gosodiad yna'n rhy wir, a dyna pryd y cafodd y syniad o ddefnyddio helicopter i fynd i'r Alban. Weithiau byddai'n defnyddio awyren breifat o'r maes awyr ger Penarlâg i fynd i seit adeiladu go bell. Ond byddai un o helicopters Airgo, cwmni o Runcorn, yn haws y tro hwn. Roedd Bellis, pennaeth Airgo, yn aelod o'r clwb beth bynnag. Byddai'n arbed dydd hir a hunllefus ar y drafffordd – ac wrth gwrs mi allent adael o'r caeau ger y clwb. Ffoniodd Bellis i gael helicopter i Glwb Golff Wolverley Court erbyn hanner awr wedi dau ar bnawn dydd Gwener olaf Gorffennaf.

Doedd dim modd bwrw'r amser ymlaen – gwnaeth Vicky'n siŵr o hynny – ond yr oedd Smyth wedi llwyddo i drefnu un cyfarfod busnes olaf ar gyfer deuddeg o'r gloch y Gwener hwnnw, yn y Clwb. Byddai'r cyfarfod gydag un Ken Cuttle, yn awr o Langroes, gynt o Bilston.

Yr oedd problem Llangroes, er gwaethaf popeth, yn dal i chwarae ar ei feddwl. Roedd e'n un o'r *deals* gorau a gawsai erioed, ond roedd pob synnwyr yn dweud bod y sefyllfa, bellach, yn anobeithiol. Ni welai fawr o obaith o gyfeiriad Ellis Meredith, a'r Morgan Lewis yna wedi'i rwydo i mewn i ryw *coterie* lleol. Y peth call fyddai anghofio am y cyfan, a rhoi'r golled – a mwy – yn erbyn treth.

Ond allai e ddim. Ai gwrthod cydnabod yr oedd e ei fod wedi'i drechu a'i dwyllo – gan y Cymry, a chan y Saeson siwtiog o Lundain? Ai greddf yr *outsider* oedd e, styfnigrwydd y bachgen bach gwydn a fagwyd yn strydoedd cefn y Wlad Ddu?

Roedd wedi trio troi'r sgriw mor dynn ag y gallai ar Atkins, ond heb ganlyniad. Dim ond y caeau yna oedd i'w datblygu yn Llangroes – y rhai ynghanol y pentref, a doedd e "ddim wedi derbyn cais" gan y grŵp arall eto. Roedd y syniad o drio torri i mewn i'r grŵp yna yn hollol wallgo, wrth gwrs – nes iddo ddarganfod, o ganlyniad uniongyrchol i'w styfnigrwydd a'u ddulliau ymchwil trwyadl, mai enw un ohonynt oedd Ken Cuttle. I'w lawenydd, darganfu ei fod hefyd yn hanu o'r Wlad Ddu a dyfalodd ei fod ychydig yn hŷn nag ef, a mwy na thebyg yn olffiwr.

Fe'i gwahoddodd i'r Clwb nifer o weithiau ond gohirio a wnâi Cuttle bob tro. Pwysleisiai Smyth eu cefndir cyffredin, natur gwbl anffurfiol y cyfarfod, gwychder y Clwb ac ati – ac ildiodd o'r diwedd gan gytuno i ddod i'w weld rai oriau cyn iddo hedfan i'r Alban.

Roedd Smyth wedi ymgartrefu yn y brif lolfa gyda'i *brief-case*, a'i *chauffeur* eisoes wedi gollwng ei wraig a'i holl fagiau a thrugareddau yn y Langdon Lounge, yr unig far cymysgrywiol. Byddai hi'n mwynhau cinio gwlyb, estynedig gyda'i ffrindiau tra byddai ef yn rhoi cynnig olaf ar gracio problem Llangroes. Pe bai yna bosibilrwydd o achub rhywbeth o safn y saga trychinebus yna, mi fyddai'r toriad yn St. Andrews cymaint â hynny'n felysach.

Gwenodd yn dawel pan gododd ei lygaid a gweld, drwy'r ffenest lydan, Jag llwyd Ken Cuttle yn llithro heibio i'r colofnau Corinthaidd a rychwantai fynedfa'r Clwb. Roedd Smyth yn gwybod fod Cuttle yn gwybod ei fod yn dod i un o glybiau golff mwyaf dethol Prydain Fawr, ac un o'r rhai anoddaf i ddod yn aelod llawn ohono. Roedd e hefyd yn siŵr o synhwyro nad oedd ef, Smyth, yn brin o ddylanwad ar y pwyllgorau rheoli ac aelodaeth...

* * *

"Croeso i'r Clwb!" meddai Smyth gan wasgu llaw ei westai. "Mae gen i fwrdd fan draw. Mae'n braf cael cyfarfod o'r diwedd."

"Diolch am y gwahoddiad. Rwy wedi clywed llawer am y lle."

"Mae yna *lunch* ysgafn ar y ffordd: chewch chi mo'ch siomi. Dwi mor falch eich bod chi wedi gallu dod, Ken."

Eisteddodd Cuttle ger y bwrdd gyda'i olygfa dros gaeau gwyrddion y cwrs. Daeth gweinydd yn y man i gymryd eu harcheb am ddiodydd. Tra edrychai Cuttle yn edmygus o gwmpas y waliau, y trawstiau derw, y lluniau, y tarianau a'r carw pensyfrdan ar y pentan, daliodd Smyth ar y cyfle i asesu ei westai: dyn tenau, gwallt rhy hir, siwt rhy lac, wats Rolex rhy fawr am ei arddwrn main, sgidiau platfform, a mwstás tenau wedi'i glipio. Nid golygfa i lonni ei galon: nid dyn o'r calibr yr oedd wedi'i obeithio.

Ymsuddodd Cuttle i'r moethusrwydd a dweud mor braf oedd gwybod nad oedd peryg y dôi yr un *'bloody nigger'* yn agos i'r fath le â hwn.

"Dyna un broblem 'sgynnon ni mohoni."

"Ro'n i'n falch i adael y Midlands. Maen nhw wedi cymryd y lle drosodd. Wir i chi, dwi'n llefain yn y nos wrth gofio am Bilston fel roedd hi yn ôl yn y pumdegau. Roedd yna gymuned glòs, ond mae hynny i gyd wedi diflannu."

"Felly sut mae Cymru'n cytuno â chi?" holodd Smyth.

"Dim blydi *niggers* o leia."

"Ond blydi Cymry, yn anffodus?"

"Dydyn nhw ddim mor ddrwg, y rhan fwya ohonyn nhw. Mi setlais i mewn yn haws nag ro'n i'n ofni."

"Dim problem iaith?"

"Dim o gwbwl – gen i ddigon o ffrindiau sydd wedi symud i mewn o'r Midlands."

"Mae'n dda gen i glywed. Mi wnaethon ni'n dau y penderfyniad iawn, felly, i adael pan wnaethon ni."

Daeth y gweinydd i mewn gyda hambwrdd o frechdanau

a llysiau, a jwg arian o goffi poeth.

"Mae'n dda," meddai Smyth yn hawddgar, "eich bod chi wedi setlo i mewn yn llwyddiannus yn y Lancross 'na. Wnes i erioed feddwl y buasai pentre bach yng Nghymru yn gallu peri'r fath boen i mi. Ond dwi'n sylweddoli nawr imi fod yn anghywir ar hyd yr adeg; imi ddechrau ar y droed anghywir. Mi fues i'n ffŵl."

"Allwch chi ddim beio'ch hunan am oriogrwydd rhyw ffarmwr."

"Ond chi oedd yn iawn, chi oedd yn gall. Roeddwn i'n llawer rhy uchelgeisiol. A ges i 'nghonio hefyd – gan giwed o weision sifil a dynion PR. *Crap merchants* i gyd. O, mi fasech chi'n chwerthin, Ken. Addo'r byd, digon o gysylltiadau i ffwcio'r Cwin, ond dim byd pendant. Gallaswn i fod wedi gwario miloedd – Crist, dwi *wedi* gwario miloedd – a dim yn y diwedd. Ges i lond bol, ac mi ddywedais i wrthyn nhw i gyd i fynd i grafu.

" 'Dan ni'n dod o'r un cefndir yntydan," aeth Smyth ymlaen yn gynnes. " 'Dan ni wedi llwyddo'r ffordd galed. Nid Prifysgol Rhydychen ond Prifysgol Bywyd. Dyna lle 'dan ni wedi dysgu'r gwahaniaeth rhwng mwd a mortar, rhwng cyfle da a bet wirion. Ro'n i'n bacio bet wirion, Ken, ond mae'ch syniad chi – hanner cant o dai cymysg, yr apêl leol – yn realistig. Yr unig beth sy'n fy siomi i yw imi gymryd naw mis i weld peth mor blydi amlwg."

"Ond cofiwch," meddai Cuttle gan safnu'r samwn a'r ciwcymber, "i ni elwa ar eich gwaith chi. Chi fentrodd gynta. Oni bai amdanoch chi, fuasai'n grŵp bach ni byth wedi dod at ei gilydd."

"Mae'n gysur i mi wybod," meddai Smyth yn drioglyd, "i mi allu'ch helpu chi."

"Go brin y buasai'r Cymry ar eu pennau eu hunain wedi codi oddi ar eu tinau."

"Rydan ni'n dau, felly, wedi rhoi hwb bach i'r bygars. Mi gawn ni ryw siâp arnyn nhw eto. Iechyd da!"

Lledwenodd Cuttle ei gytundeb.

"Ond y dyfodol sy'n bwysig nawr," meddai Smyth. "Mae'n rhaid i'ch cynllun chi lwyddo. Mi gewch chi'ch caniatâd. Gawsoch chi ryw arwydd, ryw winc neu nod eto? Gyda chymaint o Gymry yn y peth mae'n siŵr bod yna ryw ddealltwriaeth gudd..."

Culhaodd Cuttle ei lygaid. "Ga' i ofyn a lwyddoch *chi* i gael rhyw fath o addewid?"

"Gwynt a phiso, Ken. Awgrym y byddai'u Swyddfa Gymreig nhw o blaid. Ond be 'di awgrym? Allwch chi byth fod yn siŵr 'da'r Cymry. Sinachs bach slei. Wnewch chi ddim byd ohoni heb dorri i mewn i'w cylchoedd nhw, a dyna lle 'dach chi, Ken, wedi'i deall hi. Nawrte," – roedd bysedd y cloc yn prysuro 'mlaen – "ro'n i'n sylwi bod gynnoch chi un Clem Jones bach ar eich pwyllgor chi."

"Wyddwn i ddim fod hynny'n wybodaeth gyhoeddus..."

"Nid dyna fy arbenigrwydd i, Ken," meddai Smyth gan wenu'n dadol. "Nawr gadewch i ni ddod lawr i *brass tacks*. Dwi'n mynd i roi 'nghardiau ar y bwrdd – i gyd y tro yma. Adeiladwr bach ydi e, yntê, Morfa Plant?"

"Cofiwch eu bod nhw'n rhan o West Coast Investments."

"Ôl reit, ôl reit... Fel 'dach chi'n gwybod, yn y gwaith adeiladu mae 'niddordeb i. Dim mwy, dim llai. Dwi'n golchi 'nwylo o'r ochr gynllunio. Dwi ddim am glywed enw Lancross eto tra bydda i byw. Ond rhaid i chi ddeall, Ken: mi fydd popeth *above board*. Dwi'n sôn am sustem tendro agored. Yr un cyfle i ni ag i'r cwmnïau bach Cymraeg. Chi fydd yn ennill. Eich grŵp chi fydd yn dewis..."

Crychodd Ken Cuttle ei dalcen, yna dweud: "Dim gobaith. Mae Clem yn un o'r grŵp ac mae ganddo ddiddordeb yn y gwaith adeiladu. Mae e wedi rhoi cyngor da i ni ar hyd y ffordd."

"Rhaid iddo aros yn y grŵp, wrth gwrs," prysurodd Smyth. "Ond rhaid i chi ffurfioli pethau. Diffinio hawliau pleidleisio ac ati; trefnu'r ochr ariannol. Mi alla i anfon memoranda enghreifftiol atoch chi."

"Mae amser i bopeth..."

"Ond rŵan ydi'r amser, tra bo gynnoch chi'r ddealltwriaeth anffurfiol. Mi fydd hi'n rhy hwyr wedyn. Ac ymhellach – mae'n rhaid i ni'n dau ddod i drefniant bach."

"Alla i yn 'y myw â gweld sut bydd hynny'n helpu pethau. I'r gwrthwyneb..."

"Fel hyn, Ken. Rhaid i bob siâr gario pleidlais. Siârs i bawb o bobol y byd! Dowch â'r pentre i gyd i mewn! Wyddoch chi: telerau 'manteisiol', punt y tro, prynwch rai i'ch ŵyrion, buddsoddwch yn eich bro, dangoswch ffydd yn y dyfodol – rhyw nonsens felly. A dowch â'r blydi ffermwr ei hun i mewn! Fe gymhlethith hynny bethau'n reit neis. Mi fydd yn edrych yn dda. Yn hael, yn sosialaidd hyd yn oed: be 'dach chi'n feddwl, Ken?"

Trodd Cuttle ei geg o gwmpas: roedd ganddo ryw ystum anffodus felly. "Rwy'n gweld be sy gynnoch chi. Ond ble ydyn ni'n mynd o fan'na?"

"Nawr, rwy'n cymryd yn ganiataol, Ken, mai chi sy'n rhoi'r mewnbwn cyfalafol trymaf i'r fenter hon..."

"Does neb wedi rhoi'r un ddimai eto."

"Rwy'n deall hynny. Rŵan fe soniais i am y trefniant bach yma. Mi allen ni'n dau greu math o is-gwmni i 'redeg' eich siâr chi. Gynnoch chi fydd y plwm: 'dach chi'n fy neall i?"

Oedodd Cuttle eto – yna meddai Smyth: "Rydw i ar fai yn eich bombardio chi â'r syniadau 'ma, yn hollol ddirybudd fel hyn..."

"Ydi, mae'n llawer rhy fuan. Mi fydd angen tipyn o amser i feddwl am hyn i gyd... Rwy'n gweld be sy gennych chi mewn golwg, ond mi fydd cael cytundeb y lleill yn anodd iawn. Mi allai Clem Jones godi arian trwy West Coast, ac mi allai Morse droi'n sur – diawl lletchwith a styfnig. Mae'n gwybod sut i amddiffyn 'i gornel a dyw e ddim yn debyg o arwyddo dim nad ydi e wedi darllen drwyddo deirgwaith."

"Ro'n i'n amau. Rwy wedi gwneud ymchwil fy hun ar y dyn."

A chymylau duon yn rhuthro i lenwi ffurfafen ei feddwl, meddai Cuttle gyda phendantrwydd newydd: "Gyda phob parch, rwy'n ofni bod eich senario chi yn un o wrthdaro, o bleidleisio pobl allan, o fynnu ffordd. Mi all weithio'n ddamcaniaethol, ond yn ymarferol, mewn sefyllfa bentrefol, glòs fel sy gynnon ni, mae'n resipi ffrwydrol."

Daeth y gweinydd i glirio'r bwrdd a chymryd archebion pellach. Gofynnodd Cuttle am sudd oren ond archebodd Smyth ei hoff wisgi unfrag Albanaidd. Fe'i trodd ar ei dafod ac meddai o'r diwedd, ei lygaid bach crwn yn pefrio'n ddrygionus: "Dwi wedi cael syniad, Ken. Ry'ch chi'n iawn, wrth gwrs, yn eich beirniadaeth ohona i. Yn berffaith iawn. Chi sy'n nabod y *natives*; dydw i ddim. Ond mae gen i ateb – hen ateb. Defnyddio un ohonyn nhw i weithio droson ni."

"Dydw i ddim yn eich dilyn chi..."

"Wrth gwrs nad y'ch chi, achos dy'ch chi ddim yn gwybod at bwy rwy'n cyfeirio: Ellis Meredith. Dyn PR – un ohonyn nhw. Dwi'n ei nabod o'n weddol erbyn hyn. Rhedeg rhyw owtffit ceiniog a dimai lawr yng Nghaerdydd, ond mae ganddo fo'r cysylltiadau Cymreig. Ei ollwng o ar y pentre sydd angen – i weithio i chi."

Ceisiodd Cuttle ddilyn rhesymeg ei westai; yna meddai o'r diwedd. "Eto – â phob parch – dwy' ddim yn gweld unrhyw PR yn Ewrop yn gallu troi'r pentre o blaid rhoi'r gwaith adeiladu i Berry Homes. Mae gormod wedi digwydd. Mae'n rhy hwyr."

Neidiodd Smyth at yr awgrym. "Ond yn hollol! *Nid Berry Homes fydd yn cynnig!* Na, mi ffurfiwn ni gwmni bach newydd sbon, ei gofrestru yng Nghaerdydd, rhoi enw Cymraeg arno hyd yn oed – syniad tipyn gwell na'r cwmni arall y soniais i amdano..." Chwarddodd lond ei fol, ei gorpws yn llithro i lawr yn y gadair. "Be 'dach chi'n feddwl rŵan, 'ta, Ken?"

Trodd yntau ei geg eto, a meddai: "Ie, rwy'n gweld y pwynt, ond..."

"Mae 'na gymaint o ffyrdd o wneud pethau – ond dwi'n sylweddoli 'mod i'n eich rhuthro chi'n enbyd y pnawn 'ma. Mae 'na lot o bontydd i'w croesi eto. Rhaid imi adael i chi ystyried y peth dros y dyddiau nesa."

Pesychodd Cuttle. "Mi fydd angen mwy na hynny, tipyn mwy hefyd. Rydw i mewn sefyllfa reit anodd. Dwy' ddim am wneud tro sâl â'r pentre – wedi'r cyfan rwy'n byw yn y blydi lle – nac â 'mhartneriaid, o ran hynny."

"Ond helpu'ch grŵp chi yw 'mwriad i. Dwi'n gobeithio nad ydw i wedi awgrymu dim sy'n groes i fuddiannau eich grŵp. Ac ynglŷn ag unrhyw drefniadau rhyngom ni: does dim angen i'r un enaid byw wybod. Fydd o'n effeithio dim ar y prosesau cynllunio. Beth bynnag fydd yn digwydd, fyddwch chi ddim ar eich colled, ddim o bell ffordd, Ken... ac o sôn am hynny, fyddai gynnoch chi wrthwynebiad i mi'ch enwebu chi'n aelod llawn o'r Clwb?"

"Do'n i heb..."

"Ry'ch chi'n chwarae, on'd y'ch chi?"

"Ydw, wrth fy modd. Fel mae'n digwydd, yng Nghlwb Golff y Morfa y bydda i'n arfer trafod pethau gyda Morse a Jones."

"Ardderchog! Mi'ch ca i chi mewn Ken. Mae'n reit gaeth yma, cofiwch – hyd braich o restr aros..."

"Wel, diolch..."

"Ond mae'n rhaid i ni ddeall ein gilydd ynglŷn â ffurfio cwmni bach adeiladu, a hynny'n fuan. Ac, ie, mi gawn ni Ellis Meredith i mewn hefyd – rwy'n dechrau gweld y peth o'r diwedd..."

"Ond rwy'n mynd i Sbaen am fis, beth bynnag."

"Pryd fydd hynny? Dwi'n mynd i'r Alban wrth gwrs ond does dim rhaid i hynny'n rhwystro ni."

"Rwy'n gadael ymhen yr wythnos."

"Felly gorau po gynta – mae gen i lot ar 'y mhlât. Dyma i chi fy rhif preifat yn Strathkinnes. Yn y cyfamser mi ffacsia i ddogfennau atoch chi yn dangos sut y gallai pethau weithio..."

Ar yr eiliad honno swingiodd y drws derw ar agor a hwyliodd blonden dal, drawiadol i mewn i'r ystafell. Cot fer ffwr golau, coesau gwirion o hirion mewn sanau *net*, minlliw Post Brenhinol a masgara'n taflu ei llygaid ddwy fodfedd o flaen ei hwyneb: Mrs Vicky Smyth. Y tu ôl iddi hofrai dyn golygus mewn lifrai peilot.

"Cariad," meddai wrth Smyth mewn llais dwfn, ffliwtaidd, "mae Capten Bellis yn *gorchymyn* eich bod chi'n dod ac os na ddowch chi, rydan ni'n dau'n mynd hebddoch chi."

"Dim problem, Vicky," meddai Smyth gan godi. "Mae'ch amseru chi'n berffaith. Os ca i ddau neu dri munud – dim mwy – i roi neges i Juliet..."

" 'Blaw bod hi'n hanner cant ac yn edrych fel sguthan, faswn i'n taeru bod Affêr y Ganrif yn mynd 'mlaen rhwng Sam a Julie Yardes," meddai wrth y peilot. Yna gafaelodd yn ei arddwrn. "Argol! Welis i 'rioed cymaint o ddeialau! P'un sy'n dweud yr amser, dwedwch?"

"Yr un allanol, Mrs Smyth."

Craffodd am ennyd. "Twt – ga' i ddefnyddio'ch pyls chi yn lle?"

"Ddim yn ddibynadwy," meddai â hanner gwên ond daliodd hi ei fraich i fyny gan ddweud, "Dwi'n dechrau cyfri *rŵan*, Sam..."

Ffarweliodd Smyth yn gyflym â Cuttle a phrysuro i ffonio ei ysgrifenyddes bersonol. Arlefarodd neges i Ellis Meredith a gofyn iddi ffacsio nifer o ddogfennau ato yn yr Alban. Yr eiliad y daeth yn ôl, fe'i tywyswyd, gerfydd ei fraich, tua'r helicopter yr oedd ei lafnau eisoes yn troelli'n ddiog ar y tir gwastad islaw'r coed.

24. Maes Awyr

Roedd yr awyren i Athen yn hedfan am chwarter i ddeuddeg o faes awyr Caerdydd ac roedd Ellis i fod yn ôl yn Bonded Warehouse am ddeg. Roedd ganddo amser, felly, i bicio draw i'w swyddfa i wneud mân orchwylion. Doedd e ddim wedi cysgu'n dda, a hynny ers wythnos neu ddwy. Roedd yn dal yn amheus o fwriad Menna i fynd am bythefnos i fila 'un o ffrindiau Ilse' yn Naxos. Roedd y newyddion yn sioc i ddechrau ond doedd ganddo ddim rheswm da dros wrthwynebu'r syniad, yn arbennig gan ei bod hi'n mynd â Siani gyda hi.

Efallai bod holl ansicrwydd ariannol y cwmni'n dechrau dweud arno – a phwysau Sam Smyth. Fel y croesodd ddyddiau olaf Gorffennaf oddi ar y calendr, ffarweliodd hefyd â £100,000. Ar y cyntaf o Awst mi fyddai'n bancio'r siec o £10,000 (setliad Smyth o'r torgytundeb) ond yn colli cytundeb blynyddol a fyddai tua dengwaith yn fwy. Ond roedd rhyw ryddhad yn hynny a dechreuodd Ellis argyhoeddi'i hun nad oedd e *eisiau*'r blydi pres p'run bynnag, ac os oedd Delw i suddo, yna mi fyddai'n suddo gyda rhithyn o anrhydedd.

Casglodd y post ar ei ffordd i'r swyddfa a mynd yn reddfol at y peiriant ffacs i weld pa negeseuon a garthodd allan dros nos. Wedi dwy eitem o sgrwtsh hysbysebol, gwelodd bennawd Berry Homes ar waelod y rholyn. Rhwygodd Ellis ef i ffwrdd a'i ddarllen yn awchus.

Dear Ellis,

I am clearing my desk prior to my annual golfing break and have reconsidered some recent decisions. I have decided to forgo all personal interest in the development of Lancross and concentrate on 'birds in hand'. I've had enough and have told various parties to join the Marines. Your company, however, I would like to keep for general PR work in Wales and am proposing to implement as from 1 September a full, annually renewable contract on the lines previously discussed. I shall need confirmation of your interest by Monday, 15 August latest, when I return from Scotland. The £10,000 you already have will act as deposit; please destroy the other cheque immediately.

Yours,

S.Smyth.

Eisteddodd Ellis. Beth ddiawl oedd yn mynd ymlaen? Artaith Tsieineaidd? Wedi dau fis o droi'r sgriw yn ddidrugaredd – yn awr, Cariad a Goleuni. Go brin, o adnabod Smyth. Dim ond un peth oedd yn sicr: roedd ganddo £10,000 yn ei boced. Na, roedd ail beth: bod hunllef Llangroes drosodd. Mae'r neges yn dweud hynny mewn du a gwyn. Ond rhaid bod yna ryw gynllwyn newydd. Neu oedd yr eglurhad yn hollol syml: na allai'r diawl ddiodde'r syniad o daflu £10,000 i'r tân?

Edrychodd Ellis ar haul y bore yn chwarae ar y dŵr islaw iddo. Cododd rhyw flanced wleb, drom, yn araf oddi ar ei ysgwyddau. Dim Llangroes! Roedd hynny'n wyrthiol, ac ar amrantiad yn adfer ei berthynas â Menna. Beth bynnag fyddai manylion y cytundeb terfynol, yr oedd Delw wedi'i ollwng oddi ar y bachyn. Roedd y wasgfa drosodd. Fe allai anadlu eto – am gyfnod.

Cofiodd am sawl twnel du y bu drwyddynt dros y blynyddoedd. Yn y twnel ei hun, does dim ond tywyllwch. Mae'r haul y tu allan, ond wyddoch chi ddim mai dim ond un tro sydd tan y fynedfa. Beth yw hanes unrhyw fusnes ond catalog o argyfyngau y mae goroesi pob un fel ennill y pŵls neu ddringo'r Wyddfa – yn deimlad o goncro'r byd!

Dyna pam nad âi Ellis fyth bythoedd i swydd ddiogel neu un academaidd lle gallai draethu'n wych am bethau fel y dylent fod. Yma, ynghanol strach bywyd, y mae'r prawf go iawn ar ddyn a'r gamp yw nid gwneud rhywbeth da, ond gwneud rhywbeth o gwbl. Doedd y cytundeb yma'n ddim mwy na hynny: cyfle iddo gario 'mlaen, anadlu eto, a chynllunio eto ar gyfer y dyfodol.

Clodd y drws, llamu i lawr y grisiau a rhedeg ar hyd y cei at ei fflat. Mi gâi Menna ei gwyliau, a Siani hefyd, ac mi gâi yntau bythefnos o lonydd yn ei waith a hoe i ailadeiladu ei fusnes.

* * *

Gydag ynni newydd, taflodd Ellis y cesys trymion i gefn y Merc tra llwythodd Menna'r bagiau ysgafnach i'r sedd ôl. Wedi sicrhau bod popeth ganddynt aeth i nôl Siani – ond doedd hi ddim yno, nac yn yr ystafell flaen. Yn ei hystafell wely'r oedd hi, yn llefain ac yn gafael yn dynn yn ei chês bach.

"Dwi eisiau mynd i Langroes!" meddai eto ac eto.

"Gei di fynd i Langroes pan ddoi di'n ôl," meddai Ellis, "ond chei di ddim haul yno fel yng Ngroeg: haul poeth a môr glas, glas..."

"Well 'da fi law gyda Dadi!" atebodd.

"Mi gei di ddigon o law gyda Dadi eto, Siani – paid â phoeni am hynny!" – ac wedi ychydig o berswâd bodlonodd i ddod i lawr a mynd i'r sedd ôl.

Anelodd y Merc am y draffordd, yna troi tua'r Barri a'r Rhŵs. Gwell cael hyn i gyd drosodd gynta, meddyliodd Ellis. Mi dorra i'r newyddion i Menna ar ôl cyrraedd. Roedd hedfan o Gaerdydd mor hawdd ac mi gaent fwynhau paned hir yn y bwyty ar y llawr cyntaf tra'n disgwyl galwad i'r awyren.

Eisteddasant ger y ffenest eang a edrychai i lawr ar yr awyrennau. Prynodd Ellis *Knickerbocker Glory* i Siani ond pan osododd e'r Tŵr Eiffel o hufen o'i blaen, aeth hi'n ôl i'w hwyliau drwg a dweud nad dyma oedd hi ei eisiau, ond gwyliau yn nhŷ Mari a Mared. Eglurodd y ddau ohonynt fod hynny i ddigwydd yn nes ymlaen yn y mis, a phan ymdawelodd, gwelodd Ellis ei gyfle.

"Gen i newyddion da, Menna. Ar y ffacs bore 'ma – 'drycha. Yr hen fastard Smyth wedi ildio, wedi cytuno i agor cyfri penagored, blynyddol. Gallai fod yn werth cymaint â chan mil. Ac ar ben y cyfan, mae'n tynnu allan o Langroes: mae o mewn du a gwyn. 'Drycha."

Gan gario 'mlaen i fwyta'i brechdan salad, meddai Menna'n sych: "Da iawn ti, os dyna wyt ti moyn."

"*Fi* moyn? Nid dyna'r pwynt – mae'n datrys ein problemau ni i gyd!"

"I gyd? Tybed..."

Roedd Ellis yn fud. Sut gallai hi ymateb mor oeraidd?

"Ond weli di ddim? Does 'na ddim llinynnau, dim amodau arbennig – a dim Llangroes! Dim gwleidyddiaeth felly, dim byd dan din, jyst cytundeb PR bach arall boring 'neith geiniog neu ddwy i ni, ar yr union adeg 'dan ni angen..."

"Mi greda i hynna i gyd pan wela i e."

Gan anwybyddu'r ddalen ffacs, codai Menna ei llygaid bob hyn a hyn at y monitor gwybodaeth uwch eu pennau.

"Ond ro'n i wedi meddwl y buaset ti, o bawb, yn deall. 'Dan ni wedi trafod problemau'r cwmni hyd at syrffed, on'do? Ac wrth gwrs mae Smyth yn fasdard, ond nid saint ydi'n cleients eraill ni chwaith. Ond rydan ni'n cario 'mlaen: dyna be mae hyn yn ei olygu. Dim mwy, dim llai na hynny..."

"Wyt ti'n disgwyl i fi neidio i'r awyr mewn llawenydd o glywed bod Delw yn cael gwaith gan Smyth?"

"Na, ond nid dyna sy'n bwysig... Ond wrth gwrs dwyt ti ddim yn deall. Dwyt ti erioed wedi bod mewn busnes. Rwyt ti wedi cael cyflog saff erioed."

Roedd Menna yn dal yn surbwch ond aeth Ellis ymlaen. "Iawn, does dim byd mor grêt am y byd PR. Rwy'n cytuno'n amal iawn â dy farn di am rai o'r pethau sy'n mynd ymlaen. I mi mae o'n hwyl, ond dydi o ddim gwell na gwaeth na swyddi eraill. Mae'n cynnig gwasanaeth mae pobol ei angen, ond ar ddiwedd y dydd, rhyw chwarae gêmau ydi'r cyfan oll, yntê? Ond ydi hi ddim yn well i chwarae, nag i beidio chwarae?"

Gan glirio'i phlât a thaflu'r pecynnau plastig i'r bin, meddai Menna: "Rwy'n cytuno'n llwyr bod dynion yn chwarae lot o gêmau gwirion."

" – a merched hefyd, llawn mwy."

Roedd yn rhaid i Ellis gael ychwanegu hynny. Efallai iddo wneud gormod o'r peth, ond roedd ei hymateb cyson ddiflas yn dân ar ei groen, yn arbennig wedi'r sylw twp, ffeministaidd olaf yna. Roedd Siani'n gwylio'r cyfan yn fud a meddyliodd Ellis y byddai'n well iddo'i reoli'i hun neu mi fyddent yn ymwahanu am bythefnos ar delerau gwael.

Cododd i brynu papur, aeth Menna i'r tŷ bach, ac erbyn iddo ddod nôl sylwodd fod ehediad Athens wedi dechrau fflachio ar y sgrin. Dim brys, meddyliodd, gan wylio'r bobl yn mynd a dod yn grwpiau bychain, pob un yn tynnu'i bwn, pob un â'i freuddwyd o bythefnos o hapusrwydd gyda rhywun – neu ar wahân i rywun.

Trodd yn ôl at y papur – ond pan gododd ei ben, doedd Siani ddim yno! Gollyngodd y papur ar unwaith, a sefyll i sganio'r llawr mewn panig. O'r diwedd fe'i gwelodd, yn llusgo bag bychan i dop y grisiau. Rhedodd ar ras ar ei hôl, i'w rhwystro rhag mynd i lawr; yna dechreuodd Siani lefain a sgrechian.

"Sa i ishe mynd i Groeg! Dy'ch chi byth yn gofyn i fi beth wi ishe gneud!"

"Ond cyfadda rŵan," meddai Ellis, "dwyt ti'n gwybod dim am wlad Groeg. Mae o'n lle hyfryd iawn, iawn, a channoedd o ynysoedd bach fel perlau yng nghanol y môr glas. Mi fasa'r rhan fwyaf o blant yn rhoi eu braich dde am gael mynd."

"Nonsens! Pwy fuase'n rhoi eu braich dde dim ond i fynd i rywle pell i ffwrdd?"

Eisteddai ar ben y stâr, ei chefn tuag at Ellis, ei phen rhwng ei breichiau. Ceisiodd Ellis ei chyffwrdd ond ailagorodd hynny lifeiriant newydd o ddagrau. Erbyn hyn roedd Menna wedi dod yn ôl o'r tŷ bach.

"Ewch i ffwrdd," meddai Siani, "y ddau ohonoch chi. Dwi eisie gwyliau gyda'n ffrindiau a gyda Dadi."

"Ond fe gei di," meddai Menna, "yn syth ar ôl dod nôl."

Ond doedd dim cysuro ar Siani. *Would all passengers for flight number 356 to Athens proceed now to Gate A,* cyhoeddodd y llais ar y *tannoy*.

"Dere nawr wir. Rwy 'di trefnu'r gwylie yma'n arbennig i ti," meddai Menna.

"Paid â dweud celwydd Mam!" atebodd Siani. "Mae'r gwylie yma'n arbennig i *ti*."

"Wir, mae hyn yn *ridiculous*," meddai Menna gan afael yn frwnt ym mraich Siani. "Mae'r awyren yn disgwyl amdanon ni."

Wrth i Menna'i thynnu, ciciodd Siani ei chês i lawr y grisiau ac wrth drio achub hwnnw syrthiodd Menna dros goes Siani a'i brifo. Sgrechiodd Siani'n waeth ond anwybyddodd Menna hynny a'i llusgo fel doli glwt ar draws y llawr. Roedd pobl yn troi i edrych ac yna'n sydyn – snapiodd rhywbeth y tu mewn i Ellis. Ag ochr ei law, trawodd *chop* cymharol galed ar arddwrn Menna a chymryd Siani oddi arni.

Gwingodd Menna mewn poen. "Beth yn y byd...?"

"Mae gan bawb 'i hawlia. Gen ti, gen i, ganddi hi."

"Ond ti s'da'r hawl i ddefnyddio trais, ife?"

"Mae mwy nag un math o drais."

"Ond mae tynnu merch oddi wrth 'i mam yn curo'r rhan fwya."

Ymryddhaodd Siani yn sgil y ffraeo a rhedeg i ffwrdd. Gwaeddodd Menna ar ddyn mewn iwnifform oedd yn pasio. *"Please fetch me that child. She's for the Athens flight."*

Trodd y dyn ar ei sowdwl. *"If you insist, Madam..."*

"Here's her ticket you see."

"This is a matter between us two only," meddai Ellis gan sefyll rhyngddynt. Arhosodd Siani ar ben y grisiau. "Aros fan'na," gwaeddodd Ellis arni. "Fydda i efo ti mewn chwinciad."

Rhythodd Menna mewn anghredinedd ar Ellis, yna gafael yn y troli gludo.

"Mae o er eich lles chi'ch dwy," meddai Ellis. "Mi gei di'r gwyliau roeddat ti isio ac mi geith Siani hefyd."

Gwthiodd Menna'r troli'n gam o'i blaen, yna'i lywio â'i braich chwith.

"Do'n i ddim wedi bwriadu dy frifo di," gwaeddodd Ellis ar ei hôl.

Anwybyddodd Menna ef, troi i godi ei llaw friw at Siani, a mynd mor union ag y medrai at y fynedfa i'r awyrennau. Wedi iddi ddiflannu, cerddodd Ellis yn araf at Siani.

"Y'n ni'n mynd i Langroes, Ellis?" gofynnodd Siani, yn llawn gobaith.

"Dwn i ddim ble 'dan ni'n mynd, wir," atebodd Ellis, gan eistedd ar ei phwys ar y llawr.

* * *

Aeth Ellis at un o'r cabanau ffôn a holi am rif cartref Deian Morse. Yn ffodus atebodd Lleuwen. Ceisiodd Ellis egluro'r sefyllfa orau y gallai. Roedd hi ychydig yn ansicr ar y dechrau – roedd hyn yn groes i'w trefniadau ac i fwriad Menna – ond roedd hi'n fwy cynnes pan ddeallodd hi'r sefyllfa.

"Bydd Meri a Mared wrth eu boddau. Dere lan â hi ar unwaith!"

"Wyt ti'n siŵr? Mae hi'n hollol benderfynol. Os ydi hi'n anghyfleus, mi gadwn ni at y trefniadau gwreiddiol sef pythefnos ola Awst..."

"Mae croeso iddi aros am fis."

"Na, mae hyn yn lle hynny."

"Gawn ni setlo hynny eto, Ellis. Y peth pwysig nawr yw eich bod chi'n dod lan mor gloi ag y gallwch chi. Mi fydd yn syrpreis ffantastig i'r merched!"

"Mae'n dipyn o syndod i fi hefyd," meddai Ellis. "Dwn i ddim sut mae o wedi digwydd..."

"A wi'n dishgwl 'mla'n i dy weld *ti*, hefyd, Ellis."

Gyrrodd tua'r Canolbarth, ei emosiynau'n corddi. Roedd y tywydd mor heulog â Siani ei hun, a siaradai'n ddibaid. Roedd yn siŵr iddo wneud y penderfyniad iawn, ond roedd yna bethau a'i poenai. Tybed beth fyddai agwedd Deian ato erbyn hyn? Doedd dim wedi digwydd i dyneru ei agwedd at Ellis a doedd cytundeb newydd Smyth, er gwaethaf absenoldeb Llangroes, ddim yn rhywbeth i'w frolio wrtho.

Wedyn cofiai am Menna, a'r gwahanu dolurus. Eto ac eto, gwelodd gefn ei phen yn diflannu drwy'r fynedfa olaf yna, a hithau'n martsio drwodd fel milwr meddw. Damia, doedd e ddim am ei brifo hi'n gorfforol nac fel arall. Ond allai'r gwahanu fyth fod yn derfynol, allai e? Ffrae oedd hi a fyddai'n chwythu drosodd – ond bod pythefnos yn amser hir iawn i aros i wybod...

Yna byddai Siani'n torri ar draws ei feddyliau gyda'i chwestiynau di-rif. Roedd wedi penderfynu gyrru drwy'r gorllewin ac yn Aberaeron cawsant hufen iâ â mêl. Aethant ymlaen ar ffordd yr arfordir, a chynyddodd cyffro Siani wrth weld Bae Ceredigion yn ymagor o danynt. Dechreuodd Ellis deimlo bod yna ryw ddealltwriaeth, o'r diwedd, yn tyfu rhyngddynt.

Yn gyfreithiol fanwl, doedd ganddo ddim dyletswydd tuag ati. Doedd e'n perthyn dim iddi a doedd ganddo ddim un rheswm da dros ei thynnu oddi wrth Menna. Pam wnaeth e'r fath beth? Doedd ganddo ddim i'w ennill a phopeth – efallai Menna ei hun – i'w golli. Roedd ei gysylltiad brau â Siani yn annhebyg o barhau. Byddai ei thad yn ei ddisodli yn y man. Ond rhoddodd y wybodaeth yna rin anesboniadwy i'r daith ac i'r dydd. Roedd yn rhaid byw am heddiw, a gwelodd mai hynny oedd yr agwedd iawn at ei broblemau priodasol hefyd.

Roeddent yn Llechen Las erbyn te, a chawsant croeso gwych.

"Am faint fyddi di yma?" gofynnodd Meri a Mared i Siani yn llawn cyffro.

"Am bythefnos," atebodd Ellis drosti. "Bydd ei mam hi'n

ôl wedyn gyda lwc, ac mi fydd ganddi hi 'i dweud yn y mater, mae'n siŵr gen i."

Synhwyrodd Lleuwen fod rhywbeth o'i le.

"Mae'n braf dy weld ti, Ellis," meddai'n gynnes. " 'Smo ni'n cael cyfle i siarad yn iawn. Wyt ti wastad ar shwd hast. Byddi di'n aros i swper, wrth gwrs? Mi agorwn ni un o winoedd *drud* Deian."

Ystyriodd Ellis. "Bydd yn rhaid i mi fynd yn ôl. Mae gen i dipyn ymlaen ar gyfer fory, a... wel, dydw i ddim yn credu y bydd Deian yn neidio o lawenydd o 'ngweld i."

"O na," meddai Lleuwen mewn ystum o anobaith, "– dyw Deian heb roi'i droed ynddi eto?"

"Na, fy mai i oedd o i gyd."

"Wi'n gwbod: y blydi *cynllunie* 'na. Os clywa i amdanyn nhw unwaith 'to, bydda i'n codi tocyn sengl i'r Bahamas. Nawr mi *rwyt* ti'n aros on'd wyt ti, Ellis?"

Bu bron iddo ildio. Byddai'n rhaid iddo wynebu Deian yn hwyr neu'n hwyrach, ond roedd ei gyflwr presennol yn llawer rhy fregus.

"Mi wn i be wna i. Mi dderbynia i'r gwahoddiad mewn pythefnos, pan fydda i'n dod i nôl Siani."

"Ond mae 'na un amod..."

"Beth?"

"Dy fod ti'n aros noson, pan ddoi di."

Oedodd Ellis eto cyn ateb: "Wrth gwrs y gwna i."

25. Prifwyl

HEB RYBUDD NAC EGLURHAD, gollyngwyd Dafydd o swyddfa'r heddlu, Caernarfon, ar fore Gwener cyntaf Mehefin. Bu'r heddlu mor hael â rhoi papur pumpunt iddo ar gyfer tocyn bws. Wedi cyrraedd Llangroes, ffoniodd Jac, a chadarnhau celwydd yr heddlu bod y llall 'wedi cyfadde'r cyfan'. Yn ffodus, bu'r ddau ohonynt yn ddigon call i beidio â dweud rhai pethau – heb wneud hynny'n rhy amlwg ar y ffôn, wrth gwrs.

Roedd gweddill Mehefin a Gorffennaf, i Dafydd, yn gyfnod o limbo rhyfedd, o fod ar beilot awtomatig. Canolbwyntiodd ar y pethau angenrheidiol; aeth i Rydaman ar rai o'r penwythnosau pan nad oedd Siani gydag e. Roedd ei gweld hi'n llonni ei enaid, er gwaetha'r rhwyg annaturiol ar nos Sul.

Doedd y carcharu, o edrych yn ôl, ddim yn ddrwg i gyd. Roedd wedi ei ryddhau o nifer o bethau: cydwybod ddrwg ynglŷn â helpu'r Milwr, a'r obsesiwn yna ynglŷn â chael cyhoeddusrwydd. Yn bersonol, cafodd fwy nag roedd e ei eisiau o sylw, a rhyw gymaint o gydymdeimlad. Doedd dim modd rhoi sylw manwl i Langroes – doedd yna'r un cais cynllunio i mewn ar yr adeg hon – ond ailgodwyd rhai cwestiynau ynglŷn â hawliau sifil, a phroblem y mewnlifiad. Fe wnaeth Rhonwy, hyd yn oed, eitem ar *Cenedl* am y llacio ar ddeddfau cynllunio, ac oblgiadau peryglus dogfen PPG20 y Swyddfa Gymreig.

Pan ddechreuodd creithiau'r carchariad wella, sylweddolodd Dafydd fod yr heddlu'n gwybod llawer llai nag roedden nhw'n honni. Os felly, a chan na chawsai ei gyhuddo, roedd yn dilyn eu bod yn parhau i'w wylio. O'r eiliad y gwelsai

Eddie'n sefyll y tu ôl iddo yn Aberdyfi, gwyddai eu bod nhw'n ei wylio ers misoedd. O hyn ymlaen, byddai'n rhaid iddo ymddwyn fel petai camera fideo wedi'i lynu ar ei ben. Doedd hynny'n ddim byd newydd: does yr un cenedlaetholwr yn meddwl bod ganddo hawliau sifil normal beth bynnag.

Ond roedd yn rhaid iddo fod yn ofalus ynglŷn ag un peth. Er y gwyddai Dafydd fod ffrwydron wedi'u cuddio yn y mwynfeydd, ni allai ddweud hynny wrth yr un enaid byw. Os byddai mor ffôl ag ategu honiad yr heddlu wrth y wasg, er enghraifft, yna mi fyddai'r heddlu'n gwybod yn syth bod ganddo ryw dystiolaeth ar wahân i'w ensyniad nhw.

Codi pais *cyn* piso, mae'n amlwg, oedd polisi'r Milwyr: defnyddio'r ffrwydron fel arf *cyn* codi'r tai. Roedd y Milwr heb ddweud y gwir wrtho pan soniodd am guddio ffrwydron 'am sbel go hir'. Oedd e'n gwybod yn wahanol ar y pryd, tybed? Un ffordd neu'r llall, roedd yn profi pa mor bwysig oedd hi i Dafydd gadw allan o'r holl beth.

A'r disg yna wedyn: diolch i'r Nef iddo'i falu. Pan gyrhaeddodd Dafydd yn ôl i Langroes roedd ei holl ddisgiau a llawer o'i bethau mwyaf personol wedi'u stwffio i fagiau plastig. Gallai gymryd yn ganiataol, felly, fod pob disg oedd ganddo – yn rhai caled a meddal – wedi'u copïo, yn ogystal â'i ddyddiadur a'i lyfr cyfeiriadau; a bod profion fforensig manwl wedi'u gwneud.

Yna digwyddodd peth od – neu a oedd e? Ganol Gorffennaf derbyniodd neges ffacs. Copi o boster neu daflen ddwyieithog ar gyfer noson roc fwyaf y Gymdeithas nos Iau Eisteddfod Castell-nedd – ROC I RYDDID/*LIBERTY ROCK* – yn Liberty's, clwb nos mwyaf Abertawe. Rhestrwyd rhai grwpiau Cymraeg, ac un Rasta. Yn amlwg, roedden nhw eisiau denu clybwyr nos y ddinas. Ar ben y daflen, sgriblwyd y geiriau: *Dyma'r hysbyseb i Cymdeithas, fel y trefnwyd,* ac o dano: *Dyma'r Lle am Uffern o Amster Da...* I gyd yn hollol normal ac arferol, nes iddo tshecio – fel roedd yn amau – fod yr union hysbyseb wedi dod i mewn ato wythnos ynghynt. Ymhellach, cawsai'r ffacs ei hanfon o Swyddfa'r

Eisteddfod yng Nghastell-nedd ac nid o swyddfa'r Gymdeithas: dau beth bach iawn oedd yn awgrymu bod yna arwyddocâd cudd i'r 't' yna: camsyniad bach, bwriadol na fyddai neb ond ef a'r Milwr yn ei adnabod.

Wedi'r cyfan, wnaeth y Milwr ddim dweud sut yn union y byddai'n cysylltu ag ef – neu oedd ei ddychymyg, eto, yn drên? Os oedd y Milwr yn trio cysylltu ag e, roedd hon yn ffordd wallgo o wneud hynny – ei wahodd i le ble byddai mil neu ddwy o bobl eraill – ond meddyliodd ymhellach a sylweddoli y gallai lle felly fod yn gymharol ddiogel.

Ond pam cyfarfod, pam oedd Y Milwr eisiau cysylltu? Byddai'r Milwr yn gwybod iddo fod yn y celloedd am wythnos, ond ni fyddai'n gwybod iddo chwalu'r disg ac ni fyddai'n gwybod – mae'n debyg – am bethau fel cynlluniau Deian. Rhaid mai eisiau gwybodaeth yr oedd e. Dyna'r unig eglurhad. Eto, a siarad yn gyffredinol, doedd pethau ddim yn mynd yn rhy ddrwg o safbwynt y Milwyr. Roedd y ffrwydron wedi'u darganfod – sut, ni wyddai Dafydd: roedd rhywbeth od yn fa'na – a'r heddlu ac efallai eraill wedi cael y rhybuddion clir, angenrheidiol.

Ond neges gudd neu beidio, byddai wedi mynd i Liberty's nos Iau: onid oedd hi'n addo bod, fel Titos, yn un o binaclau cymdeithasol yr Ŵyl? Mae rhywbeth am nos Iau mewn unrhyw Steddfod: dechrau traddodiadol y rafio trwm – neu oedd mwy iddo na hynny? Dim ond un peth oedd yn siŵr: fe fyddai'n derbyn gwahoddiad Rhonwy, ac fe fyddai yno'n mwynhau. A doedd yr un heddlwas yn mynd i'w rwystro, na'r un Milwr – os dyna oedd ystyr Amster Da...

* * *

O'r diwedd cyrhaeddodd wythnos gyntaf Awst. Roedd Rhonwy wedi'i ffonio bythefnos ynghynt i gadarnhau'r trefniant: mi fyddai gwely ar gael o'r nos Sul tan y nos Sadwrn. Paciodd Dafydd ei bethau ac wedi tretio'i hun i ginio Sul mewn tafarn ar y ffordd, cyrhaeddodd westy'r

Marriott tua phump. Doedd Rhonwy ddim wedi cyrraedd a chafodd fwynhau rhai o oriau o foethusrwydd hunanol yn y baddon *en suite*, a gwylio sbwriel ar y teledu gyda chymorth y peiriant coffi a gormod o fisgedi Bourbon.

Wedyn agorodd y llenni ac edrychodd drwy'r ffenest: y fath olygfa odidog! Y marina islaw a'r badau'n dawnsio ar y dŵr, a swae eang Bae Abertawe yn ymagor o'i flaen o'r Mwmbwls ar y dde i Borth-cawl ar y chwith. Gwelai barau cariadus yn cerdded hyd ymyl y traeth gan anelu at fwytai a llefydd nos y marina...

Ond mae'n Steddfod – i fod! Roedd y syniad mor afreal. Steddfod! Sut gallodd feddwl ei fod mor bwysig, a heddwch a rhamant a normalrwydd ar bob llaw. Yn sydyn teimlodd bod y cyfan yn bwn diangen ac yn ffolineb rhyfedd o fewnblyg. Yn sicr ni allai wynebu Rhonwy a'i gyd-gyfryngis heno. Bwriadodd fynd am dro i'r sinema deg-sgrin, ond pan synhwyrodd na fyddai Rhonwy'n defnyddio'i ystafell beth bynnag, noswyliodd yn gynnar wedi hanner distaw yn y bar.

Amser brecwast bore wedyn, teimlai'r un fath yn union. Erbyn hyn roedd y teledwyr wedi cyrraedd, ac yn brecwasta'n swnllyd ger y ffenest – heb os, wedi taro ar le bywiocach na hwn yn y ddinas neithiwr. Eisteddodd Dafydd yn y gornel bellaf oddi wrthynt a helpu'i hun i bryd ardderchog, amlgyrsiog (a rhaid iddo gofio talu Rhonwy am y bwyd). Ond hyd yn oed wedyn, ni allai stumogi steddfod.

Wedi rhai oriau yn y dre, dychwelodd i'r gwesty a gyrru at ei chwaer yng Nghaerfyrddin. Gyda theulu ifanc, a'i gŵr yn blismon, byddai hi'n falch o'i gwmni. Daeth yn ôl y noson honno'n fwriadol hwyr, yr aduniad teuluol wedi rhoi rhyw lonyddwch iddo.

Byddai'n rhaid, mae'n debyg, iddo fwrw'r steddfod dydd Mawrth. Heb lawer o frwdfrydedd, gyrrodd i Gwm Nedd. Talodd wythbunt wrth y fynedfa, a mentro i mewn i'r Maes.

Edrychodd o'i gwmpas ar y pebyll bach a mawr: Gwydrau Dwbl Astra Seal, GWIR NEU GAU – *Mid-Glamorgan Drug Counselling Centre*, Esgidiau Cynllunydd Trydydd Byd,

Multiple Sclerosis... Yna sylwodd ar bagoda ysblennydd Telewales, a baneri'r byd yn chwifio'n rhes o'i do... nawr ble'r oedd y Pafiliwn?

"... Rhaglen *Programme* Rhaglen *Programme* Rhaglen *Programme...*" gwaeddodd plentyn bach arno. Talodd Dafydd bumpunt i'w dawelu. Yna stwffiodd rhywun *Western Mail* i'w boced, ac un arall *Daily Post*, a thrydydd rywbeth o'r enw Hedyn Mwstard. Dechreuodd Dafydd ddarllen y daflen. *Pam daethoch chi i'r Eisteddfod? Ai dim ond i fwynhau eich hun? Druan ohonoch: rydych yn siŵr o fethu... Pam ydych chi ar y ddaear? Ai dim ond i foddio chwantau a phorthi hunanoldeb? Y mae Iesu Grist...*

Rhy wir, meddyliodd Dafydd, gan anelu am y tŷ bach. Wedi cryn chwilio, canfyddodd lun du a gwyn o ddyn coes matshen wedi ei groeshoelio ar bolyn gerllaw math o wal gynfas, fudur a gwnaeth linell syth ar draws y cae am yr agoriad.

Y tu mewn, pwy welodd ond ei hen ffrind, Huw Duw – y boi fu'n bwrw'r piano yn y bistro flynyddoedd yn ôl. Roedd hynny'n annisgwyl, a braf. Sut mae'i blaen hi? Ble ti'n aros? Ble mae hi am fod? Roedd Huw'n gyfeillgar iawn ond roedd yn anodd cynnal sgwrs a deg o ddynion yn piso'n rhes i mewn i gafn sinc y tu ôl iddo. Roedd Huw yn aros yn y maes carafannau a methodd Dafydd ddweud ei fod yn aros yn y *Marriott* o bobman ac addawodd ei 'weld o gwmpas'.

Teimlodd yn well ond ar y ffordd allan fe'i daliwyd gan rywun arall eto, bachan hynod gyfeillgar, ond un na allai Dafydd yn ei fyw roi enw, lle nac amser iddo. Ac yntau ar ben ei dennyn, crafangodd Dafydd am gliwiau yn y sgwrs gan gelu ei anwybodaeth a chyda'r nod, yn achos methiant, o ymryddhau cyn gynted â phosib rhag creu embaras ffôl.

"Wela i di yn y steddfod nesa!" meddai'r boi'n galonnog wrth ffarwelio. "Braf dy weld di eto, Dafydd. Unwaith y flwyddyn 'dan ni'n cwarfod erbyn hyn ond gwell hynny na ddim o gwbwl, yntydi?"

Ffodd Dafydd at fainc bren – un wedi'i chynllunio, mae'n

amlwg, ar gyfer pump o efeilliaid Siamese. Roedd gosodiad y dyn yn hollol dwp: beth uffern oedd pwynt gweld rhywun nad oedd e'n ei nabod unwaith y flwyddyn? – nes i Dafydd sylweddoli mai dyna'n hollol ei brofiad gyda Dydd. Ond na, dadleuodd: roedd e'n gwybod ei henw hi, yn gwybod rhai pethau amdani, yn cofio'r sgyrsiau, ac yn cofio'n union ble y gwelodd hi'r ddau neu dri tro diwethaf, hyd yn oed yn cofio'i dillad.

Agorodd Raglen y Dydd – gan iddo fuddsoddi mor drwm ynddi – a chwilio ar frys am rywbeth cymharol gall i'w wneud â'i hunan yn ystod yr oriau oedd yn weddill. Yna meddyliodd: od eu bod nhw'n galw'r peth yn Rhaglen y *Dydd*. Rhaglen yr wythnos oedd hi, mewn gwirionedd, yntê? Neu oedd e *wedi* colli'i bwyll?

* * *

"Dafydd 'rhen gi! O'n i'n gweld dy fod ti wedi setlo i mewn – ond ble wyt ti wedi bod yn cadw'r holl amsar?" Rhonwy ei hun oedd yno, wedi'i ddal yn pasio drwy gyntedd y gwesty am y grisiau. Arweiniai'r bar at y fynedfa ac roedd Rhonwy'n amlwg wedi cael dau neu dri. "Mae 'ma griw bach difyr iawn, 'sti. 'Dan ni'n cael ufflon o hwyl. Ty'd at yr achos, mae 'na ddigon o le iti."

"A' i lan gynta i newid…"

"Wela i di'n y munud 'ta – mi fydd 'na sedd yn aros amdanat ti, cofia."

Roedd awyrgylch braf yn y bar, peintiadau Ffrengig ar y waliau a goleuadau serog yn pefrio o'r nenfwd pren. O gwmpas y bwrdd roedd criw golygus, llwyddiannus, *thirtysomething* yn mwynhau'n swnllyd, ac yn eu plith Gari Bacardi, Elwyn Emlyn, a nifer o ferched syfrdanol o hardd. Gwnaeth Rhonwy le iddo yn y cylch a thynnodd Dafydd ei gadair i mewn. "Fydda i ddim angan y stafall o nos Iau ymlaen," meddai Rhonwy wrtho toc. "Gei di 'neud fel mynnot ti hefo hi," gan wincio ac amneidio at y merched.

Er gwaethaf ymdrechion Rhonwy i'w gynnwys, câi Dafydd hi'n anodd dilyn y sgwrs.

"Fucking great idea," meddai Gari. Roedd wedi diosg ei siaced wen, ac roedd perlau o chwys ar ei dalcen. "Os oes 'da ni Jackpot – pam ddim Jillpot? *Kind of* Tutti Frutti Cymraeg, rhife'n hongian wrth tits y merched, ac os chi'n hito'r Jillpot, chi'n gweld y tit! *Fucking great!* Os yw e'n ddigon da i'r Germans, mae e'n *good enough* i ni."

"Ond 'smo'r Germans yn dangos y rhaglen 'na nawr," meddai Elwyn Emlyn.

"So *fuck,*" meddai Gari, "gwertha fe nôl iddon nhw. Jyst newid e twm' bach. 'Ma *big chance* ti, Ems, gwerthu i'r Krauts. Yr hen J.P.'n lico cracl Deutsch Marks yn 'i waled, alla i *fucking* garantîo ti."

Elwyn Emlyn, gwyddai Dafydd, oedd Swyddog Masnachu Tramor Telewales. Cofiodd amdano'n siarad yn Rali Dolgellau flynyddoedd yn ôl. Hoffai sôn am Gadw'r Freuddwyd yn Fyw a byddai'n halltu ei areithiau â dyfyniadau o Martin Luther King a Dietrich Bonhöffer. Yn anffodus, doedd dim peryg i neb ddienyddio'r delfrydwr duwiol hwn oedd bellach yn gwerthu Superted i Affrica. Neu oedd yna, dychmygodd Dafydd, ryw Affricanwr bach tywyll yn rhywle oedd wedi cael llond bol arno fe a'i siort, ac yn nhrymder nos yn hogi dagr ei dad...

Gwyddai Dafydd na fyddai'n gallu goddef llawer rhagor o hyn ac y byddai'n mwynhau ei beint nesaf yn y dref. *M.O.M.* meddai wrthoi'i hun yn y man – *Mas o 'Ma*... "Wela i di'n nes 'mlaen," meddai wrth Rhonwy. "Bosib iawn..."

Taflodd ei got ar ei ysgwydd, ac aeth allan trwy'r drws gwydr. I fod yn deg, doedd e erioed wedi dychmygu y byddai 'na steddfod yn y lle yma, ond a fyddai un allan yn nhre Abertawe, doedd e ddim mor siŵr, chwaith...

* * *

Fel y cerddodd Dafydd ar hyd ffiniau'r Marina, cofiodd am ei beint cyntaf yn Steddfod Port. Mor wahanol oedd hwnnw, yn Nhremadog. Lle hyll, moel, peint gwaelach o lawer na'r *Double Dragon* a gafodd gynnau. Pump ohonynt yn cwrdd amser cinio dydd Mercher, hen ffrindiau, yn methu credu bod y trefniadau wedi gweithio a'r merched mas o'r ffordd...

Archebu'n ymosodol, dreisgar Gymraeg, yn bwrw swildod blwyddyn. Taflu'r cwrw'n ôl, deubeint cyflym neu dri; i'r bogdy, slamio'r drws, piso'n gam. Mwy o gwrw, cofio hen sesiynau, tynnu coes, mentro ar gân; colli trac ar amser, colli rhifau ffôn, trefniadau'n yfflon ac allan am newid i'r iard gefn i'r haul lle mae dau neu dri ymbarél, a mainc. Dim ond pumllath sgwâr yw'r iard, ond mae'n Ddigon Mawr i'n Hogia Ni – am y tro...

Roedd Dafydd erbyn hyn yn cerdded i fyny Wind Street ac yn pasio bar *karaoke* ble'r oedd criw meddw, chwyslyd, hanner noeth yn chwifio'u breichiau ar y llwyfan. Edrychodd yn eiddigeddus atynt drwy'r ffenest. Oedd sesiwn Port yn wahanol i'r Crac fan hyn? Trodd i mewn am un. Roedd yn fil mwy o hwyl na'r *Marriott*, ond allai e ddim parhau i fwynhau heb fynd yn gocos ei hun. Na, nid hyn oedd steddfod chwaith...

Cyfeiriodd ei gamre tua'r Kingsway a Tŷ Tawe, y clwb Cymraeg. Doedd e ddim yn disgwyl steddfod fan'na chwaith. Steddfod, penderfynodd, ydi strydoedd yn llawn Cymry. Cael bod, am unwaith y flwyddyn, yn y mwyafrif. O fan'na y daethai hyder y peint cyntaf yna yn Port, yntê. Pan gofiai steddfodau ei blentyndod, dyna oedd y cof cliriaf: y teimlad o fod yn rhan o rywbeth mawr, cynnes, llawer mwy nag ef ei hun.

Cofiodd weld hen ffilm Gymraeg pan oedd yn y chweched dosbarth yng Nghwm Gwendraeth, un am Gwm Rhondda. Y glowyr yn dod lan o'r shifft, a llond stryd o wragedd yn dod mas o'u tai i'w croesawu. Canu emynau wedyn, doedd e ddim yn cofio pam. Gwarthus o sentimental, ond yr hyn a wnaeth argraff fythgofiadwy arno oedd bod pawb yn siarad

Cymraeg. Aeth iasau i lawr ei gefn dim ond o weld peth mor naturiol a normal â hynny...

Trwy'r flwyddyn – ymresymodd Dafydd – ry'n ni'n byw'n annaturiol ac abnormal, pob un yn cario'i Langroes ar ei gefn. Dim rhyfedd 'mod i'n mynd yn nyts. Does neb cyffredin mewn cymdeithas normal yn gorfod cario'r fath faich o hunanymwybyddiaeth. Diwedd yr ugeinfed ganrif yw'r eithriad gwallgo mewn hanes. Y rhan fwyaf o'r amser, mae'r rhan fwyaf o bobl wedi byw mewn rhyw fath o steddfod rownd y flwyddyn. Dyna pam rwy'n meddwl am steddfod o hyd: dim ond hiraeth ydi e, heb yn wybod imi, am bethau fel y buont erioed...

Ar y tro oddi ar y Kingsway i fyny i'r clwb, gwelodd Dafydd arwydd mawr coch *Liberty's* yn y pellter. Er gwaetha'i hunan, cyflymodd ei galon. Eto, petai'n berson normal, fyddai e'n meddwl dim am yr arwydd yna. Ond nawr – a'r alcohol yn deffro'i gyneddfau – roedd hud a dirgelwch yn y llythrennau, a gwahoddiad, ac addewid, a pherygl...

* * *

Dau beint o Ynys Afallon a dwy awr yn ddiweddarach, roedd yn bryd iddo feddwl am ei throi hi. Ond roedd yn anodd. Roedd Tŷ Tawe'n syndod o hwyliog: criw cymysg, dysgwyr, ambell gesyn, dim un cyfryngi.

"*Tafski* bach cyn mynd?" mynnodd y barman.

"Beth wedoch chi?"

"*Tafski Imperial Welsh Vodka*, achan. Un nêt i setlo'r stwmog."

Setlo'r stumog? Roedd hwnnw'n sgrechian – roedd e heb fwyta ers brecwast. Ond yfodd y fodca 'run fath, ac awgrymodd y barman fistro Maggie's. Trodd i'r chwith a cherdded i fyny Walter Road. Gwelodd yr arwydd a throi i lawr y grisiau cul ac i mewn i ryw seler ynghudd o dan yr heol.

Nifer dda yn mwynhau yma eto, a chriw o ddynion canol

oed yn llewys eu crysau yn ymgomio wrth y bar bach yn y cefn. Y tu ôl iddo teyrnasai gwraig glebrus, ei gwallt golau'n gorun uchel. Yn betrus, gofynnodd Dafydd iddi oedd hi'n rhy hwyr am bryd o fwyd a dywedodd fod ganddi ychydig o *lasagne* ar ôl, os dymunai.

Eisteddodd Dafydd wrth ford gron wag oedd, fel popeth arall yma, o bren wedi'i sgwrio. Bistroaidd iawn oedd y naws, cawl potsh o hen bethau wedi'u clymu bob siâp: tegell copr, arwyddion stryd o Abertawe a Tennessee, hen lyfrau a bocsys matsys, pâr o wellau, a thu ôl i'r bar, poster Budweiser gyda dyn yn chwarae sacsoffon o olau neon: ym mha blydi canrif ac ym mha blydi gwlad y'n ni i fod heno, gofynnodd Dafydd yn flin iddo'i hun.

Yn y man daeth merch ato i gymryd ei archeb am ddiod.

"Gwin gwyn, os gwelwch yn dda – potel."

Gwenodd y ferch yn amyneddgar. *"Would you care to repeat that in English?"*

"Potel o win gwyn, os gwelwch yn dda."

Cododd ei hysgwyddau a dechrau symud i ffwrdd.

"Hey!" gwaeddodd Dafydd ar ei hôl. *"Can't I order a bottle of wine in my own language in my own country and in Eisteddfod week too."*

"I've no idea what you're talking about."

"Eisteddfod. The great annual holiday of the Welsh. It's here all week."

"I hadn't noticed."

"Well it's in Neath really but there are things on in town too."

"I take your word for it. But you understand we're supposed to be closed now so you'd better hurry up if you want any wine."

"You've understood, you see! Gwin *is wine and* gwyn *is white and* potel *is guess what..."*

Doedd y ferch ddim yn siŵr p'un ai i drafferthu gyda'r meddwyn hwn. Yn ei thridegau, edrychai'n flinedig a gwelw. Pan ddaeth hi'n ôl â'r hanner *carafe* y penderfynodd y byddai'n fwy na digon i'r creadur rhyfedd hwn, gwrthwynebodd Dafydd yn gryf.

"A bottle I said – is it the Welsh you object to?"

"No, the English actually."

"What do you mean?"

"Potel is obviously English so I've bought you something French instead, a CARAFE, to go with the LASAGNE you're eating," meddai yn ei hacen drom leol.

"But it's HALF a carafe!" protestiodd Dafydd.

"That – or nothing!" meddai'n derfynol gan hoelio'i llygaid duon arno.

"OK," meddai Dafydd, *"I'll take it on condition you have a glass yourself."*

"Sorry, I've got work to do."

"One glass won't kill you," mynnodd Dafydd.

"All right then, if it will cut down your consumption."

Eisteddodd hi gydag e am funud, ac meddai yn y man: *"I suppose it's our fault that we don't speak it."*

"Well then there's the whole fucking system of course. But after saying that, it's bloody ridiculous that as a Welsh woman, Swansea born and bred are you...?"

"Bonymaen, that's this side of Llansamlet."

"What's more Welsh than that? Anyway, here you are, not knowing your own language."

"Believe it or not, I did start taking Welsh lessons but it was hard going and in the end I had to give up because of this job, like."

"Well now's the time to restart," meddai Dafydd. *"There's a Welsh club down the road, and there are things on all week as I said."*

"It's not so easy," meddai, *"with a kid to bring up."*

"Why, more's the reason, if you've got a kid – and send him to a Welsh school."

Cododd hi o'i chadair ac meddai'n ysgafn, *"A bit of a Welsh nut you are, I can see."*

"A nut? To send a child in Wales to a Welsh school – is that nuts?"

"No, of course not, but I can't think of learning a new language now. I'm too old."

"You? You can't be more than twenty five! It's you who's bloody nuts, not me."

"I didn't say you were nuts, just a WELSH nut," meddai'r ferch wrth fynd. *"And you're sure you don't want gravy on your lasagne?"*

"As long as the food's not English, I don't mind."

Palodd Dafydd i'r plataid o fwyd. Iesu, roedd y chwyldro'n bell i ffwrdd! Eto roedd rhywbeth naturiol iawn am honna. Roedd e'n help ei bod hi'n Gymraes, nid fel y blydi Patsy yna.

Pan ddaeth yn amser talu, siarsiodd hi eto i fynd i Tŷ Tawe ac i'r Noson Roc Nos Iau – *Liberty Rock.* Byddai'r bandiau Cymraeg gorau yno, meddai. Roedd hi'n amau'n fawr: roedd hi'n gweithio tan ddeg nos Iau. Ond roedd y noson yn para tan ddau, mynnodd Dafydd. Ond fyddai hi'n nabod neb, meddai hi wedyn. Wel dewch â ffrind, meddai Dafydd. Roc yw roc, a fydda i yno beth bynnag.

"I'm too old for rock & roll too," meddai'r ferch wrth i Dafydd hel ei got.

"I said *you were nuts,"* meddai Dafydd heb wên. *"WELSH nuts are never too old to rock and roll."*

* * *

Cafodd Dafydd ddadl hwyr, flêr, ddi-fudd gydag Elwyn Emlyn yn y *Marriott* yn nes ymlaen, dadl y cerddodd Elwyn i ffwrdd oddi wrthi'n ddirmygus. Triodd Dafydd wedyn ei lwc gydag un o'r merched syfrdanol iawn yna ond roedd yn amlwg iddo ei bod hi, fel y ferch yn y bistro, yn edrych arno fel rhyw ddyn o'r lleuad. Aeth o'r diwedd i'w wely a chael nad oedd Rhonwy yno wedi'r cyfan.

Cododd yn hwyr y bore wedyn a chymryd awr dros frecwast gan anelu at fod yng Nghaerdydd erbyn tri, ar gyfer y Rali o flaen y Swyddfa Gymreig. Doedd e ddim yn edrych ymlaen o gwbl. Roedd e wedi gwrthod gwahoddiad i siarad ond byddai'n rhaid iddo fod yno gan mai'r Gymdeithas a'i trefnodd. Y pwrpas oedd cyflwyno deiseb i'r Swyddfa Gymreig yn gwrthwynebu'r gorchmynion cynllunio newydd.

Neidiodd i'w gar a llwyddo i gyrraedd Parc Cathays mewn pryd. Roedd tua chant yno, a thua hanner hynny o heddlu. Gwrandawodd ar gwpwl o siaradwyr hynod ifanc yn bytheirio yn erbyn y Llywodraeth ac yn erbyn tanseilio hawliau'r cynghorau lleol; yn sôn am frad Tai Cymru a'r Cymdeithasau Tai; ac yn galw John Longman, yr Ysgrifennydd Gwladol, yn fastard.

"Mae yn yr adeilad hwn," llefodd un, "ddwy fil o weision sifil sy'n atebol i neb ond i'r Blaid Dorïaidd Seisnig. Fydd cymunedau fel Llangroes a Glan Hedd fyth yn ddiogel yn nwylo pobol sy'n rhoi elw o flaen lles cymdeithas. Mynnwn Senedd Gymreig yn lle Gweinyddiaeth Gudd!"

Fel ym mhob rali, doedd neb yn yr holl adeilad a allai dderbyn y Ddeiseb a chan na threfnwyd gweithred, fe wasgarodd pawb yn fuan wedyn. Roedd Huw Duw a Walis yno ond gwrthododd Dafydd eu gwahoddiad am beint gan ei fod yn gyrru ac addawodd eu gweld yn *Liberty's* y noson ganlynol.

Crwydrodd yn ddibwrpas at gyrion Parc Cathays, tua'r ddinas. Sylweddolodd ei fod yn nesáu at barthau'r Theatr Newydd – a chlwb nos Titos. Rhaid bod rhyw reddf wedi'i arwain at y lle. Cerddodd drwy'r gerddi a'r coed tua'r union fynedfa lle bu'n oedi cyhyd y noson arall honno, bymtheng mlynedd yn ôl.

Pymtheng mlynedd! Eto: oedd e'n gall?

Eisteddodd ar un o'r meinciau. Prysurai siopwyr a mamau â phramiau heibio iddo'n ddi-hid; y tu draw, ar y ffordd ddeuol, llifai ffrwd ddiddiwedd o geir a bysiau, faniau a lorris mewn tarth o garbon monocseid.

Dyna'r cyfan oedd Dydd, oedd *dydd*. Nid enw merch oedd e o gwbl, ond Un Dydd o brofiad Cymreig. Dim mwy, dim llai: roedd hynny'n glir i Dafydd nawr.

Croesodd y stryd, a sylwi bod hyd yn oed yr enw Titos wedi newid. Ffindiodd far cyfagos yn llawn ffans pêl-droed Caerdydd yn eu gwyn a glas yn bloeddio a rhegi a phoeri. Fe gâi beint o Hancock's cyn troi'n ôl am y maes parcio.

Byddai'n hoffi cael peint tawel, amhersonol weithiau – efallai ochr arall y geiniog i'r 'profiad eisteddfodol'. Yna teimlodd Dafydd – dim ond am un eiliad y gwelodd e'r dyn, cyn iddo symud y tu ôl i un o gefnogwyr Caerdydd – bod rhywun yn ei wylio. Ond roedd yr eiliad yna'n ddigon: hanner o shandi yn ei law, gwallt byr, clîn shêf, llygaid byth-yn-llonydd...

Ie, gwyddai Dafydd: Slob – rhan arall o'r realiti yr oedd e'n gwrthod ei wynebu...

* * *

Roedd gan Dafydd sawl rheswm da dros aros yn weddol sobor nos Iau. Ond eto tenau iawn oedd y dystiolaeth y byddai unrhyw beth yn digwydd yn *Liberty's*. Ymhellach: a oedd e am i rywbeth ddigwydd? Oedd e wir eisiau cwrdd â'r Milwr eto? Doedd e ddim am fynd nôl i Sgwâr Un a chael ei ailrwydo mewn gwe na allai ddianc ohoni. Ond os nad gwybodaeth, beth fyddai'r Milwr eisiau? Oedd e'n disgwyl i'r Milwr ddweud, "Shwd Mae Dafydd Bachan ac Odi'r Jeli'n Dal yn Sych?" Mewn pwl o amheuaeth ac ofn, bu'n ystyried osgoi'r lle ac anghofio'i hun yn y bar *karaoke,* ond gwyddai yn ei galon na allai beidio â mynd i'r noson hon.

Gwisgodd mor niwtral â phosib – hen jins a chrys-T Deddf Iaith – er ei fod yn teimlo braidd yn rhynllyd. Dringodd y grisiau i'r clwb a chael ei basio gan y bownsars, ond yr eiliad yr aeth i mewn, teimlodd yn uffernol o hen. Roedd cyrff ifanc poeth, diamynedd yn gwasgu'n galed yn ei erbyn wrth y bar, er mai dim ond naw o'r gloch oedd hi.

Cafodd wasanaeth o'r diwedd a llwyddodd i lywio'i wydryn plastig yn ddiogel i gornel dawel. Roedd band ifanc 'blaengar' wrthi'n sgrechian eu stwff a sobrodd Dafydd gyda phob llwnc o'r hylif melyn, poplyd, twym.

Eto roedd y lle'i hun yn iawn. Palas yn wir, gyda cholofnau drychog, tywyll yn adlewyrchu ac ail a thrydydd adlewyrchu'r goleuadau a chwyrlïai uwchben y llawr dawnsio. O ryw ongl gallai Dafydd weld y peirianwaith olwynog, amlliferog a yrrai'r lampau chwil, fel model Newtonaidd o'r planedau wedi'i beintio i gyd yn ddu. Ond doedd neb yn dawnsio a symudodd Dafydd at y bar llai ar bwys y stâr a chodi peint arall ac eistedd ar y grisiau agored.

Er bod pobl yn gwthio heibio iddo wrth symud o lawr i lawr, roedd Dafydd mewn safle da i fwynhau'r olygfa a'r sioe olau. O'r diwedd, trodd y miwsig i ddisgo tra oedd band newydd – Geraint Lövgreen – yn ymbaratoi. Y munud y sylweddolodd Dafydd pwy oedden nhw, cododd ei ysbryd. Gwyddai y byddai'n mwynhau'r rhain: roedd e wrth ei fodd gyda'u caneuon amarchusol, Amser Da. Sylwodd fod y wasgfa ar y bariau'n drymach nag erioed, wrth i bawb synhwyro fod yr hwyl ar fin dechrau.

Trodd ei sylw'n ôl at ddawns y goleuadau dan y nenfwd. Chwyrlïai un yn beryglus, fygythiol fel petai am hyrddio'i hun i mewn i'r dawnswyr. Troellai fel flachlamp rhyw blismon o'r gofod, yn chwilio'n ddibaid am droseddwr ac aros yn sydyn ar yr euog. Doedd dim dal ble byddai'n glanio. Yna, yn sydyn arhosodd ar ran o'r dorf ger y bar pellaf. Yno yn y ciw, wedi'i wasgu fel brechdan rhwng haenau o gyrff, ei wydryn plastig i fyny, yr oedd Eddie.

Y bastard. Felly roedden nhw yma...

Diffoddodd y golau. Craffodd Dafydd i'r tywyllwch. Roedd e fel petai'n gafael yn y boi o'i flaen e, ac yn pwyso arno fe. Oedd e'n feddw, neu'n hoyw, neu beth?

Symudodd Dafydd o'i eisteddle. Roedd ei safle'n rhy amlwg. Gwell iddo ymgolli yn y dorf. Dechreuodd y band a llanwodd y llawr dawnsio. Dilynwyd *Pawb i Wneud yr Arg* gan *Stella*, a'r sacsoffonwyr yn swingio'n ôl a 'mlaen fel band dawns cyn y Rhyfel. Fel magned symudodd Dafydd i'r canol, y lliwiau uwch ei ben yn fflachio, troi, hyrddio fel comedau.

Roedd merched yn mynd yn wyllt yna, bronnau'n bownsio

bobman tu mewn i'r crysau-T *Rhyddid,* eu tethi (dychmygodd Dafydd) yn rhwbio yn erbyn y llythrennau o chwith... Llusgodd un o ferched ifanc y Gymdeithas ef allan gerfydd ei grys ond yn llawer rhy fuan gorffennodd y band eu set gan roi lle i'r grŵp reggae, du: Jaweh. Doedd Dafydd ddim yn siŵr a oedd hyn yn syniad da mewn noson Gymraeg ac enciliodd tra oedd y miwsig disgo'n llanw'r bwlch. Pan ddechreuodd y grŵp, a chyda pheint newydd, symudodd eto tua'r canol magnetig.

"Ffansi dans fach?" meddai tomboi o ferch ar ei bwys.

"Wel..." meddai Dafydd yn ansicr. Gwisgai *headband* o flodau ond roedd rhywbeth rhyfedd amdani.

"Ti'm yn shei, Dafydd?"

Diawch roedd ei llais yn ddwfn, a sut gwyddai ei enw?

"Sori, jyst dilyn y band ydw i."

Ond y Milwr oedd e! Heb ei fwstás, mewn crys chwys wedi'i stwffio, tynnodd Dafydd allan i'r llawr i ganol y dawnswyr. Sathrodd ar amryw draed wrth geisio cael ei falans a symud i'r rhuthm.

"Gest ti amser uffernol 'da nhw?"

"Do, uffernol. Bastards..." – ond roedd meddwl Dafydd ar chwâl. Triodd gofio'r holl bethau yr oedd wedi bwriadu eu gofyn iddo.

"Achos y jeli oedd e?"

"Ie – maen nhw'n gwybod."

"Ni'n gwbod 'ny," meddai'r Milwr, gan chwifio'i freichiau i'r miwsig. "Ni wedodd wrthon nhw, mewn ffordd rownd abowt. Ond beth o'dd 'da nhw arnot ti: 'na beth sy'n poeni ni."

"Ffliwc. Digwydd mynd am dro i dop y cwm. Hollol dwp. O'dd y moch yn gwylio wrth gwrs. Ond o'n i'n methu gweud 'tho ti. Waredes i'r disg, ti'n gweld. Gaches i mas..."

Roedd yr ail gân yn fwy rhuthmig fyth a gafaelodd y Milwr yng ngwasg Dafydd a'i swingio o ochr i ochr.

"Y peth calla wnest ti erio'd. Dyw *e-mails* ddim yn saff. 'Na pam o'n i ishe gweld ti. Ni nawr yn iwso'r Internet: *newsgroups* – ond dim byd i ti boeni abwyti fe nawr."

Ni wyddai Dafydd beth i'w ddweud. Roedd y gân yn hollol heintus: *Life! Life! Life!*

"Ond..." – triodd fynegi'i deimladau – "wi gyda chi gant y cant. Ti'n deall: fe wna i beth bynnag sydd angen."

"Dim gobeth, Dafydd bach. Maen nhw 'ma heno fel gwybed ar gachu."

"Wi'n gwbod."

Chwifiodd Dafydd ddau fys i'r awyr fel yr ailganodd y corws du *Life! Life! Life!*

Roedd e wedi'i dderbyn! Ysgubodd ton anferth o hapusrwydd drwy ei gorff a'i galon. Taflodd ei hun i bobman mewn ymateb rhydd i'r Milwr. Chwarddasant gydag ac am ben ei gilydd mewn gorfoledd. Ffars oedd y byd. Roedden nhw'n hofran uwch ei ben gyda'r planedau a droellai uwch eu pennau...

Dyma'r profiad mwyaf cyflawn, erotig erioed: cyd-ddawnsio dros Gymru, Rocio i Ryddid. Does dim angen merch. Cyd-ddeall, cyd-ymladd dynion yw'r profiad dyfnaf i gyd, y mwyaf rhyddhaol...

Ond nid mewn geiriau y meddyliai Dafydd. Gwelai, deallai'n reddfol mai hyn oedd nod pob ymdrech dros Gymru; bod pawb yn ei galon yn cytuno â'r Milwr; na allwch chi gael cenedl heb Filwyr i'w hamddiffyn. *Pam nad oes neb yn onest? Mae mor amlwg, a chlir, a gwir...*

Life! Life! Life! – doedd dim diwedd i'r gân, na diwedd i fod iddi...

Ond Dydd sydd yna. Dydd! – ei gariad.

Mae'n gwisgo'r dillad llac yna, ac mae bwa coch a gwyrdd yn ei gwallt. Ydi hyn yn wir?

Meddai: "Ti yw Dydd, yntefe?"

"Debyg iawn, Dafydd!" – yn acen Pen Llŷn!

"Ond sut oe't ti'n gwybod am heno?"

"Glywis i dy fod ti wedi bod yn chwilio amdana i."

Roedd hi mor mor hawdd siarad â hi – yn union fel o'r blaen – a'r llygaid hyfryd yna, chwareus ond pa ddyfnderoedd...

"Be, trwy Jac?"

"Ia, am wn i mai Jac ddeudodd..."
"Ond heno?"
"Wel mae'n steddfod tydi, ac mae'n nos Iau. 'Dan ni'n arfar cwrdd mewn steddfoda, yntydan? Os na watshwn ni, mi fydd pobol yn dechra siarad..."
"Gad iddyn nhw. Mae mor ffantastig i dy weld ti eto... a dwy' byth yn mynd i adael i ti fynd o 'ngafael i."
"Esgusoda fi am funud bach, Dafydd, mi ddo' i'n ôl mewn chwinciad... 'drychi di ar ôl 'y mag i, 'yn gwnei?"
"Wrth gwrs."
Llithrodd oddi wrtho, gan adael ei bag wrth droed y golofn ddrychog.
Ni symudodd Dafydd o'r fan. Roedd yn rhaid i hyn barhau. Chwaraeodd y miwsig ymlaen, miwsig bywyd, miwsig rhyddid. Ond i ble'r oedd Dydd wedi mynd? Edrychodd yn ôl tua'r golofn wydrog. Roedd y bag yn dal yna. Dechreuodd y roc Cymraeg, y band olaf i gyd. Rhaid iddo aros yma: roedd y bag yn dal yna wrth droed y golofn. Mi fyddai'n rhaid iddi ddod yn ôl, felly.
Byddai, byddai'n *rhaid* iddi ddod nôl y tro hwn...

26. GAYLE

DEFFRÔDD DAFYDD a'i gymalau'n gwingo. Ble'r oedd e? Yna ailgysgodd, ailddeffro a throi'r golau ymlaen... nid mewn gwely nac mewn gwesty. Cododd ar ei eistedd. Doedd e ddim wedi gweld y llenni hyn o'r blaen. Roedd e mewn ystafell flaen: teledu, teganau, yr *Evening Post*. Ciciodd y ddwy flanced i ffwrdd a chropian at y ffenest. Agorodd gil y llenni. Stad o dai cyffredin, ond ble?

Abertawe – Steddfod – *Liberty's*...

Clwt wrth glwt daeth tameidiau o'r noson yn ôl: clwb nos – dawnsio – Eddie – a'r Milwr. Do, fe'i gwelodd e – bu'n dawnsio gydag e... *yna Dydd!* Ond na, roedd e'n gwallgofi nawr. Caeodd gragen ei feddwl a chludodd ei gorpws yn ôl at y soffa.

Tynnodd y flanced yn ôl amdano – a daeth merch dal i mewn yn cario mwg o goffi du. Gwallt brown tywyll, llygaid tywyll, wyneb gwelw. Pwy oedd hon? Be ddiawl oedd e wedi'i wneud nawr?

"Oes yna fywyd ar ôl yn y corff?" gofynnodd hi'n Saesneg.

"Sori," meddai, "dwy' ddim – sut – "

"Falle daw e'n ôl ar ôl ichi lyncu hwnna. Tost?"

"Diolch. Mae'n ddrwg 'da fi os..."

"Rhaid i mi fod yn y bistro am ddeuddeg," meddai pan ddaeth yn ôl â'r tost. "*Nawr* y'ch chi'n dechrau cofio?"

"Cofio beth?"

"Neithiwr – y'ch chi'n cofio neithiwr?"

"Ydw – darnau – ond mae'r diwedd yn blanc..."

Eisteddodd hi gyferbyn ag ef tra cododd Dafydd y cwpan at ei wefusau.

"Y'ch chi'n cofio'r bistro nos Fawrth, 'te?"

"Ydw, nawr," meddai Dafydd yn ansicr. "Do'n i ddim yn gwsmer hawdd."

"Na, doeddech chi ddim."

"Gawsoch chi bregeth..."

"Do, un feddw. Ond ar ôl mynd adre, meddylies i: wel, pam lai? Falle 'mod i *yn* colli mas ar rywbeth, a ffonies i un o'n ffrindie ac roedd hi'n gêm so ethon ni i *Liberty's* fel roeddech chi wedi sôn. Tua hanner awr wedi deg oedd hynny – a wir, roedd e'n OK, er bod ni'n nabod neb. A tua dwyawr wedyn, welon ni chi, mas o'ch pen, yn dawnsio ar ben eich hunan ar ganol y llawr. Roeddech chi'n bell mas! Ethon ni lan atoch chi, ymuno i mewn, ond roeddech chi rywle arall, ddyn! Wnaethoch chi ddim 'yn nabod i. Ond roeddech chi i weld yn reit uchel...

"Beth bynnag, roedd e i gyd yn gwd laff a welon ni chi wedyn ar ddiwedd y noson. Y clwb bron yn wag, a fan'na'r oeddech chi'n pwyso'n erbyn y piler 'ma, a golwg bell arnoch chi. Gofynnes i oeddech chi'n iawn, ac a oedd 'da chi rywle i aros, ond y cyfan wedoch chi oedd, *Dim y blydi Marriott, Dim y blydi Marriott* – ac oedd 'y Nghymraeg i'n ddigon da i ddeall hynny."

"Rhaid 'mod i'n *paralytic*."

"Wel cawson ni dacsi nôl ac fe balloch chi'n lân mynd mas yn y Marriott – a bues i'n Samaritan Trugarog a dyma ni, y bore wedyn..."

"Wnethoch chi'n achub i felly."

"O westy pum seren i soffa *convertible*. Rwy'n siŵr eich bod chi'n dyfaru nawr."

"*Fi'n* dyfaru?"

"Dwy' ddim yn arfer gneud hyn, cofiwch – a Gayle ydi'r enw gyda llaw."

"Dafydd..."

"Rhaid i fi fynd nawr," meddai gan afael yn y drws. "Mae 'na fysys yn mynd i ganol y dre o'r stad."

"Ym – alla i gael bath? Dwy' heb lanio nôl i'r ddaear eto."

Chwarddodd Gayle wrth dynnu'r drws. "Rwy'n gweld hynny. Gwnewch fel y'ch chi'n dewis. Mae'r *bathroom* ar dop y stâr."

* * *

Y bore wedyn, roedd Dafydd yn dipyn mwy cysurus ei amgylchiadau. Roedd y gwely'n feddal, braf; yn fwy na hynny, roedd merch ynddo.

Erbyn hyn roedd wedi dysgu rhai pethau amdani, ei chefndir yn nwyrain Abertawe, sut y collodd swydd dda yn sgil ysgariad a gofal plentyn, ei bywyd cymdeithasol prin, a bod ganddi fab, Danny, oedd i ffwrdd yr wythnos hon gyda'i brawd yn Leicester. Cawsai Dafydd gyfle i sôn ychydig am ei fywyd ei hun, a'i obeithion am gael Siani'n ôl.

Eisteddodd hi i fyny, yn noeth. "Wel – rydw *i'n* mynd i'r steddfod..."

"Debyg iawn..."

"Fy nghyfle ola i – dydd Sadwrn."

"Wrth gwrs..."

"Wel dwedwch rywbeth call, ddyn. Chi sy wedi bod yn pregethu wrtha i trwy'r blydi nos!"

"Ofni ydw i y gallet ti gael siom."

"Ond sut alla i gael siom a finne erioed wedi bod mewn un?"

Yn ddioglyd, rhoddodd Dafydd ei fraich am ei chanol. "Ond rwyt ti'n disgwyl rhyw ŵyl fawr, llawn miwsig, barddoniaeth a thelynau a chanu a dawnsio a derwyddon: rhyw *spectacle* bythgofiadwy."

"Mae 'meddwl i'n hollol agored."

Crwydrodd llaw Dafydd yn llechwraidd i fyny ochr ei chorff.

"O *come on*, Dafydd, dwi ddim yn bwriadu aros yn y gwely trwy'r dydd!"

"Mae 'na ffyrdd gwaeth o dreulio'r amser."

"Blydi dynion – y'ch chi i gyd 'run fath!"

"Ti'n gweld, mae 'na waith egluro, esbonio i'w wneud – y cefndir i'w lanw cyn dy fod ti'n cyrraedd y maes..."

"Ond onid fan'na yw'r lle gorau i ddysgu? Gei di roi *running commentary* i mi, fel criced."

"Sôn am griced, mi fyddai'r fron 'ma'n gneud *ski-slope* eitha da..."

"Dafydd!"

Neidiodd o'r gwely, a chamu i mewn i'w nicer. "Rhaid i chi ddynion ddysgu cadw at eich gair. Dduw, y bregeth ges i neithiwr am yr iaith..."

Cododd Dafydd a sefyll y tu ôl iddi gan chwarae ar ei chefn fel yr oedd hi'n gwisgo. "Wi'n addo – un wers fach – jyst am y Steddfod. Hanner awr ar y mwya."

"Ond mae'n hanner awr wedi deg yn barod."

Gyda'i fraich gref, tynnodd hi'n ôl ato, ei rhoi'n dwt ar y gwely, a chau'r flanced yn dyner amdani. "Paid â symud!" rhybuddiodd a mynd i'r gegin i nôl dau gwpan a photel o win o'r rhewgell.

"Dafydd – dyw hyn ddim yn ddoniol. Gethon ni ddigon o ryw neithiwr."

"Dyna'r pwynt, wyt ti'n gweld. Rhyw! – mae 'na gysylltiad agos rhwng rhyw a steddfod."

"Fel 'sen i ddim yn gwybod," meddai wrth dderbyn y cwpan. "Ond rwy'n mynd am un ar ddeg. Iawn?"

Setlodd Dafydd yn ôl yn y gwely, a phwysodd Gayle ei phen ar y glustog.

"Reit – rwy'n aros am y wers."

"Mae fel hyn. Mae'n bosib edrych ar y steddfod, megis trwy bâr o finociwlars a be welwch chi 'di: cae, mwd, carafannau a phobol mewn galoshes a plastic macs, a chwpwl o feirdd yn chwilio am dŷ bach. Reit, mi fyddi di wedi gweld steddfod; ond wrth gwrs, fyddi di ddim wedi ei gweld hi o gwbwl."

Estynnodd Dafydd ei law, o dan y flanced, at glun agosaf Gayle.

"Wi'n cofio'n steddfod gynta erioed, steddfod Cricieth.

Chwydes i'n gyts mas bob nos ar ôl dim ond tri pheint o Ansells."

"Wyt ti moyn i fi yfed y gwin 'na?"

"O'n i'n cysgu yn sedd flaen hen Austin A40, yn byw ar chips a *rissoles*, a wnes i ddim unwaith newid 'y nillad. Gyda llaw, wyt ti'n gwbod sut mae bois Port yn penderfynu pryd i newid trôns?"

"Mae 'na fathau o wybodaeth mae'n llawn cystal gen i fod hebddyn nhw."

"Wel prawf oedd e, yntefe: un corfforol a meddyliol. Un *initiation* i fod yn Gymro – y math o beth sy gyda'r SAS, er enghraifft..."

"Doniol iawn ond sa i'n gweld y cysylltiad o gwbwl."

Yn araf tynnodd Dafydd ei choes chwith tuag ato ond slapiodd hi ei law. "Allwn ni gael rhyw unrhyw bryd, Dafydd, ond dim ond heddiw mae 'na steddfod."

"Ond dyna beth wi'n trio'i egluro. Rhyw yn ystyr eang y gair... steddfod yw ffrindie, cariadon, hen gariadon, gelynion, beirdd, derwyddon, a bechgyn bach penderfynol yn gwerthu'r *Western Mail* a *Hedyn Mwstard*."

"Wir, dwy' ddim wedi clywed y fath rwtsh yn 'y mywyd. Dyw'r cyfan, hyd y gwela i, yn ddim ond esgus pathetig i oryfed."

"Ie, ond rhyw fath o garu yw yfed..."

Dadfachodd Gayle ei hun oddi wrth Dafydd a dechrau gwisgo gan drio rheoli ei chwerthin.

"Ti'n *bonkers!* Os dyna dy esboniad gore di – gorau po gynta yr awn ni lan i'r blydi lle. Dere!"

Eisteddodd Dafydd i fyny. "Rwy'n cyfadde, rwy wedi methu – yn drychinebus. Ond wedi methu cael y pen iawn i'r llinyn ydw i, dyna i gyd."

Wedi gwisgo'i nicer a'i bra, trodd Gayle ato: "Elli di ddweud hynna eto," – a rhoi ffling i'r blancedi a gadael Dafydd yn borcyn ar y matres.

* * *

Roedd hi'n hanner dydd erbyn iddynt orffen brecwasta ac ymolchi a dyna pryd y clywodd Dafydd y bwletin newyddion Saesneg.

The man who died in an explosion at the Chester headquarters of Berry Homes early yesterday morning has been named as John Powell Griffiths of Llansamlet, Swansea. He was employed as a technician at a Swansea electronics company and was divorced with one child.

The chief executive of Berry Homes, Samuel Smyth, also died in the explosion. The deaths occurred simultaneously in the early hours of Friday morning when Smyth interrupted an arson attempt on the head offices of his company. Berry Homes are involved in several large housing developments in Wales which have engendered some controversy.

Police are pursuing enquiries into the Welsh extremist organisation known as Y Milwyr, *of whom Griffiths is believed to be a member. Members of the public who may have seen Griffiths, or who have any information about the crime, are urged to contact their local police station immediately...*

Roedd Dafydd ar y pryd yn y gegin a theimlodd y gwres yn llifo allan o'i gorff. Sylwodd Gayle fod rhywbeth yn bod.

"Oeddet ti'n nabod e?" gofynnodd.

"Os fe oedd e. Wyddwn i mo'i enw e."

"Dwy' ddim yn deall..."

"Roedd e yna nos Iau, wyt ti'n gweld – yn *Liberty's*. A buon ni'n siarad..."

Oedd e'n bosibl, tybed? Rhedodd Dafydd drwy ddigwyddiadau'r deuddydd diwethaf, ei ddeuddydd marw i'r byd. Os gwnaed y job yn gynnar fore Gwener, oedd hi'n gorfforol bosib i'w Filwr e fod wedi'i gwneud hi? Pryd welodd e fe ddiwetha? Roedd nos Iau a *Liberty's* mor bell yn ôl erbyn hyn, fel gwlad arall.

"Tria gofio'n ôl at nos Iau, Gayle. Roeddet ti dipyn sobrach na fi. Pryd yn union welest ti fi gynta?"

"Tua hanner awr wedi un ar ddeg."

"Gyda phwy o'n i'n dawnsio?"

"Neb. Dyna pam aethon ni'n dwy lan atat ti. Roeddet ti'n chwifio dy freichiau fel Jimmy Wilde, a golwg bell arnat ti, fel 'se ti ar ryw gyffur – ecstasi neu crac neu rywbeth."

"Ie, a wedyn..."

"Ond doeddet ti ddim?"

"Na, alcohol yw 'nghyffur i. Ond ro'n i'n dawnsio gyda rhywun, ti'n gweld. Tria gofio'n ôl."

"Roedd y lle mor llawn..."

"Wyt ti'n cofio rhyw ferch eitha mawr yn gwisgo *headband* patrwm blodau?"

"Na – doeddet ti ddim fel 'se ti'n dawnsio *gyda* neb..."

"Wyt ti'n cofio rhyw gân Rasta, uffernol o ruthmig, *Life Life Life*?"

"Ydw – dyna tua pryd gwelson ni ti."

"Mae'n dal yn bosibl felly. Os gadawodd e *Liberty's* cyn deuddeg, fe allai fod yng Nghaer erbyn tri neu hanner awr wedi."

Yna meddai Dafydd: "Ie, fe oedd e, yn bendant. Fe ddywedodd rai pethau manwl, pethau na allen i byth fod wedi'u dychmygu. Ac mae'r ffaith ei fod e'n dod o Abertawe yn profi'r peth."

Edrychodd Gayle arno'n amheus.

"Na, dwy' ddim yn un ohonyn nhw – nid 'mod i'n rhy falch o hynny chwaith."

Dechreuodd y wybodaeth erchyll dreiddio i'w ymennydd. Felly yn fwy na thebyg, fe, Dafydd, oedd y person olaf i'w weld yn fyw. Teimlodd fod ganddo ryw gyfrifoldeb anesboniadwy dros ei farwolaeth. Dod i'w weld e wnaeth e, yn y bôn, holi pa afael oedd gan yr heddlu arno, ac i'w rybuddio o newid yn y drefn anfon gwybodaeth; i ddweud wrtho am gadw mas – ond, er hynny, i'w dderbyn. Y fath fraint arswydus a gawsai...

Triodd feddwl yn fwy gwrthrychol. Rhaid bod yr ymosodiad ar Berry Homes wedi'i gynllunio ers tro. Roedd yna resymeg mewn gwneud y peth tra oedd holl adnoddau'r heddlu yn Abertawe a Chwm Nedd; a thra oedden nhw hefyd wedi'u llygad-dynnu gan y *cache* ffrwydron yn Llangroes a Glan Hedd. Nid Llangroes oedd targed y Milwyr, o'r dechrau, felly...

Ond bod y boi'n *farw*, y boi oedd yn dawnsio i Fywyd, y boi oedd yn byw i Fywyd – er na fyddai'r rhan fwyaf o bobl dwp y wlad 'ma yn deall hynny...

Wedi tawelwch hir, meddai Dafydd: "Mae'n rhaid i fi fynd nôl, Gayle, allan o'r freuddwyd rwy wedi bod yn byw ynddi. Mae'r steddfod wedi gorffen, a lot o bethau eraill hefyd."

Edrychodd Gayle arno'n ofnus a gofynnodd yn dawel: "Ydi hynny'n fy nghynnwys i?"

"Na, ti dynnodd fi mas o'r freuddwyd."

"Roedd hi'n freuddwyd hapus iawn, os breuddwydio roeddet ti yn *Liberty's*."

"O'n i'n gwneud y camsyniad mae'r rhan fwyaf o bobol yn 'i wneud: rhoi'r freuddwyd o flaen y ferch. Dyna beth o'n i'n 'neud trwy'r amser, ond trwy ryw wyrth, dynnest ti fi mas – fe droiest ti fi rownd."

Eisteddodd y ddau ar y soffa.

"Wel ydyn ni'n mynd i'r steddfod?" holodd Gayle o'r diwedd.

Edrychodd Dafydd i'r gwacter o'i flaen. "Sa i'n gwbod. Mae'r awydd wedi mynd."

"Gawn ni steddfod drist, felly – dim gwahaniaeth 'da fi."

"Steddfod? Trist? Mae hynny 'run peth â dweud Angladd Llon."

"Ond mae'n hollol bosib cael angladd llon! Os ydi dy steddfod di wedi gorffen, dyw f'un i ddim wedi dechrau."

Wyddai Dafydd ddim beth i'w wneud. Roedd y newyddion ofnadwy yn dal heb waelodi ynddo . Roedd arno angen amser – a thipyn go lew ohono.

"Mae'n well i fi nôl y car gynta o'r Marriott. Gawn ni drafod beth i'w wneud wedyn."

"Felly – dim steddfod?"

"Gawn ni weld sut byddwn ni'n teimlo wedyn."

Ond gwyddai Dafydd na fyddai'n bosibl. Allai e fyth gyniwair yr ysbryd, wedi'r newyddion yna. Byddai'r ymweliad yn fflop, wedi'r holl falu awyr yn y gwely. Mi fyddai hi'n gweld y stondinau cynfas, y tai bach, y blydi banciau – a fyddai hi byth eisiau mynd i steddfod eto. Ond doedd Gayle ddim yn un i ildio mor hawdd.

"OK, so mae'n drist iawn bod y boi yna wedi marw, ond rwyt ti'n cyfadde dy hun dy fod ti'n cael trafferth i'w gofio fe..."

Roedd yn rhaid i Dafydd ddweud: "Ond weles i e o'r blaen hefyd, unwaith..."

Cliciodd, torrodd rhywbeth yn Gayle; teimlodd ei holl obeithion cudd yn cael eu golchi i ffwrdd gan lanw oer a chreulon. Wrth gwrs: falle nad oedd ganddo le i fynd iddo nos Iau. Oedd e wedi'i defnyddio hi i gael lloches? A'r fath rwtsh roedd e'n ei siarad drwy'r amser: nid boi normal oedd y boi yma. *Welsh Nutter* oedd e, go iawn. Cawsai ei siomi gymaint o weithiau o'r blaen gan ddyn ymddangosiadol hawddgar a normal. Dyma gadarnhau eto ei phrofiad chwerw: does yna ddim un dyn rhydd rhwng tri deg a phedwar deg oed heb rhyw dwist, rhyw gatsh, rhyw broblem – neu sy'n briod.

Meddai o'r diwedd, gan ddal ei dagrau'n ôl: "Felly dyna'r cyfan ydw i, a'r lle yma, ond lloches i..." – ni fedrodd ddweud y gair ei hun.

Cododd Dafydd, a chydio yn ei dwylo, a dweud: "Rwyt ti'n lloches hefyd, Gayle..."

* * *

Bu'r heddlu'n disgwyl y tu allan i westy'r *Marriott* am dros bedair awr ar hugain erbyn i Dafydd a Gayle gyrraedd yno tua un o'r gloch ddydd Sadwrn. Roeddent yn eistedd mewn car cyffredin ac ni welodd ef na Gayle nhw pan barciodd Gayle ei char yn y maes parcio. Hyrddiwyd y ddau i'r cefn ond cawsant eu gwahanu ar unwaith wedi cyrraedd Swyddfa Heddlu Abertawe yn Stryd Alexandra.

Wrth i Gayle gael ei thynnu'n frwnt oddi wrtho, gwaeddodd Dafydd ar ei hôl: *"Life, Life, Life!"*

Meddai'r plismon yn sych: *"That's what she'll bloody get if she did the Chester job."*

27. St. James

Cerddai Sutch rownd yr ystafell yn ei siwt lwyd golau fel milwr clocwaith wrth adael un adroddiad ar ôl y llall ar ddesg Heath. " 'Dach chi wedi dal *mousie* y tro hwn, *Chief!* Mae'r Milwr cyntaf gynnon ni yn y trap!"

"Trueni bod yn rhaid i ni ddisgwyl chwarter canrif, yntê?"

"Y lleill gafodd chwarter canrif – dim ond dwy flynedd 'da ni wedi'i gael."

Roedd Heath yn falch bod ei was am gymryd peth o'r clod ei hun. Apwyntiodd ef yn fuan wedi ei ddyrchafiad, gan fynd yn fwriadol am rywun ifanc yn syth o'r coleg heb unrhyw syniadau set na dim o arferion caeth rhai a fu'n gweithio'n rhy hir yn y Gwasanaeth.

Tynnodd Sutch ddalen arall o'r peiriant ffacs. "Dyma fe o'r diwedd: allbrint o'r *National Police Identification File*. Tybed ydi'r proffeil yn ffitio? Dim gradd brifysgol y tro hwn – mae hynna'n arwydd da."

"Roeddech chi'n o siŵr fod y proffeil yn iawn y tro diwetha," pryfociodd Heath.

"Y gleision oedd ar fai – blydi ffyliaid! Doedd gynnon nhw ddim byd ar y ddau ddyn yna. Doedd dim byd wedi digwydd – ond myn diawl mae rhywbeth wedi digwydd y tro hwn!"

"Gyda dau gorff marw, all hynny ddim peidio â bod yn wir."

"Falle mai fe, Smyth, oedd y targed drwy'r amser, nid y tai."

"Ei swyddfa efallai, neu ei gwmni. Damwain oedd hi, yntê?"

"Ie, ond..."

"Does gan y Cymry ddim traddodiad *kamikaze*, Sutch."

Dadroliodd Heath y papur ffacs. "Felly dyma sy gan ein lluoedd heddgeidwol ar John Griffiths..." Yn sicr teimlodd gyffro o gael gafael – o'r diwedd – mewn tystiolaeth mor ddiriaethol o lwyddiant ei bolisïau gwrthderfysgol ef ei hun. Darllenodd yn awchus:

National Police Identification File No. RHH 098877 - 8976.
Name: John Powell Griffiths
Sex: Male
Height: 152 cms, Weight: 81.4 kilos
Race: British
Hair: Dk Brown/Black
Skin Type: Caucausian
Physical Abnormalities, Birthmarks: None
Physical Features: None
Born: 24 January 1956.
Address: 4 Crumlin View, Burry Port, Carmarthen, U.K.
Residence: 85 Kilvey Drive, Llansamlet, Swansea W.Glam.
Other residents: David Griffiths
Relation: Father, Born 3/2/1921 (Disabled)
Present occupation: Technician, Samlet Electronics, Morriston Way, Llansamlet, Swansea, W.Glam.
Employer: R.E.Newell, ex-RN, Address...
Length in Empolyment: 7/7/1983
Marital Status Divorced with one child.
Wife: Mary Amethyst Grey, now resident...
Child: Female, resident with Mother, born 11/8/1981...
Convictions: Driving with Undue Care and Attention... Elapsed Television Licence...
DVLC Data. File Ref... Vehicle Current Owner Bedford Sherpa Van, Reg. No. SWN 876A, registered 13/5/90.
Medical Data: None recorded
Dental: None
Fingerprints: None taken
Photograph: None taken

Gwylltiodd Heath, a thaflu'r papur i lawr. Y blydi adroddiadau 'ma eto! Gallai ddarllen can tudalen o stwff fel hyn heb fod flewyn callach. Doedd y wybodaeth ddim gwell na chaech chi ar rywun wedi parcio ar linellau melyn dwbl – a doedd dim sôn am unrhyw gysylltiadau Cymreig.

"*Garbage,* Sutch. Blydi compiwtars eto. Mi allwn i gael hanner y wybodaeth yna dim ond o edrych ar y corff."

"Ond mae'n dweud ble mae e'n gweithio; ac mai fe pia'r fan Sherpa yna."

"Ond faint callach ydyn ni o wybod hynny? A'r holl rwtsh arall. I beth mewn difri?"

"Mae'n rhy gynnar i ddweud. Os ydyn nhw'n gweithio mewn celloedd bach fel yr IRA, mae pob ffaith yn bwysig os ydan ni am gael at y lleill yn y gell."

Cnodd Heath ei feiro. "Y broblem fwya, o safbwynt cracio'r mudiad, ydi bod y dyn yn farw. Chawn ni ddim mwy allan ohono fe."

Eisteddodd Sutch o'r diwedd wrth ei ddesg ei hun. " 'Dan ni'n gwybod ble mae e'n byw, ble roedd e'n gweithio, gyda phwy mae'n byw, pwy oedd ei gyn-wraig, ei blentyn..."

"Ond petai e'n *fyw*..."

"Wel mae'n un llai o'r *bastards*, yntydi, *Chief*? Wneith e ddim llosgi tŷ arall 'blaw yn Uffern."

Ond châi Heath mo'r un pleser o'r farwolaeth. Yn sicr, fe deimlai bleser miniog o fod wedi cyflawni hyn, mor hwyr yn ei yrfa. Fe oedd y dewis olaf, y 'pâr diogel o ddwylo', yr un â'r rhinweddau negyddol – ond cafodd fwy o lwyddiant na Warren a'i holl ragflaenwyr. A byddai Rillington ei hun yn gwybod, bellach – a twll iddi hi, hefyd. Wnaethon nhw erioed ddod ymlaen, er iddi orfod ei apwyntio yn y diwedd.

Ond yn gymysg â'r pleser, roedd yna deimlad gwahanol, mwy ansicr. Roedd Rentokil yn bod flynyddoedd cyn iddo'i etifeddu, ond ei syniad ef oedd strategaeth y stadau tai, a'i strategaeth ef a gipiodd ddau fywyd dynol...

Cerddodd eto at y ffenest. A hithau'n fore Sadwrn roedd glannau'r afon yn llawnach nag arfer o dwristiaid.

Edrychodd Heath i lawr arnynt yn hir a myfyrgar.

"Be sy'n bod, *Chief*?" meddai Sutch, oedd yn ei adnabod yn eithaf da erbyn hyn. "Ddim yn hapus am eich bod chi wedi llwyddo?"

"Efallai eich bod chi'n iawn, Sutch."

"Ond Rentokil: beth ydi e? Rento-*kill*. Stwff sy'n tynnu'r pryfed mas o'u tyllau – a'u lladd nhw..."

"Debyg iawn."

"Ond be 'dach chi eisiau? Gawson ni ddau fis diawledig o ddiflas wedi rhyddhau'r ddau foi cyntaf yna. Ro'n i bron ag anobeithio. Ro'n i eisiau credu'r gleision drwy'r amser. 'Dach chi ddim am fynd nôl at hynna i gyd?"

Yr eiliad honno y canodd y ffôn mewnol: yr arwydd bod y cysylltiad fideo'n fyw. Wrth frysio i ddilyn Sutch i'r llawr o dano, fe deimlodd Heath ychydig yn well, wrth iddo ddal dôs arall o frwdfrydedd heintus ei was.

* * *

Hwn fyddai'r cyfarfod olaf tan ddydd Mawrth ac roedd pawb yn gytûn y dylid canolbwyntio ar y ffeithiau diweddaraf a gohirio trafodaeth tan yr wythnos nesaf. Gofynnwyd yn gyntaf i PC Slater, swyddog *Site of Crime* Heddlu Caer, roi iddynt y ffeithiau am y ffrwydrad ei hun.

"Digwyddodd y ffrwydrad am 3.40 a.m. bore ddoe, Gwener 5 Awst ar y star goncrit sy'n cysylltu garej *basement* rhif deuddeg White Friars, Caer, gyda swyddfa Berry Homes yn yr un cyfeiriad. Y garej ydi un bersonol Sam Smyth, pennaeth Berry Homes, ond digwyddodd y ffrwydrad ar y grisiau, nid yn y garej. Roedd yna gamera diogelwch yn y garej. Mae'r tâp yn dangos dyn yn cuddio y tu ôl i flanced lwyd ac yn agosáu at y camera gyda *wirecutter*."

"Gwyddai John Griffiths felly bod camera yno."

"A rhif y clo *combination*."

"A bod Smyth ar wyliau yn yr Alban ar y pryd," ychwanegodd rhywun arall.

"Felly mae'n ymddangos. Roedd Samuel Smyth wedi bod yn gweithio'n hwyr yn ei swyddfa, wedi torri ar draws John Griffiths tra oedd yn cario'r ffrwydron i fyny o'r garej. Mae'r anafiadau *multiple* ar benglog ac ymennydd Griffiths yn dangos iddo syrthio'n ôl ar y concrit, fwy na thebyg o ganlyniad i ymosodiad gan Smyth. Yna bu farw'r ddau ar unwaith o effaith y ffrwydrad ei hun."

Torrodd Heath i mewn yma. "Cyn i chi symud ymlaen, hoffwn i ofyn sut, yn eich barn chi, na sylweddolodd Griffiths fod Smyth i mewn yna?"

"Mae'n ymddangos bod Smyth wedi gadael ei swyddfa ac wedi diffodd y golau cyn mynd i lawr y grisiau."

"Onid oedd yna olau ar y grisiau ei hun?"

"Wyddon ni ddim a oedd e ymlaen ai peidio."

"Ond beth am y car?"

"Doedd yna ddim car."

"Beth? Ond mae hyn yn ddi-sens!"

"Rydyn ni'n gwybod erbyn hyn iddo drefnu i Capten Bellis o gwmni Airgo ei gwrdd yn ei gar yntau yn Bridge Street er mwyn ei gludo at yr helicopter ac yn ôl i'r Alban."

"Ond pam mynd lawr i'r garej felly?"

"Ffordd gyflym allan o'r adeilad – dyna i gyd – yn arbed tipyn o gerdded trwy'r arcêds yn nhywyllwch nos."

Roedd gan un o'r pwyllgorwyr gwestiwn pellach.

"Peth bach: o ystyried maint y ffrwydrad, doedd 'na ddim niwed i'r dystiolaeth fideo?"

"Yn swyddfa Smyth oedd y blwch rheoli. Doedd y ffrwydrad ddim mor fawr â hynny: y bwriad oedd dechrau tân. Gan fod y lle i gyd wedi'i amddiffyn â sustem larwm soffistigedig, buasai'r frigâd yno'n gyflym iawn."

"Ond sut y byddai Griffiths wedi dianc?"

"Dyfais amseru. Wedi'i gosod ar gyfer 5 a.m."

Gorffennodd Slater y rhan yma o'i adroddiad gyda manylion gwaedlyd a chyfoglyd am y modd yr oedd gyts Smyth a'r Milwr wedi eu plastro dros y waliau a'r grisiau concrit. Yna symudodd ymlaen at y dystiolaeth ynglŷn â fan Griffiths, a barciwyd mewn maes parcio aml-lawr, dros nos tua dau ganllath i ffwrdd.

"Mae'r manylion cofrestru gynnoch chi. Ond dwi'n credu yr hoffech chi glywed peth tystiolaeth bellach. Roedd yna flancedi yn y fan, nifer fawr o dapiau casét grwpiau canu gwlad a gwerin, hen bâr o *jins*, crys-T Bob Dylan, trôns sbâr, sbectol dywyll, cap gwlân, cwpwl o lyfrau yn cynnwys *On The Road* Kerouak. Hefyd dau baced o *Durex*. *Overkill* braidd, os maddeuwch y gair anaddas."

"Roedd e'n amlwg wedi paratoi ei *cover* yn ofalus, petai e'n digwydd cael ei stopio gan yr heddlu."

"Yn ofalus iawn. Roedd ganddo hyd yn oed docyn i gig roc yn Kidderminster nos Iau."

"Fuodd e yno?"

"Wyddon ni ddim. Yn naturiol byddwn ni'n gwneud ymholiadau, ond un ffordd neu'r llall, mae'n glir bod y weithred wedi ei pharatoi dipyn ymlaen llaw."

"A beth am rif y fan?" holodd Heath ymhellach.

"Mae'r rhif yn gywir. Doedd ganddo ddim rheswm i'w guddio. Doedd gynnon ni ddim byd ar y dyn. Yr unig beth allech chi ddweud oedd yn amheus am y fan oedd bod ynddi hi injan 2200cc *injection* tra oedd y bathodyn yn dweud 1400."

Wedi rhai cwestiynau pellach, tro'r swyddog yn Abertawe oedd rhoi ei adroddiad ar 85 Kilvey Drive, Llansamlet, cartref John Griffiths. Tŷ mewn stad fawr o dai cyngor a lle'r oedd tad Griffiths, hen ŵr methedig, yn dal i fyw – mewn cryn sioc. Dywedodd i Griffiths adael y tŷ ar ôl cinio ddydd Iau – tua dau o'r gloch. Doedd ganddo ddim syniad bod Griffiths yn perthyn i unrhyw fudiad gwleidyddol.

Roedd yn eitha clir i Heath, o'r catalog anferth o eitemau diflas a restrwyd yn ei gartref gan y swyddog, fod Griffiths wedi paratoi ymlaen llaw gogyfer ag archwiliad gan yr heddlu. Roedd yn bosib bod y casgliad o gylchgronau porn, er enghraifft, wedi ei blannu'n fwriadol: gwyddai fod y cyfrolau hanes a enwyd yn rhai trymion.

Yr oedd y swyddog yma hefyd wedi galw gyda Newell, perchennog y siop fideo ble'r oedd Griffiths yn gweithio. Roedd y cwmni, Samlet Electronics, yn trwsio hen offer fideo a sain, a Griffiths fyddai'n gyfrifol am y gwaith. Roedd cyfrifiadur yn y swyddfa ar gyfer y cyfrifon a sylwodd y swyddog fod modem yn cysylltu'r cyfrifiadur â'r plwg ffôn. Dim byd anghyffredin yn hynny – nes i Newell fethu ateb pan holodd e beth oedd y teclyn.

Meddai Heath: "Mae yna *lead* fan'na yn sicr. Ond mi hoffwn ddod yn ôl at y cwestiwn o wybodaeth Griffiths am symudiadau Smyth. Mi wn i y cawn ni drafod hyn eto yr wythnos nesa – ond oes gynnon ni awgrym yn y cyfamser?"

Meddai Hetherington, cynrychiolydd yr Heddlu Arbennig ar Rentokil: "Y trywydd amlwg ydi staff mewnol cwmni Berry Homes. Dwi eisoes wedi cael sgwrs fer â Juliet Yardes, ysgrifenyddes bersonol Sam Smyth ers dros ugain mlynedd. Mae hi'n dweud bod dwy ysgrifenyddes newydd wedi eu hapwyntio yn y deufis diwethaf, yn dilyn cyngor a gawsai i gyflogi staff Cymraeg. Yn naturiol mi fydda i'n holi'r rhain yn fanwl iawn yn y man."

"*Lead* arall pendant..."

"Ond cofiwch ein bod ni'n delio â mudiad lled broffesiynol a fuasai wedi ceisio cuddio'u holion yn drwyadl oddi wrth y merched yma."

Cafwyd adroddiadau a sylwadau pellach na roddodd Heath ormod o bwys arnynt. Unwaith eto, roedd yn falch iddo drefnu i orffen yr wythnos yn y Clwb gyda'i hen ffrind hirben, Molineux. Gallai Sutch ddelio â'r manylion – a chafwyd digon o'r rheini y bore 'ma – ond roedd angen math arall o berson i drafod y perspectif ehangach.

* * *

Fflamiodd Heath. Fel yr oedd yn paratoi i gloi'r cyfarfod, meddai'r technegydd fideo: " 'Rhoswch! Mae gen i linell o'r diwedd i Abertawe. Rydyn ni drwodd i Alexandra Road..."

Blydi Parry, rhegodd dan ei anadl, fel y daeth ei wyneb mawr, llwyd, rhychiog, anfoddog i lanw'r sgrin. Nodweddiadol ei fod e'n hwyr – ac wrth gwrs mae hyn yn golygu y bydd yn rhaid mynd yn ôl dros hen dir.

Pesychodd cyn annerch yn ei ffordd bwyllog, diawledig o ddiflas ei hun (fel y tybiai Heath)."Fel 'dach chi'n cofio o'r cyfarfod diwethaf, rydw i yma ar ddyletswydd arbennig dros gyfnod yr Eisteddfod Genedlaethol yn Abertawe..."

"Beth yn y byd ydi hwnnw?" holodd Sutch yng nghlust Heath.

"Cyfarfod blynyddol y Cymry Cymraeg," eglurodd.

"Y cynllun oedd," aeth yr Uwcharolygydd ymlaen, "ein bod ni'n cadw gwyliadwriaeth fanwl ar *suspects* categori A a B – sy ddim yn dasg mor hawdd yn ystod yr wythnos arbennig yma – ac roeddan ni i weithredu *Option Catch* os oedd yna achos i wneud hynny. Dyna wrth gwrs wnaethon ni ac y mae wyth ar hugain ohonyn nhw i mewn gynnon ni yma yn Abertawe oddi ar y newyddion echrydus bore ddoe.

"Roedd gynnon ni, fel 'dach chi'n cofio, ddiddordeb arbennig yn y ddau *suspect* Categori A gymeron ni i mewn ddiwedd Mai, yr oedd gynnon ni le cryf i amau bod gynnon nhw wybodaeth am y ffrwydron blannwyd yn ardaloedd Llangroes a Glan Hedd. Rydan ni wedi bod yn cadw gwyliadwriaeth 24 awr ar John Hughes, Nefyn ond yn anffodus, er cadw golwg ar y llall, Dafydd Harris, sydd i lawr yma yn Abertawe, oddi ar ddechrau'r wythnos..."

"*God*, mae'r Cymry 'ma'n hirwyntog," meddai Sutch gan adleisio rhagfarn ei fòs.

"... yr ydan ni wedi colli golwg arno fo am gyfnod o ryw ddeugain awr ond dwi'n falch iawn i adrodd ein bod ni wedi cael gafael arno fo, ynghyd â hogan doeddan ni'n gwybod dim amdani o'r blaen, ac sy'n dod o ardal gyfagos iawn i ardal John Griffiths, ac rydan ni'n reit optimistaidd y galla hyn arwain at drywydd newydd rydan ni i gyd yn gobeithio 'neith arwain at galon mudiad y Milwyr ei hun."

"Felly maen nhw gynnoch chi rŵan?" holodd Heath.

"Ydan, yma yn Alexandra Road."

"Ydych chi wedi'u holi nhw?"

"Mae fy swyddogion wrthi rŵan."

"Felly does gynnoch chi ddim tystiolaeth newydd?"

"Ddim eto, ond rydan ni yn naturiol wedi anfon tîm llawn i dŷ'r hogan ac mi gewch yr adroddiadau perthnasol, llawn erbyn y cyfarfod ddydd Mawrth."

Roedd yn rhaid i Heath ddiolch i Parry am ei gyfraniad annisgwyl o bositif. Meddai, wrth gloi'r cyfarfod: "Rwy'n credu y galla i grynhoi trwy ddweud bod gynnon ni dri trywydd a allai arwain at galon y mudiad yma o'r enw Y Milwyr. Un ydi'r ferch yma o Abertawe sy'n amlwg yn ffrindia clòs iawn gydag un o'n prif *suspects* Categori A. Yn ail, mae gynnon ni'r ddwy ysgrifenyddes newydd ddaeth i weithio i swyddfa Berry Homes yng Nghaer, ac yn drydydd mae gynnon ni'r dystiolaeth bellach sydd i ddod am John Griffiths ei hun.

"Mae gynnon ni le i longyfarch ein hunain, dwi'n meddwl. Mae datblygiadau'r dyddiau diwethaf wedi bod yn rhai dramatig iawn. Rwy'n gobeithio'n fawr, erbyn y cyfarfod dydd Mawrth, y byddwn ni'n gallu dweud ein bod ni wedi cracio calon mudiad Y Milwyr, ac wedi dod â chwarter canrif o derfysgaeth Gymreig i ben."

Wrth gerdded i fyny'r grisiau gyda Sutch, gofynnodd Heath iddo: "Ydych chi'n deall rhywbeth am y busnes Internet 'ma?"

"Hynny a Pamela 'di'r unig ddau hobi sy gynna i..."

"Reit dda. Cysylltwch â'r boi 'na sy'n chwilio i mewn i gyfrifiadur Griffiths. Dwi ddim yn siŵr faint mae'r blydi gleision yn deall. Cadwch fi yn y pictiwr..."

"Dim problem, Chief!" atebodd yn hapus – a llongyfarchodd Heath ei hun eto ar ddewis y ffŵl ifanc Sutch i'r job yn hytrach na rhyw Ms Yardley ganol oed, fel pawb arall.

* * *

Am chwech o'r gloch, cerddodd Heath allan o'r lifft yng nghefn adeilad yr MI5 ac i'r tacsi oedd yn disgwyl amdano. Ymlaciodd yn y sedd ôl tra nyddai'r cerbyd drwy strydoedd cefn Whitehall a pharc St.James, troi i'r chwith i mewn i brysurdeb Pall Mall gyda'i glybiau mawsoleaidd a'i siopwyr a'i dwristiaid, ac i fyny am Stryd St.James. Yma roedd clybiau bywiocach fel *Whites* a'r *Carlton* ond trodd y gyrrwr i'r chwith am St.James' Place ac aros o flaen drws rhif 27, lleoliad clwb llai hysbys St.George.

Gafaelodd y porthor yng nghot a chês Heath a'i dywys drwy'r drws mewnol – gyda'i bortread gwydr lliw o Sant Siôr a'i waywffon – i'r ystafell gefn lle'r oedd Molineux yn disgwyl amdano ger y grât fawr agored. Yn ei siwt o frethyn cartref, a'i draed i fyny, creai ddarlun o ddyn wrth ei fodd, ei bibell yn un llaw a *Private Eye* – copi'r Clwb, ar bolyn pren – yn y llall.

Gollyngodd Heath ochenaid hir o ryddhad wrth suddo i'r sedd gyferbyn ag ef. Toc daeth y porthor yn ôl gyda photel o bort dengmlwydd a bisgedi a chaws Stilton, a'u gosod ar fwrdd rhyngddynt.

"Bwyd am wyth fel arfer?" gofynnodd.

"Perffaith."

"Wythnos gyffrous, felly, Godfrey?"

"Allwch chi ddweud hynna eto. Dy'n ni ddim yn gyfarwydd â marwolaethau dwbwl wrth ddelio â'r Cymry. Mae'n atgoffa dyn o'r grym gwirioneddol sy gynnon ni. Hawdd anghofio hynny weithiau."

"Rhaid i chi beidio â chymryd y clod i gyd!" meddai Molineux â gwên.

"Buasai'n dda iawn gen i beidio."

"Mae marwolaeth neu ddwy, yn ei bryd a'i le, yn gallu gwneud gwyrthiau i'r ysbryd."

"Felly mae Sutch, fy nghynorthwywr, yn ei gredu hefyd."

Cododd Heath y gwydryn port at ei wefusau. "Dim curo ar yr hen oglau derw, a'r awgrym bach o losg."

" – O dân, hyd yn oed."

"Yn hollol," meddai gan edrych i'r tân a fflamiai rhyngddynt. "Y broblem gyda tân ydi nad yw e'n parchu rheolau. Mi fues i'n meddwl gynnau – mae'n syniad hollol gableddus, wrth gwrs –"

"Arwydd o syniad gwerth ei ystyried, fel arfer – "

" – y gallai'r blydi busnes 'ma wneud lles i'r eithafwyr Cymreig. Y gwir ydi bod y Milwyr 'ma wedi bod yn weddol dawel ers dwy neu dair blynedd."

Tynnodd Molineux ar ei bibell. "Neu mi allai roi taw arnyn nhw am byth. Mae'n dibynnu ar eu niferoedd nhw, oes yna gefnogaeth gudd, a ffactorau fel y wasg."

"Ie, ond dweud ydw i bod marwolaeth yn beth peryglus."

"Dydw i ddim yn anghytuno â chi. Ddaw digwyddiadau'r wythnos hon ddim â'r frwydr yn erbyn y terfysgwyr Cymreig i ben."

"Wel – pam lai? Neu i beth uffern mae Rentokil dda?"

Trodd Molineux y port ar ei dafod cyn dweud: "Ar un ystyr, dydi'r pethau yma ddim i fod i ddod i ben. Mae'n dda iawn nad ydyn nhw – neu ble fuasen ni?"

Yn awyrgylch arbennig y clwb, roedd yn hawdd deall gosodiad Molineux. Roedd arwyddion parhad ymhobman. Rhythai wynebau sarrug, barfog cyn-gadeiryddion y clwb – gwleidyddion a gwŷr busnes amlwg eu dydd – i lawr arnynt o'u fframiau trymion. Leiniwyd un wal â rhesi o gyfrolau lledr. Yn y cwpwrdd hir ger y ffenest cedwid detholiad o hen gêmau rhyfel ac yr oedd setiau gwyddbwyll allan ar rai o'r byrddau.

Roedd rheolau'r clwb yn sicrhau parhad yr awyrgylch a'r tawelwch. Gwaherddid radio a theledu, ond effaith hyn oedd caniatáu synau eraill: sŵn sgwrs wâr, sŵn tynnu sedd, sŵn darn o wyddbwyll yn llithro dros y bwrdd a bwrw un arall i lawr, sŵn colsyn yn disgyn o'r tân...

Plygodd Heath ymlaen dros y tân hwnnw, y gwydryn port yn hofran rhwng ei benliniau.

"Be ddigwyddodd felly?" holodd Molineux yn y man. "Ynglŷn â Smyth. Dwy' ddim yn deall hynny o gwbwl."

"Na finnau. Am ryw reswm, fe ehedodd e o'r Alban i Gaer, gan dorri ar ei wyliau. O safbwynt y Milwyr yma, roedd hi'n adeg reit ddiogel i daro'i swyddfa. Mi wydden nhw ei fod e yn St.Andrews – mae hynny'n eitha sicr – ac roedd e ar yr un adeg â'r cyfarfod mawr 'ma sy gan y Cymry Cymraeg ddechrau mis Awst."

"Ond maen nhw'n cwrdd fwy nag unwaith y flwyddyn?"

"Mae'n debyg, ond dyna pryd mae sylw'r heddlu arnyn nhw. Ac roedd 'na ryw rali brotest yn ystod yr wythnos, ynglŷn â'r datblygiadau tai yma. Mi allasai'r Milwyr fod wedi trefnu'r peth yn fwriadol er mwyn tynnu'n sylw ni i ffwrdd."

"Oes gynnoch chi brawf?"

"Na: dweud rydw i ein bod ni wedi canolbwyntio ar y llefydd anghywir. Cofiwch, roedd gynnon ni ddynion yn yr Alban hefyd, ac yn St.Andrews."

"Pam yn hollol?"

"Eich syniad chi oedd hynny, Dick. Dy'ch chi ddim yn cofio? Mi ddwedsoch chi y gallai'r stadau fod yn sgwarnog. Roedden ni'n ofni ymosodiad ar Smyth, neu ar ei dŷ haf."

"Duwcs," meddai Molineux yn sionc, "– dyna i chi darged gwell o lawer iddyn nhw, yntê? A thipyn haws na chanol Caer."

"Ond mae'r Alban yn bell iddyn nhw."

"Ond roedd hi'n siwrne bell i Smyth hefyd. Pam yn union dorrodd e ar ei wyliau? Oes 'na dystiolaeth yn ei swyddfa?"

"Tipyn o lanast 'na, fel y gallwch chi ddychmygu – er y buasai ganwaith gwaeth petai Griffiths wedi llwyddo. Ond mewn difri, pa fath o dystiolaeth allwch chi ddisgwyl? "

"Ddywedodd e rywbeth yn y Clwb Golff?"

"Ddim hyd y gwyddon ni. Fe ddywedodd e wrth Bellis, y dyn helicopters, fod ganddo waith brys i'w glirio, dyna i gyd."

"Wrth gwrs," meddai Molineux, "o safbwynt eich dynion chi, roedd y trip yn golygu y gallen nhw ymlacio rhyw gymaint..."

"Tynnwch y goes arall, Dick. Ymlacio? Rydyn ni wedi cael tipyn o sbort am ben ryw hen blismon gwirion o Gaernarfon

– un Ivor Jones Parry – yn colli trac ar ein prif *suspect* yn ystod wythnos yr Eisteddfod 'ma – meddyliwch am hynny! – ond y gwir yw nad oedd ein dynion ni ddim blewyn gwell."

"Ond wedyn, fasech chi ddim yn disgwyl iddyn nhw neidio i mewn i'r helicopter gydag e… Beth am 'i wraig e? Ydi hi'n gwybod rhywbeth?"

"Dim. Do'n nhw ddim yn arfer trafod busnes. Tipyn o ffliwjen, hanner 'i oedran e."

"Chwarae teg i'r hen Smyth."

Wedi i'r ddau ohonynt fyfyrio am ennyd am fywyd rhywiol annhebygol Smyth, meddai Heath: "Oes ots?"

Edrychodd Molineux i'r tân.

"Na, dim o safbwynt Rentokil. Rhyw chwilfrydedd. Ry'n ni i gyd yn bethau digon rhyfedd. Mae'r dynion mwyaf caled, mwyaf rhesymegol yn gallu cael obsesiwn – os nad am ferch, am rywbeth arall. Rhywbeth y mae'n rhaid iddyn nhw ei gael, doed a ddelo."

Yn y man daeth y porthor atynt â dau blatiad o fwyd môr ysgafn a llysiau. Wedi ei olchi i lawr â gwin gwyn, penderfynasant droi i'r ardd am lwnc o awyr iach. Gwahanodd Heath y llenni trymion, agor y ffenest Ffrengig, ac aethant allan i'r tywyllwch a'r oerfel sydyn.

* * *

O'u blaenau roedd ehangder tywyll Green Park. Ffurfiai terfyn y parc orwel anweledig o ble y codai mil o adeiladau a goleuadau: Llundain. Yn y panorama eang, ymwthiai tyrau eglwysig a thelathrebig am sylw rhwng y blociau nengrafol. Ynghudd o danynt, yr ochr draw i'r tir agored, yr oedd terasau Regency, neoglasurol Grosvenor Place.

Wedi mwynhau'r olygfa a drachtio aer y nos i'w cyfansoddiad, meddai Molineux: "Wyddoch chi mai fan'na mae lle Gregg: yn union gyferbyn â ni, yr ochr draw i'r parc?"

"Yn rhyfedd iawn, dwi wedi bod yn meddwl am y boi dros y dyddiau diwetha 'ma."

"Pam, felly?"

"Ry'ch chi'n ei nabod e'n dda. Dwy' ddim yn disgwyl i chi… wel, ddweud dim yn ei erbyn."

"Dewch nawr, Godfrey, ry'n ni'n nabod ein gilydd yn well na hynna."

"Dwedwch wrtha i'n onest. Mi wyddai Gregg am y ffrwydron. Fi fy hun ddywedodd wrtho, wrth gwrs, yn yr Atrium. Roedd e'n nabod Smyth ac wedi trafod busnes gydag e rai dyddiau cyn y cinio yna…"

"Ie, ewch ymlaen."

"Wel, os oedd e'n awyddus i gael gwaith gan Smyth, mi *allasai* fod wedi sôn wrtho am y ffrwydron."

"Ond pam?"

"I greu argraff efallai, i brofi ei gysylltiadau yn uchelfannau grym, gwella'i siawns am gytundeb mawr yn y dyfodol."

"Ond sut buasai hynny wedi effeithio ar yr hyn a ddigwyddodd?"

"Ffyrnigo'r obsesiwn? Arf yn erbyn Atkins?"

"Atkins?"

"Alan Atkins, y bachan o Adran yr Amgylchedd a handlodd y cytundeb datblygu gyda Smyth. Mi wylltiodd Smyth yn gacwn 'dag e wedi i'r tirfeddiannwr dynnu'n ôl. Yn anffodus, roedd rhywfaint o arian eisoes wedi newid dwylo, ac roedd Atkins allan o'i ddyfnder. Byddai hynny wedi cadarnhau amheuon Smyth bod a wnelo'r busnes â rhywbeth mwy nag Adran yr Amgylchedd."

Wedi ystyried, meddai Molineux yn bendant: "Fuasai Maurice ddim wedi'n bradychu ni fel'na."

"Chi sy'n ei nabod e."

"Nid nad yw e'n gallu bod yn gyfrwys. Ond roedd e'n dweud y gwir pan ddywedodd e 'i fod e'n casáu Smyth. Nid casáu'r dyn fel person – mi fyddai hynny'n ormod o drafferth i Maurice – yn gymaint â chasáu ei holl agweddau."

"Gwahaniaeth dosbarth efallai?"

"Efallai wir…"

"Mae'n bosib bod y teimlad yn gyffredin," meddai Heath. "Pwy a ŵyr, efallai bod gan y peth gysylltiad â dychweliad Smyth o'r Alban. Nid dim ond eisiau trechu'r Cymry yr oedd e: roedd e am ein trechu ni, hefyd."

Symudodd y ddau i mewn o'r oerfel a chau'r ffenest o'u hôl; ac meddai Molineux, gan afael yng ngarddwrn Heath: "Beth bynnag am y Smyth yna, rwy'n hapus drosot ti, Godfrey, ar gael y fuddugoliaeth hon ar yr adeg yma yn dy yrfa. Rwyt ti'n ei haeddu."

"Mi fydda i allan mewn dwy flynedd. Doeddwn i ddim yn edrych ymlaen at fynd, ond fel dywedodd yr hen Enoch am wleidyddion: mae'u gyrfa nhw i gyd yn gorffen yn drychinebus 'blaw 'u bod nhw'n ddigon lwcus i adael ar ryw eiliad o ogoniant."

Chwarddodd Molineux. "Ond does bosib, dwyt ti ddim yn edrych ymlaen at fynd?"

"Trwy ryw ffliwc y ces i'r job beth bynnag, fel gwyddost ti."

"Dim ond am na wnest ti iselhau dy hunan i chwarae'r sustem fel Warren a'r lleill i gyd. Ond ar ddiwedd y dydd, ti yw'r mwyaf llwyddiannus ohonyn nhw i gyd."

"Dwn i ddim am hynny, chwaith." Gan edrych i fyw llygaid Molineux, meddai'n annisgwyl o emosiynol: "Y gyts ar y concrit, Dick, a'r ymennydd – ymennydd y ddau – yn gacen ar y waliau…"

Gafaelodd Molineux yn gadarn ym mraich ei gyfaill a'i dywys yn ôl i'r ystafell, a'i gymell i eistedd.

Galwodd ar y gweinydd am frandi yr un.

"Rhaid i ti ddeall," meddai'n bwyllog, "nad Rentokil laddodd nhw. Nhw laddodd eu hunain. Roedd y ddau ohonyn nhw'n derfysgwyr, yn eu gwahanol ffyrdd."

"Rwyt ti'n berffaith iawn wrth gwrs," meddai Heath, yn dod dros ei bwl, ac yn teimlo cywilydd braidd.

"Gawn ni gêm o wyddbwyll i goroni'r dydd," meddai Molineux gan agor un o'r blychau pren ac arllwys y darnau dros y bwrdd chwarae.

Cymerodd un o'r darnau gwerin, a'i ddal i fyny. "Dyna i ti

fi…" – a chodi un arall: "a dyna *ti*. Y gêm – os ydyn ni'n credu unrhyw beth o gwbwl – ydi parhad Lloegr. Ym mhob gêm, rwyt ti'n colli darnau," – bwriodd esgob i lawr yn chwareus, "ond yn fwy sylfaenol na hynny: mae'n rhaid cael dwy ochr."

"Dyna beth ddywedaist ti'n gynharach, yntê – bod yn rhaid wrth y Milwyr?"

"Yn hollol."

Trodd Heath ato'n ddrygionus, ei hwyliau wedi'u hadfer. "Faset ti'n dweud, yn yr un modd, ein bod ni angen Smyth?"

Gyda gwên ysgafn, atebodd: "Ynglŷn â hynny, Godfrey, dydw i ddim cweit mor siŵr…"

28. Naxos

Ildiodd Menna i'r haul. Weithiau byddai'n dianc i ddŵr claear – os budur – y pwll, neu i'r cysgod at y byrddau â'r llieiniau plastig coch a gwyn, neu i'r gwely lle hoffai orwedd yn noeth. Ond fyddai hi ddim allan o'r haul yn hir. Âi'n ôl ato, a gadael iddo barhau â'i waith tawel arni, sef gwella a chau'r miloedd o friwiau bach cudd yn ei hymennydd. Fel tîm o lawfeddygon mud gweithiai arni'n ddi-dor, ddi-dâl, fel yr ymgollai hi i goma di-gyffur, di-boen.

Ar wahân i gysgu a diogi a breuddwydio, roedd yna orchwylion trymach. Roedd deffro'n broses hir a thwyll-odrus; yna'r gwaith o baratoi a bwyta brecwast o fara sych, mêl, iogwrt a choffi du; holl lafur yr ymolchfa; a'r pwyllgora mewnol ynghlwm wrth drefnu rhaglen y dydd.

Roedd beth a wisgai'n dibynnu ar ei symudiadau daearyddol: ai aros yn y fila neu fynd allan, ac os felly, i ble? Gallai grwydro i'r dre-sianti gyfagos o siaciau twristaidd a siopa yn y *Mini Market* a chael salad yn y *Panorama Bar* (gyda phapur newydd tridiau oed), neu gallai grwydro – ar droed neu gyda'r bws? – i draeth eang Ayios Giorgios. Drwy'r cyfan roedd hi'n ailddysgu'r sgiliau bach oedd ganddi flynyddoedd maith yn ôl ac weithiau, pan fyddai'n agor ei llygaid, fe gâi sioc bach o sylweddoli ei bod hi wedi deffro i'r nawdegau ac nid i'r saithdegau.

Ond roedd yna ofn hefyd yng nghefn ei meddwl, a hwnnw'n rhoi min i'r mân bleserau. Nid ofn yn hollol, ond y wybodaeth y gallai golli'r rhyddid brau yr oedd hi'n ei feithrin a'i fwynhau. Roedd un pâr arall yn y fila – bachgen a merch yn byw'n llwyr i'w gilydd – ac roedd y ddealltwriaeth rhyngddyn nhw a Menna yn berffaith. Cyfarchiad boreol, ambell gymwynas, a diodyn cynnar yn y nos na fyddai'n arwain at unrhyw gymhlethdod pellach.

Ond Maurice Gregg oedd bia'r fila, ac roedd hi yma gyda'i ganiatâd. Roedd cyngor Ilse, a'r merched yn Hugo's, mor hawdd i'w roi: defnyddio dynion, poeni dam, mwynhau – ond roedd ei ysbryd yma'n llercian ar ei gwaetha. Wnaeth e ddim dweud yn bendant y byddai'n dod – cododd rhyw 'broblemau busnes annisgwyl'. Ond roedd wythnos gyfan wedi mynd heibio a chan fod rhywbeth yn bod ar y ffôn (roedd yn rhaid mynd i'r gyfnewidfa yn y pentre i wneud galwadau tramor) – fe allai lanio'n ddirybudd.

Bu gofid mwy yn ei phoeni yn y dechrau: mater Siani. Roedd Ellis wedi rhwygo ei merch oddi wrthi trwy rym corfforol. Roedd yna drais dwbwl yn y weithred: corff a meddwl. Fe allai fod yn fater i gyfraith gwlad. Am rai dyddiau, mudlosgai ei theimladau o ddicter a cham; wedi cyfnod o ffrwtian byddent yn berwi drosodd a gwelai ddiwedd i'w perthynas. Ond wedyn rhoddai gyfle arall i'r haul barhau â'i waith arni...

A bwrw bod Siani yn Llangroes, yna mi ddylai ei chael yn ôl dros bythefnos olaf Awst. Os felly, fyddai yna ddim newid sylfaenol yn y trefniadau. Ei rhyddhau hi, mewn gwirionedd, a wnaeth y sioe amrwd yna o gryfder gwrywaidd. Ond roedd yna ochr arall i absenoldeb Siani. Mae yna wahaniaeth mawr rhwng bod yn fam a merch yn mwynhau gwyliau mewn fila dyn dieithr, a bod yn ferch sengl yn yr un sefyllfa...

Darllenai o'i thomen o bocedlyfrau, nofiai, yfai ddŵr pur a bwytâi orenau ffres. Bolaheulai'n fronnoeth ac ar y trydydd dydd mentrodd i'r *Mini Market* i brynu un o'r *thongs* yna oedd yn y ffenest: un tenau, du. Er cymaint yr ysai am ymnoethi'n llwyr ym mhreifatrwydd y fila, roedd rhywbeth yn ei chefndir a'i rhwystrai. Cymysgodd eli haul eitha cryf am yn ail â hylifau tylino ac ymledodd gwawl euraid dros ei chroen.

Mentrodd mewn dillad llacach i'r *Remember Bar* a

mwynhau'r rhyddid o fod yn fronrhydd. Aeth â llyfr gyda hi a chael cydweithrediad y perchennog, Dimitros, i gael llonydd gan y llanciau lleol. Ond y broblem wedyn oedd sylw cynyddol Dimitros ei hun a fynnai ei thretio â diodydd rhad a phlateidiau o *metze*.

Yn y bar yma y daliodd Gregg hi ar yr ail nos Fawrth. Wnaeth hi mo'i nabod e i ddechrau. Roedd mewn trowsus cwta, sbectol ddu, crys coch, het haul feddal – a phâr o goesau cnotiog a gwên lydan. Ar unwaith plymiodd calon Menna i'w sandalau. Eisteddai Dimitros gyda hi ar y pryd. Cododd Menna i'w gyfarch, gan geisio cuddio'i siom, a baglu ar draws rhai ystrydebau cloff.

"Ond Menna, dwy' erioed wedi'ch gweld chi'n edrych cystal. A 'dach chi'n nabod Dimitros, rwy'n gweld. Ry'ch chi'n edrych fel Groeges. Mi allech chi fod yn ddau gariad."

"Wel dy'n ni ddim!" meddai Menna'n rhy bendant. Fel yr âi'r sgwrs yn ei blaen, gwelai Menna fod presenoldeb Dimitros yn rhoi neges *sa' draw* i Gregg. Roedd hynny'n beth da, ond y perygl wedyn oedd annog Dimitros ymlaen ac awgrymu i Gregg ei bod o leiaf 'ar gael'. Roedd hi wedi'i dal mewn siswrn, a'r ddau yn cau amdani...

"Ydych chi wedi bwyta?" gofynnodd Gregg a neidiodd Menna at y cynnig er ei bod hi wedi stwffio'i hun â *metzes* Dimitros ers awr. Gan feddwl y buasai'n haws trin Gregg ar ei ben ei hun, cytunodd i fynd i le na chlywsai erioed amdano o'r blaen.

"Wir i chi, mae'n lle bach paradwysaidd, tua deng milltir i ffwrdd."

"Deng milltir? Mor hwyr â hyn?"

"Fyddwch chi ddim yn dyfaru, rwy'n addo."

"Ond sut?"

"Ga' i ddangos i chi, Menna..."

Wedi'i barcio y tu allan i'r taferna yr oedd jîp Subaru 4-trac gwyn. Gan ddyfaru ei henaid camodd Menna i mewn. Fel y crashiodd y jîp i gêr, hyrddiwyd hi'n ôl fel sach o datws.

Be ddiawl oedd hi wedi'i wneud nawr? Yn y misoedd

diwethaf roedd hi wedi dod i adnabod Gregg yn well. Doedd eu perthynas ddim yn glòs, ond roedd hi wedi gallu ei handlo. Ond roedd hyn yn wahanol – yn hollol wahanol…

* * *

Safai'r bwyty bach yn uchel dros y clogwyni ar ben draw penrhyn Kalipetra. Bu bron i Menna â chwydu wrth i'r jîp sgriffinio ymylon y troadau ar y ffordd i fyny, ond roedd yr olygfa o'r balconi'n hudolus. Gwahoddodd Gregg hi i eistedd wrth fwrdd yn edrych i lawr ar yr harbwr bychan a lechai o dan y dibyn. O'u cwmpas ar dair ochr roedd môr piwslas y Canoldir, a sleisen o haul oren tywyll yn suddo'n gyflym i mewn iddo. Ar y gorwel swatiai siâp annelwig Ynys Paros a'i chwaer ynysoedd o'r Cyclades. Methodd Menna â chredu'r wledd o brydferthwch oedd o'i blaen.

Yn hongian dan fondo'r bwyty roedd llinyn o fylbiau bach lliw a daflai olau ansicr dros y bwrdd. Cryfhaodd eu lliwiau fel y suddai'r yr haul o'r diwedd i'r môr. Yn y cefndir canai sŵn anwastad hen dâp *bouzouki*.

Â'i fysedd hirion mwythai Gregg ymylon y gwydryn o win coch lleol. Bu'n edrych draw i'r gorwel, yna trodd ati. "Menna," meddai'n dawel, "Dwi'ch angen chi…"

Dyna'r geiriau olaf yr oedd Menna am eu clywed. Fe'i llethwyd gan ddiflastod ond rhoddodd ei hymennydd ar waith. Y peth hollbwysig oedd ei rhyddid corfforol; rhaid i ddim byd a ddywedai beryglu hynny. Rhaid felly ei gadw ar dennyn – ond gofalu bod hwnnw'n ddigon hir pan fyddai'n dewis ei ollwng a ffoi…

Meddai Menna o'r diwedd: "A beth ma' hynny i fod i'w feddwl?"

"Yn union be ddwedais i, Menna."

"Y broblem ydi bod yn rhaid i'r teimlad fod yn gyffredin…"

Chwaraeai Gregg â'r gwydryn eto, a'i droi mewn cylchoedd araf ar y bwrdd. "Efallai imi fod yn fwriadol amwys. Mi allwn i'n hawdd iawn eich deisyfu chi yn yr ystyr yna – ac efallai fy mod i – ond nid hynny oedd gen i mewn golwg nawr."

"Rwy'n ofni 'mod i'n dal mewn tywyllwch."

"Dwy' ddim yn eich beio chi – rhyw felodrama diangen. Ar yr olygfa hardd yma y mae'r bai. Na, dwi'ch angen chi, Menna, nid fel merch yn gymaint ag fel person arbennig o alluog."

"A beth ma' hynna i fod i feddwl?"

"Dwi'n cynnig job i chi – un dda."

"Mae hyn yn sioc, ond ewch ymlaen." Roedd rhyddhad amlwg yn ei llais fel y gwelai obaith o ddianc rhag y grafanc rywiol.

"£25,000 a chostau: felly tua £30,000. Fydd dim angen i chi newid dim ar eich trefniadau personol. Tridiau llawn yn Llundain yn ein prif swyddfa, y gweddill yng Nghaerdydd. Teitl? Un syml, dwi'n meddwl: Prif Swyddog Cymru, Gregg Associates."

"Mae'n gynnig da ond alla i ddim ei ystyried o ddifri, am bob math o resymau personol a busnes..."

"Dwy' ddim yn disgwyl i chi ei ystyried heno, Menna. Dim ond rhoi'r cynnig gerbron rydw i nawr. Yn naturiol, mi fydd yn rhaid i chi drafod hyn yn llawn gydag Ellis. Fel yr eglura i yn y man, fydd dim angen i chi deimlo unrhyw synnwyr o frad mewn perthynas ag ef, na Delw. Ond mi hoffwn gael ateb gennych erbyn diwedd y mis."

"Diddorol," meddai Menna gan sipio'i gwin. "A'r dyletswyddau?"

"Cynrychioli diddordebau Cymreig y cwmni."

"Swydd newydd felly?"

"Ie, yn deillio o nifer o ddatblygiadau yn y mis diwethaf yma."

"Oes gan Berry Homes rywbeth i'w wneud ag e?"

"Berry Homes: na. Yn sicr nid ers i'w prif swyddfa nhw fynd lan i'r cymylau a Smyth gyda hi."

Syrthiodd Menna'n ôl mewn sioc.

"Beth ddwetsoch chi?"

"Welsoch chi mo'r papurau? Ond wrth gwrs, dydd Gwener

diwetha digwyddodd e – ac os na chlywsoch chi'r radio chwaith..."

"Ond mae hyn yn anhygoel!"

"Yn gynnar bore Gwener diwetha. Lladdwyd Smyth a'r sawl osododd y bom."

"Pwy oedd hwnnw?"

"Rhyw eithafwr Cymreig. Rwy'n weddol siŵr imi ddweud wrthych chi yn Llundain mai chwarae â thân oedd mela gydag eithafiaeth Gymreig."

"Oedd e'n ymwneud â Llangroes, felly?"

" 'Sgen i ddim syniad."

"Oedd y dyn a laddwyd o Langroes?" gofynnodd Menna, wedi cynhyrfu.

"Sut gwn i?"

Aeth Gregg ymlaen. "Gallwch chi fod yn berffaith dawel eich meddwl, felly, nad oes a wnelo'r swydd hon ddim â Smyth – a dydw i ddim yn trio bod yn ddoniol. Ond mi fydd yn ymwneud, ymhlith pethau eraill, â Telewales. Rwy'n falch i ddweud bod J.P. a minnau newydd gytuno ar drefniant ar gyfer cynrychioli a monitro diddordebau Telewales yn Llundain."

"Ond mae hyn yn hollol anfoesol! Ry'ch chi wedi dwyn y gwaith o dan drwyn Ellis! Ar ôl popeth ry'n ni wedi'i wneud dros Telewales, yr holl gyflwyniadau, trafodaethau, *trenau*..."

"Na, Menna: fydd Ellis yn colli dim. Does gan hyn ddim i'w wneud â hysbysebu a hyrwyddo. Chollith Ellis yr un geiniog o'r gwaith yna."

"Ond cael y gwaith arall – y gwaith gwleidyddol – oedd ei freuddwyd mawr!"

"Ond rwy'n siŵr eich bod chi'n sylweddoli, Menna, petai e wedi llwyddo i berswadio J.P. i arwyddo rhyw gytundeb, na fyddai e ddim wedi gallu'i gyflawni heb ein help ni. Gyda phob parch, nid dyna'i faes. Mae e'n ffantaseiddio os ydi e'n meddwl hynny. Ry'n ni'n arbenigwyr ac ry'n ni'n cael canlyniadau i'n gwsmeriaid."

Caeodd Menna ei llygaid am ennyd. Felly dyma ni, pen

draw yr holl falu awyr am 'gydweithredu', 'cynrychioli', 'ehangu', 'handlo ansicrwydd'. Celwydd a gwastraff amser i gyd.

Roedd hi bellach yn nos er bod rhyw olau isel annaearol yn codi o'r môr. Cyrhaeddodd y bwyd o'r diwedd a buont yn bwyta mewn tawelwch. Ni wyddai Menna beth i'w feddwl nac i'w deimlo. Roedd y cyfan yn ormod iddi: y prydferthwch, yr unigrwydd, sioc y newyddion am Smyth, y cynnig hael oedd yn bradychu cynllwynio oeraidd yn ogystal â pharch tuag ati – ynghyd, hefyd, â'r ansicrwydd annymunol am y Cymro a fu farw...

Allai e fyth â bod yn Dafydd, allai e?

O'r diwedd, meddai'n wan: "Rwy'n gwerthfawrogi'r cynnig yn fawr – ond alla i mo'i dderbyn e."

"Mi ofynnais ichi beidio â rhoi ateb imi heno, Menna. Rwy'n mynnu."

"Ond y'ch chi'n gweld: faswn i'n gwneud y gwaith yr oedd Ellis ei hun am ei wneud."

"Ddim o angenrheidrwydd. Rhan fach o'r peth yw Telewales. Dwi wedi cael *overtures* gan gwmnïau o Ewrop, ac un o Dde Affrica, sy'n ystyried symud i Gymru. Un ohonyn nhw yw GM, Global Mining – cwmni tipyn mwy na Berry Homes! Mae lot o bethau'n digwydd ac mae'n rhaid inni dechrau meithrin cysylltiadau o ddifri gyda'r Swyddfa Gymreig ac, yn bwysicach, gyda gweinyddiaeth yr Asembli Cymreig sy'n debyg o ddod."

"Ond ddywetsoch chi'n hollol glir sawl gwaith nad oedd gynnoch chi ddim diddordeb yng Nghymru. Ydych chi'n cofio'r cinio yn yr *Arcadia*?"

"Ydw, yn glir – ond mae hyn ychydig yn wahanol, yntydi? Rwy wedi dysgu llawer yn sgil fy ymwneud â'ch cwmni chi ac â Telewales, ac, yn rhyfedd iawn, yn sgil dod i adnabod Gavin Brown, dirprwy'r Blaid Lafur. Mae yna newidiadau mawr ar droed. Y gwir yw 'mod i'n ystyried agor swyddfa yng Nghaerdydd. Mae gynnon ni un fach ym Mrwsel ac rydw i'n ystyried Caeredin hefyd. Dyna sut mae'r gwynt yn chwythu. Ydych chi'n sylweddoli felly bod y cynnig yma nid yn unig yn un hollol ddifrifol,ond yn un a allai olygu swydd amser llawn i chi *yng Nghaerdydd?*"

Aeth Gregg ymlaen i ddadlau'n gelfydd sut y byddai hi'n dod i ddysgu am fyd newydd, diddorol; y byddai hi'n gweithio ar frig ton o newidiadau gwleidyddol; sut y gallai'r symudiad fod o fantais hyd yn oed i Delw... a dechreuodd Menna, ar ei waethaf ef ac er ei gwaethaf hi ei hun, synhwyro'r manteision.

Doedd hi ddim yn siŵr faint a wyddai Gregg am broblemau mewnol Delw. Doedd dim y tu hwnt i'r sarff. Ond yr *oedd* yna rywbeth deniadol mewn cyflog uchel, swydd sefydlog, annibyniaeth – ac mi allai'r cyfan, yn eironig, adfer ei pherthynas ag Ellis. Peth da, nid peth drwg fyddai peidio â chael ei chyflogi ganddo: byddai hynny'n ei gwneud hi'n bartner cyfartal.

Meddai Gregg, wedi cyrraedd uchafbwynt ei resymeg: "*Nawr* y'ch chi'n deall pam dwi'ch angen chi, Menna?"

"Ydw," atebodd Menna'n wanaidd. "Ac rwy hyd yn oed yn gweld sut y gallwn i fod eich angen chi..."

* * *

Ond y munud y slamiodd Gregg ddrws y jîp, cofiodd Menna am y dyn a laddwyd. Fel y nadreddent eu ffordd i ddyfnderoedd ynys Naxos, daeth yn fwyfwy sicr mai Dafydd oedd e. Y datblygu yn Llangroes oedd y peth mwyaf dadleuol yn hanes Berry Homes. Roedd ganddo'r cymhelliad, a gallai ei ddiffyg profiad o ffrwydron fod wedi peri'r alanas...
Wyddai neb ond Ellis ac Ilse ble'r oedd hi a chan mor gyntefig oedd y gwasanaeth ffôn, doedd dim posib ei chyrraedd. A fuasen nhw wedi cysylltu â'r heddlu? Dim ond cyn-ŵr oedd e bellach: oedd y berthynas yna'n ddigon pwysig i alw ar wasanaethau argyfwng? Ac o gofio ambell sbesimen prin o heddwas a welodd, pa mor ddibynadwy oedden nhw beth bynnag? Ni allai ddechrau dadansoddi'r emosiynau a gorddai ynddi – a gwyddai na châi lonydd nes gwybod y gwir.

Gyrrai'r cerbyd ymlaen gan droi a sgrialu ar hyd y ffordd garegog a holltwyd ac a flastiwyd i mewn i'r graig. Chwildroai'r lampau cryfion fel *searchlights* ar draethau rhyfel, gan sganio düwch y nos yn amlach na gwynder llychlyd y ffordd.

O'r diwedd daethant at dir gwastad a chyffyrddodd Menna ag ysgwydd Gregg ac apelio arno i aros. Edrychodd arni'n bryderus, ac agor y drws. Gwrthododd ei gysur anghelfydd a mynd allan i bwyso yn erbyn cefn y cerbyd. Curai ei chalon fel gordd ac roedd hi'n chwys drosti. Daeth Gregg â thywel iddi ond mynnodd sychu ei thalcen ei hun.

"Ro'n i'n goryrru braidd, ond dwi'n nabod y ffordd..."

"Nid eich bai chi yw e. Mi fydda i'n iawn mewn munud."

Ceisiodd ymdawelu ond doedd dim, dim i'w weld, dim amlinell mynydd na môr, dim ond y blydi jîp a'i oleuadau a thic-tician yr injan yn oeri. Mi allai fod yn unrhyw le yn y bydysawd, neu ddim yn unman. Teimlai'n hollol amddifad. I ble'r aeth yr haul? Sut gallodd ei gadael fel hyn? Beth oedd yn digwydd iddi?

Llonyddodd ei hymysgaroedd a chiliodd y panig. Cofiodd am ei hystafell yn y fila. Dim ond iddi gyrraedd honno'n saff, a chloi'r drws, a byddai'n iawn. Tynnodd Gregg hi i fyny'r gris uchel i mewn i'r cerbyd, ac ailgychwyn. Roedd y ffordd yn sythach nawr a chyn bo hir gwelsant oleuadau gwantan tref Naxos yn y pellter, a throesant i'r dde ac i fyny'r llethr anwastad tua'r fila.

Y tu mewn, derbyniodd gynnig Gregg o goffi gwan; yfodd y ddau mewn tawelwch cyn ymwahanu i'w hystafelloedd.

Cysgodd Menna am ryw awr, yna deffro. Dim ond Dafydd a lenwai ei meddwl nawr. Doedd dim teimladau fel euogrwydd, dim ond ei bresenoldeb corfforol, ei ystumiau, ei wallt cyrliog, ei ffordd hamddenol o siarad, ei wyneb garw yn mynd a dod... Roedd hyn yn hollol, hollol wirion. Pryd oedd y gyfnewidfa'n agor yn y bore? Wyth o'r gloch? Fe ffoniai Lleuwen yn syth, a dyna ddiwedd arni. Naill ai byddai'n gorfod byw â hyn am byth, neu byddai bywyd yn hollol normal eto.

Ond beth am y ffôn yn y cyntedd? Roedd Groeg ddwy awr ar y blaen i Brydain. Roedd hi'n chwarter i ddau yma, felly chwarter i hanner yng Nghymru. Hwyr, ond byddai Lleuwen yn maddau os oedd y gwaethaf yn wir. Fyddai hi ddim gwaeth o roi cynnig ar fynd drwodd i'r gyfnewidfa.

Gwisgodd ei gŵn nos, cau'r drws ar ei hôl, a baglu ar y stâr yn y tywyllwch. Cydiodd yn ei migwrn briw, a hercian at y ffôn. Deialodd – a chael ateb.

"I would like to make a call to Wales, please."

"Wales? Where is Wales?"

Roedd golau ar dop y stâr, a drws Gregg yn agor.

"Be sy'n bod, Menna: ydych chi'n iawn?"

Rhegodd Menna dan ei hanadl.

"Rwy'n trio cael galwad bersonol drwodd i Gymru."

"O, rwy'n deall."

"A ddim i Ellis gyda llaw." Doedd hi ddim am iddo feddwl ei bod mor ddespret â hynny am ei blydi swydd.

"Ond mi wyddoch chi na allwch chi ddim, o ffôn preifat."

"Mae rhywun yn ateb..."

"Waeth i chi heb."

Anwybyddodd Menna ef a dal i ddisgwyl. Am ryw reswm, arhosai Gregg ar dop y stâr a gwylltiodd hyn Menna'n fawr iawn. Pam gythraul na allai adael llonydd iddi?

Slamiodd y ffôn i lawr.

"Oedd e'n bwysig iawn? Alla i helpu o gwbwl?"

"Na, ddim yn bwysig iawn. Dim ond eisie gwybod pwy oedd y dyn 'na sydd wedi marw. Mi allai fod yn gyn-ŵr imi."

"O rwy'n gweld – mae'n ddrwg gen i."

"Na, dy'ch chi ddim yn gweld!"

"A beth y'ch chi'n feddwl wrth hynny?"

"Ry'ch chi'n Sais. Mae 'na rai pethau na welwch chi ac na ddeallwch chi mewn mil o flynyddoedd."

"Efallai wir... dim ond trio cydymdeimlo roeddwn i. Mae'n amlwg na ddylswn i fod wedi trio."

"Maddeuwch i mi," meddai Menna gan adfeddiannu'i

hunan, a sychu ei llygaid.

"Popeth yn iawn," meddai Gregg gan gilio'n gyflym i'w lofft a gadael Menna yn ffigwr llonydd yn ei phlygion ar waelod y grisiau.

* * *

Ymhell cyn brecwast, roedd Menna wedi pacio'i bagiau. Llusgodd nhw allan i'r ffordd o flaen y fila: gwyddai fod yna fws cynnar i Naxos. Rholiodd y siarabang i lawr y rhiw o'r diwedd a dringodd Menna iddo'n ddiolchgar, ond roedd hi wedi deg erbyn iddi gael yr alwad drwodd i Lleuwen.

Roedd ei rhyddhad yn anferth pan glywodd fod ei hofnau'n ddi-sail. Cymerodd ei hamser dros goffi Twrcaidd a dŵr, a cherdded yr holl ffordd i orsaf y bysiau. Yno daliodd fws tua'r de i Ayia Anna a chymryd ystafell ar rent. Fe'i croesawyd gan hen wraig a'i theulu, ac wedi dadbacio ac ymolchi, gwisgodd ei *thong* o dan ei ffrog a chario tywel a phocedlyfr i lawr i'r traeth a ffindio llecyn pell oddi wrth bawb.

Roedd ganddi bedwar dydd o ryddid ar ôl. Mi fyddent, fe benderfynodd, yn ddyddiau o ryddid llwyr: oddi wrth Gregg, Ilse, Ellis, Lleuwen, Siani – pawb. Doedd hi ddim am feddwl am ddim, na phenderfynu dim, na gwneud dim byd, ond bod. Os rhoddodd Gregg tan ddiwedd y mis iddi dderbyn neu wrthod ei swydd, dyna pryd y gwnâi hynny, nid eiliad ynghynt.

Roedd y tywod gwyn yn gynnes a graeanog dan ei chroen – yn union fel yr hoffai – a'r haul uwch ei phen yn boeth. Am weddill y dydd, gadawodd iddo wneud fel y mynnai â hi. Fel y dechreuodd nosi, darganfu daferna'r *Kapri* a mwynhau swper hir yno, a gormod o retsina. Wrth orglywed sgwrs y bwrdd nesaf, deallodd bod yna draeth cyfagos i noethlymunwyr. Addawodd iddi'i hun yr âi yno drannoeth i ddiosg y *thong* a gweddillion ei hangyps anghydffurfiol.

Ond yno, wrth i'r haul loddesta arni, ni allai ymlonyddu'n llwyr. Bob hyn a hyn, pwy fynnai ddychwelyd i'w hymwybod ond y ffigwr a'i diflasai ynghynt, ac a ddihangodd oddi wrtho ddeuddydd yn ôl: Maurice Gregg. Ond y tro hwn, ymddangosai nid fel bygythiad i'w rhyddid, ond fel rhoddwr newydd ohono. Roedd Ellis wedi addo llawer, ond roedd Gregg yn addo mwy. Yn wahanol i Ellis, roedd e wedi creu swydd arbennig ar ei chyfer. Pe bai e'n agor swyddfa yng Nghaerdydd, a hithai'n ei rheoli, byddai'n agor pennod newydd sbon yn ei hanes hi, ac Ellis. Oedd ganddi reswm da dros wrthod y cynnig?

Ond beth petai Ellis yn anghytuno?

Ei bywyd hi oedd e, atebodd Menna ei hun. Mater iddi hi oedd pa waith a ddewisai. Roedd ganddi'r hawl i wneud ei phenderfyniadau – a'i chamsyniadau – ei hun.

Cytunodd yr haul â'i safbwynt. Mewn ymateb i'w gefnogaeth, ildiodd Menna ei noethni iddo'n llwyr.

29. Mel

Roedd teulu Llechen Las i gyd o gwmpas y bwrdd swper: Deian, Lleuwen, Meri a Mared – a Siani ac Ellis, eu gwesteion. Roedd y merched yn llawn hwyliau er bod Siani i ddychwelyd i Gaerdydd drannoeth. Rhoddodd Lleuwen groeso cynnes iawn i Ellis ar ei ymweliad cyntaf â nhw heb Menna, ond er iddo ymateb yn hynod gwrtais bob amser, synhwyrodd fod rhywbeth yn ei boeni. Efallai mai nerfus oedd Ellis ynglŷn â gweld Menna drannoeth. Gwyddai hefyd i ryw anghydfod fod rhyngddo a Deian, ond roedd Deian ei hun yn ymddwyn fel petai dim yn bod.

"Wedi clywed gan Menna?" holodd hi ef ar ganol y pryd.

"Na. Dydw i ddim yn disgwyl clywed o Naxos. 'Dan ni ddim yn cyboli efo anfon cardiau at ein gilydd."

"A dy'ch chi ddim yn credu mewn ffonio'ch gilydd chwaith, 'sbo?" meddai'n ysgafn.

"Mae pawb eisiau newid ar wylie, anghofio am betha domestig."

"Felly pryd fydd hi'n cyrraedd?"

"Nos fory," meddai Ellis yn annelwig. "Mi fydda i'n tshecio efo'r Maes Awyr bore fory. Mae hediadau Groeg yn gallu bod yn reit flêr."

"Mi fydd popeth yn iawn, gei di weld."

"Gawn ni weld, yntê."

"Wel, ma'r merched o leia, a Siani dwi'n ama'n gryf, wedi cael hwyl a hanner," meddai Deian. "Fel maen nhw'n deud, toes 'na ddim drwg na ddaw rhyw dda ohono."

"Bydd y newid wedi gwneud lles i Menna, hefyd," meddai Lleuwen. "Wi'n nabod hi'n ddigon da. Wastad wedi bod 'bach yn indipendant. Fydd hi ddim 'run un 'rôl pythefnos ar y traeth..."

"A gest ti newid, hefyd," meddai Deian.

"Yn hollol. Diolch o galon i chi am gymryd Siani. Ond wnaeth e ddim gweithio allan yn hollol fel ro'n i wedi gobeithio. Gormod o bethau ar 'y mhlât, mae'n debyg. Y wers ydi mynd i ffwrdd o'r swyddfa."

"Nawrte," meddai Lleuwen gan droi at y merched. "Fyddwch chi'n iawn am awr neu ddwy 'yn byddwch – ma' Elin drws nesa'n dod draw mewn munud. Y'n ni am fynd am dro bach i'r Groes."

"*Y Groes?* Ble yn y byd ma' hwnna?" meddai Meri yn sarcastig. "Y'ch chi wedi clywed am y lle 'na o'r bla'n?" gofynnodd i'r lleill.

"Ta ble mae e," meddai Mared, "mae'n syniad da iawn bo' nhw'n mynd mas o'r ffordd. Cytuno ferched?"

Gyrrodd Lleuwen i lawr i'r dafarn, a chawsant y lolfa'n anarferol o lawn. Yn nos Sadwrn ganol Awst, roedd llond y lle o dwristiaid, a'r pentrefwyr wedi'u gwthio oddi ar eu byrddau arferol. Cyflwynodd Lleuwen Ellis i rai o'u ffrindiau, yn cynnwys Mel Merlod a'i wraig, Non.

"Dowch am sieri bach i'r Plas bore fory," mynnodd y ddau. "Ac ychydig o awyr iach cyn hynny i glirio'r sustem – ac mae croeso i chi farchogaeth y ceffylau."

"Gawn ni weld," meddai Ellis. "Rhaid imi yrru'n ôl rhyw ben fory. Dyletswyddau priodasol fel petai."

"Duwcs annw'l, wneith sieri bach ddim chwalu dy briodas di," meddai Mel.

" 'Chydig wyddoch chi," atebodd Ellis yn dywyll.

Ni allai egluro nad oedd, yn fanwl gywir, yn briod â Menna, a bod hynny efallai'n rhan o'r broblem. Gwyddai Deian fod Ellis yn poeni am y peth, ond roedd Lleuwen yn rhy agos iddo allu troi i'w gysuro. Trawodd Ellis ef yn reit wahanol i'r tro cynt. Roedd yn llai ymwthgar, yn dawelach, os rywsut yn bell.

O'r diwedd, a Lleuwen wedi'i dal mewn sgwrs, tynnodd

Deian Ellis ato a dweud:

"Rhaid iti beidio poeni am y petha 'ma. Tydi merchaid ddim fel ni, 'sti..."

"Donna e mobile..."

"Yn union."

"Soniodd Lleuwen am y sterics yn y Maes Awyr, mae'n siŵr?"

"Do, ond ma'r petha 'ma wastad yn chwythu drosodd yn 'y mhrofiad i."

"Fy mai i oedd o."

"Bai? Nonsans gwirion. Dydi sefyllfa Siani ddim yn hawdd i neb ac mae'n amlwg dy fod ti'n gwneud dy ora drosti. Ac mae hi wedi mwynhau'i hun, 'tydi?"

"Ydi, mae ...ac mae arna i ymddiheuriad i ti."

"Duwcs, anghofia amdano fo. Hen hanas erbyn rŵan. Do'n i ddim ar 'y ngora, chwaith."

"Wnes i bopeth yn anghywir ar y diwrnod arbennig yna – popeth."

"Dydi pedlera am waith ddim yn drosedd. Dydyn nhw ddim yn crogi bobol am hynny."

"Ond ro'n i'n anonest ac fe synhwyraist ti hynny. Ro'n i wedi bod efo Smyth yng Nghaer, cyfarfod cythreulig o anodd – ac fe ddylswn i fod wedi cyfaddef."

"Efo Smyth? Wir yr?"

"Do. Ga i ddweud y stori'n llawn wrthat ti eto. Wnaeth pethau ddim gweithio allan o gwbwl."

"Rhaid imi ddeud 'mod i'n synnu dy fod ti wedi meddwl am ddelio â'r ffycar."

"Ges i 'nal mewn sefyllfa anodd. Do'n i ddim *am* ddelio ag o – fo ddaeth aton ni. Ro'n i wedi bwriadu bod yn onest, dweud y cyfan – ond methu ar yr eiliad ola."

"Lladd y bastard yna ydi'r weithred ora mae'r eithafwyr Cymraeg wedi'i 'neud oddi ar dyddia Glyn Dŵr. Biti fod un ohonyn nhw wedi gorod mynd efo fo, dyna i gyd."

"Cytuno'n llwyr."

Roedd Deian mewn hwyliau da, a doedd Ellis ddim wedi

disgwyl ymateb mor ymosodol. Sylwodd ei fod yn gwisgo crys-T *Un o Blant y Chwyldro*. Eglurodd Lleuwen ynghynt: "Mari gafodd un gynta, ac roedd yn rhaid i Deian gael un wedyn. Mae ganddo rywbeth abwyti *T-shirts* y merched. Dyw e ddim hanner call, weithie."

"Chwarae teg, trio bod yn ddoniol mae e – neu'n trendi?"

"Dim ond un peth sy'n siŵr, Ellis: dyw e ddim yn un o'r ddau yn gwisgo'r blydi peth yna."

Ond wrth ei weld yn cracio jôcs bras a thaflu'r wisgis yn ôl gyda chriw'r pentref, meddyliodd Ellis tybed a oedd Deian, yn dawel fach, yn ystyried ei hun yn dipyn o arwr erbyn hyn. Neu ai trio dweud yr oedd e nad oedd e'n poeni am farn neb?

Roedd Ellis am barhau â'r sgwrs, a dod i delerau gwell ag ef – ond sut allai e, a siec Smyth o £10,000 yn dal i losgi yn ei boced? Roedd wedi bwriadu ei thalu i mewn ond wedi'r strach yn y maes awyr, penderfynodd ohirio'r holl fater tan dôi Menna'n ôl o Roeg.

Yn y cyfamser, wrth gwrs, digwyddodd marwolaeth Smyth. Roedd ei ymateb cyntaf yn goctel gwyllt o lawenydd, siom, rhyddhad ac ansicrwydd ond po fwyaf y meddyliai am y peth, mwyaf y gwelai'r ochr olau. Allai Menna ddim ddannod ei fod e'n was bach i Smyth. Rhwng Delw a Berry Homes yr oedd y cytundeb, nid rhyngddyn nhw a Smyth. Mae'n wir nad oedd yna gytundeb llawn eto, ond roedd digon o dystiolaeth a dogfennau i rwymo'r cwmni. A hyd yn oed pe na bai'r cyfarwyddwr newydd yn ei anrhydeddu, go brin y gallai wrthod i Delw'r blaendal a dalwyd eisoes gan Smyth, ac a gadarnhawyd mewn ysgrifen ar y ffacs yna.

Sylwodd fod Deian bellach wedi'i fachu wrth y bar gan ryw lembo mawr mewn crys cowboi, tshaen aur a brest flewog. Roedden nhw drwyndrwyn, yn palu dyblars am y goirau i'w gilydd. Roedd Lleuwen, yn y cyfamser, wedi sylwi bod Ellis ar ei ben ei hun ac yn anelu amdano â dôs ddwbwl o'i swyn benywaidd. Mwynhaodd ei chwmni, ond roedd e'n dal i boeni am ei berthynas â Deian. Go wag oedd ei gyfaddefiad, ychydig ynghynt, iddo fethu bod yn onest â Deian dri mis yn ôl, os na allai fod yn onest ag e heno.

Daeth Deian yn ôl o'r diwedd, ei wyneb yn pefrio o effaith y Jamesons. "Clem Jones," eglurodd wrth Ellis. "Adeiladwr lleol, un o'r criw. Dydi o ddim yn arfar dod i'r Groes 'ma ac ro'n i am ei wneud o'n gartrefol. Rydan ni wedi cael ychydig o drafferthion – a deud y lleia."

"Ond llwyddiant ar y gorwel?"

"Dyna beth o'n i'n 'i drafod efo Clem. Y bwriad ydi cyflwyno cais amlinellol gerbron cyfarfod mis Hydref o'r Cyngor, ond mae cwpwl o bethau i'w setlo gynta. Wir, Ellis, mae'r hasls yn anhygoel. Dwi wedi treulio pob munud sbâr o'r chwe mis diwetha ar y blydi busnas datblygu 'ma – alla i ddim fforddio rhoi fy staff fy hun arno fo. Y cyfan er lles y pentra, i fod – ond dwi wedi creu mwy o elynion yn y chwe mis diwetha nag oedd gin i cynt mewn ugian mlynadd. A'r un diweddara ydi'r blydi Cuttle yna."

"Pwy ydi o, felly? Dydi o'm yn swnio fel Cymro."

Cymerodd Deian joch arall o wisgi. "Sais lleol. Cash gynno fo i godi'r peth odd'ar y ddaear. Popeth yn mynd ymlaen reit neis tan bythefnos yn ôl. Dim lot amdan y boi, cofia, ond ro'n i'n meddwl y gallsa'i bres o fod yn handi. Wedyn dyma fo'n dechra newid 'i diwn – rêl pen-ôl babi. Dyna o'n i'n 'drafod efo Clem rŵan, sut i'w brynu o allan."

"Watsha be ti'n ddweud," siarsiodd Lleuwen. "Mae pobol yn clywed..."

"Dwi wedi deud wrth y diawl yn 'i wynab – fel gwyddost ti. Dwi wedi deud wrtho fo am ffwcio'n ôl i Loegar os nad ydi o'n fodlon cydweithio. A dwi ddim wedi clywad gynno fo ers wsnos felly mae'n bosib iawn fod y negas wedi cyrraedd adra."

Trodd Lleuwen am sgwrs ysgafnach â Non, gwraig Mel.

Meddai Ellis: "Beth bynnag, dwi'n siŵr fod pethau'n haws â Smyth o'r ffordd."

"Ddim felly. Unwaith roedd Caederwen efo ni, ychydig iawn alla fo 'neud. Roeson ni'r fwled i Smyth rai misoedd cyn iddo fo farw."

"Grêt."

"Rwyt ti'n iawn, Ellis: *roedd* o'n grêt. Mi wnaethon ni hynny. Ac mi gawson ni'r pleser o wybod ei fod o'n gwybod hynny hefyd. I Samuel Smyth!" meddai gan daro'i wydryn ar un Ellis.

"I Smyth!" ategodd Ellis yn or-frwd.

"I Smyth!" meddai Clem, oedd yn awr wedi ymuno â nhw.

"Ac i'r pentra!" ychwanegodd Deian. "Peth i fois y pentra fydd y peth rŵan, ac os methwn ni, fel blydi pentra y methwn ni a dim achos neb arall. I Smyth!" meddai eto gan godi'i wydryn, " – a thwll tin pob blydi Sais!"

"Wir, Deian, bydd *ddistaw!* Ti ddim ar lwyfan!" ymbiliodd Lleuwen.

"Dweud e'n *ddistawach* – 'na i gyd," porthodd Clem.

Meddai Lleuwen wrth Ellis: "Wir, sa i'n gwybod be sy'n dod dros Deian y dyddie hyn. Roedd e wastad 'bach yn fyrbwyll. Stres, 'sbo — neu falle mai'r crys dwl 'na yw e. Wi'n meddwl bod e'n dechre ffansïo'i *fod* e'n un o blant y chwyldro..."

Chwarddodd Ellis – yn eiddigeddus ohono fe, yn eiddigeddus ohoni hi, hefyd. Beth oedd gan y ddau, nad oedd gan Menna ac yntau?

* * *

Roedd yn rhaid i Ellis dderbyn gwahoddiad Deian am ddwy filltir o dro, y bore wedyn, i fyny'r cwm. Ond roedd dychwelyd i Gaerdydd at Menna ar flaen ei feddwl, a phwysleisiodd na fyddai'n derbyn y gwahoddiad i sieri ym Mhlas Treddafydd – er y byddai'r lle yn nod digon cyfleus i'w taith gerdded.

"Mae o'n lle bendigedig, cofia. Mae o'n un busnas sy'n llwyddo yn yr ardal 'ma. Dibynnu lot ar dwristiaid wrth gwrs ond maen nhw wedi defnyddio'u harian nhw i gael y plas yn union fel roedd o ar droad y ganrif."

"Mae Mel yn ymddangos yn dipyn o dderyn."

"Hynny ddim yn ei rwystro rhag gneud pres."

Roedd yr haul yn tywynnu ac ymhen ryw chwarter awr roeddent wedi esgyn digon i allu cael golygfa dda o'r pentre. Am y tro cyntaf, sylweddolodd Ellis beth fuasai datblygu'r caeau rhwng yr eglwys a'r môr yn ei olygu mewn gwirionedd. Cafodd rai amheuon, ond fe'u cadwodd iddo'i hun. Doedd e ddim am sbwylio'i fwynhad o hyfrydwch y bore o haf.

Troesant yn ôl i ddringo'r llethr ac yn sydyn gwelsant ffigwr meinsyth yn marchogaeth ceffyl gwyn: Mel. Sylwodd e arnyn nhw, a thynnu'r cyfrwy i'w cyfeiriad.

"Duw, chwara teg rŵan!" meddai'n wên o glust i glust. "Dydach chi ddim yn ddau ffycar mor wellt ag o'n i'n ofni! Fe wna i ddeud wrth Non i baratoi rhywbeth i fynd efo'r sieri 'na."

Gan anwybyddu gwrthodiad cloff Ellis, carlamodd yn ôl i gyfeiriad y Plas.

"Pam yr enw Treddafydd?" holodd Ellis wrth gerdded i fyny'r llechwedd tua'r hen adeilad hardd. "Rhyw gysylltiad â Dafydd ap Gwilym?"

"Felly maen nhw'n deud. Roedd yna blas arall ar y safle ganrifoedd yn ôl."

Yn y man roeddent yn y gegin yn mwynhau sieri a phastai cartre o gwmpas yr hen Rayburn. Ymadawodd Non i fynd i'r eglwys – "Rhaid cadw'r hen le ar agor. Mi wela i chi toc."

"Mi fydda i wedi mynd erbyn hynny," meddai Ellis gan godi. "Ond diolch i chi am y croeso. Mae'n rhyfeddod gen i weld eich lle chi."

A'r tri dyn yn ymlacio o dan y ffenest gyda'i golygfa eang tua'r gorllewin, aeth un sieri'n ddau, a dau yn dri. Gan wybod mai'r ddiod honno fyddai ei un olaf am y dydd, cymerodd Ellis ei amser ond roedd y sgwrs wedi bywiogi ac wedi troi, yn naturiol ac anochel, at y dadleuon o blaid ac yn erbyn datblygu'r pentre, a'r drafodaeth yn dipyn gonestach na'r tynnu coes a'r sloganeiddio i lawr yn y dafarn y noswaith cynt.

"Gymrwch chi gawl cyn bo' chi'n mynd?" cynigiodd Mel. Roedd hynny at ddant Ellis. Mi fyddai'n setlo'i stumog ac mi fyddai'n medru ffonio'r maes awyr yn hawdd cyn cinio, o Llechen Las. Trodd y sgwrs yn ôl at gwestiwn y cynlluniau datblygu, a faint o dai a fyddai'n ddelfrydol ar gyfer caeau fferm Caederwen. Gellid gweld y caeau a'r fferm o'r Plas, a chododd y tri at y ffenest.

"Dwi'n gweld y blydi caeau 'na yn 'y nghwsg," meddai Deian. "Dwi 'di gneud 'y ngora a dwi'n gneud dim mwy. Geith pobol ddeud be fynnan nhw. Os eith y cynllunia drwodd – grêt; os na, yna dwi'n mynd i wella 'ngolff. Ac nid dyna'r unig beth personol dwi wedi'i esgeuluso yn y misoedd d'wetha."

"Wel, mae'n safle bendigedig," meddai Ellis. "Dim problem o gwbwl gwerthu tai yn fan'na, ddwedwn i."

"Lot o bontydd i'w croesi eto, cofia. Mae o i fyny i'r Swyddfa Gymreig yn y pen draw. Does neb a ŵyr be ddeudan nhw. Mi allan ni faglu ar y gamfa ola. Ella ma' Smyth 'i hun fydd yn chwerthin am 'yn penna ni yn diwadd, o'r byd arall."

Dilynwyd hyn gan dawelwch ac eisteddodd Ellis yn ôl yn ei sedd. Er gwaetha'i groeso brwd yn gynharach, doedd Mel ddim wedi cyfrannu llawer i'r sgwrs. Cerddai yn ôl a blaen fel petai rhywbeth yn pwyso ar ei feddwl. Roedd yn ffigwr athletaidd, urddasol ond bod ei fochau'n wridog dan effaith y sieri.

Trodd atynt, ei gefn at y ffenest, a dweud: "Rwyt ti'n berffaith iawn, Deian – be ddeudist ti am Smyth..."

"Be ti'n feddwl rŵan?"

"Ei fod o'n chwerthin o'r ochor draw. *Mae o.* Nid y fi ddylai ddweud – mi glywi di dy hun yn ystod yr wythnos."

Sylwodd Ellis fod Deian yn gwelwi.

" 'Dach chi'n gwybod 'mod i'n troi tipyn ymysg y frawdoliaeth amaethyddol yn yr ardal 'ma. Cwpwl o ddyddiau'n ôl clywis i. Roedd o'n gyfrinachol, wrth gwrs – fel ma' cyfrinacha yng nghefn gwlad 'ma. Dwi'n ofni cei di siom, Deian – ond fyddi di ddim yn synnu, chwaith."

“Be uffar sy’n mynd ymlaen felly?”

“Does ’na ddim byd ar bapur rhyngoch chi a Caederwen?”

“Na,” meddai Deian, “ond dydi hynny ddim yn golygu na tydan ni’n dallt ein gilydd yn eitha – ar wahân i’r blydi Cuttle yna wrth gwrs.”

“Mae’n rhaid ’i fod o’n wir, felly: Ishmael sydd am ddatblygu’r tir. Mab Lewis. Wedi perswadio’i dad y gallan nhw ’neud y job ’u hunain. Dwsin o dai i ddechra, rwy’n dallt.”

“Ti’n deud y gwir?”

“Mae o’n *swnio’n* wir, yntydi? Mae’n gneud synnwyr. Gwaed yn dewach na dŵr ac mi allwch ddychmygu fod y teulu wedi cael llond ’u bolia ar yr holl beth. Misoedd ar fisoedd o hen gecru diawledig yn y pentra, a phawb yn taflu ensyniada at ’i gilydd.”

“Dwi’n cofio’r boi’n iawn,” meddai Ellis. “Mi welais i o jyst cyn galw arnat ti, Deian. Ro’n i’n methu gwneud pen na chynffon ohono fo ar y pryd – ond nawr dwi’n deall pam ces i groeso mor oeraidd.”

“Digon gynno fo lan llofft,” meddai Mel. “Dim ffŵl...”

“Ac wrth gwrs gyda llai o dai,” meddai Ellis, “fydd yna lai o wrthwynebiad – a haws cael caniatâd.”

“Ti’n iawn. Mi geith dderbyniad da yn y pentra.”

Gwelodd y ddau fod rhywbeth yn bod ar Deian. Roedd ei lygaid ynghau, ei law ar ei ben, ei ên yn ei wddf, ac roedd yn cnoi’i wefus. Wedi hanner munud, ei lygaid yn dal ynghau, sleidiodd y gwydr sieri ar hyd braich y gadair ac estyn ei fraich allan. Yna hwrjiodd y gwydryn i fyny ychydig, ddwyaith a thair.

Gan ddeall yr arwyddion, winciodd Mel ar Ellis a nôl y botel sieri, ac wythawd o ganiau. Llanwodd wydryn Deian, a chodi’i aeliau at Ellis.

Chwyrlïodd ei ben.

Un gwydryn arall, a byddai’n ddominô ar Gaerdydd. Edrychodd draw at Deian. Ei lygaid yn dal ynghau, gorweddai a’i ben yn ôl ar gefn y gadair – yna cododd y gwydryn yn araf at ei wefusau.

"Be 'di un dydd yn dy fywyd ti, Ellis? Faint o ddyddia ma' Deian wedi'u colli ar gorn y busnas 'ma? Faint o fisoedd?"

"Mae'n eithriadol o anodd arna i. Petha ddim yn rhy wych rhwng Menna a minna, i fod yn onest. 'Sgin i ddim syniad pryd mae'r awyren yn glanio yng Nghaerdydd..."

"Gora oll, yntê? Dydi petha o Roeg byth ar amsar. A duwcs, oes raid iti'i chwarfod hi fel tasa hi rhyw blentyn bach? Ma' Non yn dod adra'i hun bob tro."

"Na, jyst eisiau 'i gweld hi rydw i..."

"Tyfa i fyny wir! 'Neith agwedd felly mo'r tro i ddyn yn ei oed a'i amsar. A 'drycha ar Deian, ar 'i gyflwr o. Mae o angan cymorth."

Roedd hynny'n wir. Wyddai Mel ddim fod arno fath o ddyled i Deian, a llond ei ben o bethau eisiau'u dweud a'u cyfaddef.

Doedd ganddo ddim dewis. Estynnodd ei wydryn at Mel, a selio'i dynged wrth flasu'r melyster. Yna rhoddodd ei law ym mhoced fewnol ei siaced, agor ei waled, a theimlo am siec Smyth. Dangosodd y siec i'r lleill.

"Deng mil o bunnau. Siec bersonol. Dyddiad 31 Gorffennaf – pedwar dydd cyn iddo fo farw. Welwch chi'r llofnod? – *Samuel Smyth*."

"Doeddat ti ddim yn delio â fo mor ddiweddar â hynny?" meddai Deian.

"Na, ges i hi ganddo fo fisoedd ynghynt."

Wedi i'r tri dystio i ddilysrwydd y siec, agorodd Ellis ddrws y Rayburn, a'i thaflu i mewn i'r gwres. Gyda'i gilydd, gwyliasant y fflamau'n ei chofleidio a'i llosgi'n ddim.

Edrychodd Deian draw at Ellis. Roedd e'n dal yn ansicr o arwyddocâd y weithred, ond pan welodd yr olwg newydd, ymlaciol, hapus ar wyneb Ellis, gwyddai eu bod ill dau yn yr un cwch, ac newydd losgi eu pontydd.

"Dwi'n credu yr a' i am y cania, os ydi hi am fod yn sesiwn. Titha, Deian?"

Dadfachodd Mel y caniau Skol o'u rhwymyn plastig, a

thaflu un yr un atynt. Daliodd Deian ei gan ef a'i anelu'n syth at frest Ellis; yna cododd Ellis ar ei draed a'i daflu'n ôl yn galed at gorpws ei ffrind newydd....

– *Crac Cymraeg!*

30. Oxwich

TREULIODD DAFYDD a Gayle y prynhawn yng Nghastell Oxwich, mwynhau rhai oriau yn diogi ar y traeth yn yr haul poeth, a choroni eu dydd cyntaf llawn o ryddid gyda'i gilydd â swper yng Ngwesty Bae Oxwich. Safai'r gwesty moethus ar lan y traeth a chan ei bod hi'n Ŵyl Banc diwedd Awst, a'r penrhyn yn drwch o dwristiaid, gwnaeth Dafydd yn siŵr o fwrdd i ddau yn fuan wedi'i ryddhau o Garchar Abertawe.

Rhyddhawyd Gayle ymhen tridiau, a dyna pryd y cafodd Dafydd ei gyhuddo'n ffurfiol o gynllwynio i losgi'r *chalet* ym Moduan. Roedd rhai pethau rhyfedd iawn ynglŷn â hynny. Rhyw Sais o Lundain a wnaeth y cyhuddiad, trwy gyfieithiad, ac roedd yn amlwg i Dafydd nad oedd a wnelo hyn ag Ivor Jones Parry a'i griw. Rhoddodd ei gyfreithiwr ei hun ar waith ac yna, wedi cyfnod o ansicrwydd, digalondid ond nid o galedi mawr – roedd carchar Abertawe'n frenin ar gelloedd Caernarfon – gollyngwyd Dafydd, eto'n ddirybudd.

Roedd ei gyfreithiwr yn parhau i weithio ar y cwestiwn o ollwng y cyhuddiad ond gallai'r broses honno gymryd amser. Roedd Dafydd yn siŵr erbyn hynny mai esgus oedd y cyfan i'w gadw i mewn, am resymau na châi fyth wybod amdanynt.

Ond a phythefnos lawn wedi mynd heibio oddi ar yr hunllef, roedd Dafydd yn benderfynol o roi diwrnod o gysur a phleser i'w gariad newydd. Er na chawsai ei thrin yn fwriadol faleisus, rhoesai'r carchariad sioc enbyd iddi ac yr oedd yn rhaid i Dafydd ei darbwyllo nad dyma fyddai patrwm eu dyfodol gyda'i gilydd.

Ar y bwrdd rhyngddynt roedd pamffled am hanes Castell

Oxwich, geiriadur Cymraeg, a *Welcome to Welsh*. Gwnaethai Gayle y camsyniad ynghynt o brynu un o lyfrau gimicaidd y gyfres *Linkword*. "Nid cwpwl o eirie wyt ti am ddysgu," meddai gan daflu'r llyfr dros glawdd y Castell, "ond iaith gyfan."

Bu'r Castell yn agoriad llygad i'r ddau ohonynt. Plasty Tuduraidd oedd e mewn gwirionedd, wedi'i adeiladu gan uchelwr Cymraeg diwylliedig o'r enw syr Rhys Mansel, yr oedd ei arfbais deuluol dros y porth. Y tu mewn roedd arddangosfa liwgar o hanes Tywysogion Cymru. Gwylltiai Dafydd bob tro y gwelai'r Seisnigiad 'Rice' yn lle 'Rhys'. "A Penrhys yw Penrice," meddai, "a Cilfro yw Kilvorough Manor. Y broblem yw, nid bod gen ti gymaint i'w ddysgu, ond bod gen i."

Erbyn tua naw o'r gloch roeddent wedi gorffen eu prif gwrs. Trwy ffenest y gwesty gallent weld y lleuad lawn yn hongian dros y clogwyni yr ochr draw i'r Bae, ei golau arian yn troi'r môr yn ddrych o farmor fel mewn stori dylwyth teg. Llifodd y gwin i lawr, y melysfwyd, y coffi, ac edrychai wyneb Gayle i Dafydd fel petai, fesul awr, yn adennill ei lawnder a'i brydferthwch. Penderfynodd na allai'r dydd ddod i ben heb dro arall i'r traeth.

Y tu allan i'r fynedfa, tynnodd hi draw at un o'r seddau yn yr ardd a edrychai dros y môr. Roedd yr olygfa yma'n llawer llawnach – roeddent yn awr y tu mewn i'r hud ei hun, nid yn edrych arno oddi allan. Am sbel buont yn rhyfeddu ato mewn tawelwch, heb angen dweud dim. Yna gafaelodd Dafydd yn llaw Gayle a'i harwain i lawr at y traeth a buont yn cerdded am ychydig i gyfeiriad y creigiau ar y dde.

Arhosodd Dafydd wrth ben draw'r tywod, a'i gwahodd i eistedd. Ufuddhaodd, ac ar unwaith taflodd ei breichiau am Dafydd a'i gusanu'n wyllt. Cusanodd ef hi'n ôl, a'i thynnu i lawr am ei ben, ond arafodd wedyn a'i gosod i orwedd yn berffaith am ben ei gorff ef, o flaenau'u traed i fyny. Cusanodd Gayle ef eto'n ysgafn, yna codi gan bwyso ar ei phenliniau.

"Wnes i ddim bennu'r stori," meddai Dafydd gan chwarae â'i gwallt tywyll, a ddisgynnai lawr am ei hwyneb.

"Pa stori?"

"Y stori am y steddfod. Ti ddim yn cofio?"

"O na, nid honna eto – plis!"

"Mae'n wahanol nawr. Achos dwyt ti ddim wedi bod mewn steddfod erioed, wyt ti?"

"Nid fy mai i oedd hynny."

"Na, wi'n gwbod yn iawn. 'Na pam mae'n rhaid i fi drio eto."

"Gobeithio'n wir y gwnei di well job heno."

Roedd y ddau'n awchu am ei gilydd, a hwythau heb garu oddi ar nos Wener y steddfod, ond roedd Dafydd yn bwriadu ymestyn y pleser y tro hwn. Yn araf, mwythodd Dafydd gefn coesau hirion Gayle â'i ddwy law gan wthio gwaelodion ei gwisg gotwm ysgafn i fyny at ei chluniau.

"So pryd mae'r stori'n mynd i ddechrau?" gofynnodd Gayle.

"Unrhyw eiliad nawr..."

Yn awr cyffyrddod ei law â'i nicer. Roedd blys yn ei gynhyrfu ac roedd Gayle yn sylweddoli hynny ac yn gwthio'i hun yn ysgafn arno. Llithrodd Dafydd ei fysedd dros ymyl y neilon.

"Bryniau ydi'r rhain," meddai gan fyseddu'i phen ôl, "ble y cynhelir Eisteddfod Genedlaethol."

"O ie," gan bwffian chwerthin.

"Gwranda nawr: mae 'na bebyll arno fe, a phafiliwn, a lot o faneri," – ond newidiodd ei feddwl, a gwthio'i fysedd nawr o dan y nicer.

"Mae hyn yn haws, o safbwynt egluro. Math o *visual aids*."

"Ond sy ddim yn *visual*..."

"Na, mae'n well eu bod nhw ddim. Nawr am beth o'n i'n sôn? O ie, yr holl bebyll, maen nhw i gyd ar y topie fan hyn," – chwaraeodd ei fysedd, fel pianydd, ar ei ffolennau – "... ac mae'r haul yn mynd i lawr ac mae lot o bobol yn gorweddian ar y bryniau hyfryd esmwyth 'ma, rhai yn barau, rhai yn grwpiau bychain, i gyd yn yfed lager twym ac yn bwyta sosej rôls."

"Sosej rôls?" meddai Gayle, gan estyn ei llaw i lawr.

"Sosej rôls. Wel nawr rhwng y bryniau bendigedig mae cwm ac yn y cwm mae afon – i lawr fan hyn..." – tynnodd ei nicer i lawr ychydig a rhedeg bys i fyny ac i lawr hollt ei thin – "ac mae 'na bysgod yn yr afon ac mae'r eisteddfodwyr caredig yn taflu eu hufen iâs a'u byrgyrs Cig Oen Cymru sbâr at y pysgod er mwyn eu cadw nhw'n hapus."

Fel y teimlai Dafydd Gayle yn aflonyddu fwyfwy, tynnodd ei nicer i lawr oddi ar ei choesau a'i daflu, gyda'i dwy esgid, i'r tywod. Yn awr gallai ei fysedd grwydro'n llawer is ac fe gyffyrddodd â'i lleithder oedd nawr yn dwysáu fel y crwydrai Dafydd i ardaloedd newydd, cyfrin. Caledai anadl Gayle a dechreuodd ei chorff symud yn rhuthmig. Agorodd hi ei wregys ond roedd Dafydd yn dal yn benderfynol o beidio â rhuthro.

"Wedes i bod 'na bafiliwn ar y bryniau ond wnes i dy gamarwain di. Nid pafiliwn yw e ond plas, plas fel Castell Oxwich, lan fan'na."

Erbyn hyn roedd llaw Gayle ar ei gala galed. "Mae'n stori reit hyfryd – hyfryd iawn..."

Cyffyrddodd Dafydd â'i llaw, i'w harafu. "Nawr yn y Plas mae byrddau tresl fel sy mewn steddfod, a baneri – Draig Aur Owain Glyn Dŵr a Phedwar Llew Llywelyn Fawr – ac ar ganol y llawr mae tân mawr agored ac mae'r telynor yn twinio lan ar gyfer y wledd sydd ar fin dechrau – ac mae'r holl Gymry yn y wledd, holl Gymry'r canrifoedd – ac yno yn y gornel mae'r Milwr gyda'r milwyr eraill, a phwy sy'n rhoi'r *sheet music* mas i'r telynorion ond Dydd."

"Pwy yw hi?"

"Y ferch o'n i'n gweld dim ond mewn steddfode. Tipyn o gantores, digwydd bod."

"Honno roeddet ti'n meddwl dy fod ti'n dawnsio 'da hi yn Titos?"

Arhosodd Gayle, a thynnu ei llaw yn ôl.

"So *fantasy fuck* yw hwn. Ti'n caru 'da fi ond yn esgus

mai hi ydw i."

"Na, Gayle," meddai Dafydd. Yn falch o'r toriad, rhoddodd hi i orwedd ar ei hochr yn y tywod, rhyngddo a'r lleuad. Roedd popeth yn arian, y môr llonydd a'i fil o donnau bychain, anferthedd yr awyr, a rhimyn gwallt Gayle fel y llifai dros ei hysgwydd: roedd y prydferthwch yn anhygoel.

"Dim merch real yw Dydd, ti'n gweld. Mae hi'n byw yn y castell."

"Gyda'r Milwr?"

"Yn hollol. Falle'u bod nhw'n cael affêr bach."

"Ond roedd y Milwr yn real."

"Wel, dyw e ddim nawr, odi e? Ond mae e'n real hefyd, yn fwy real nawr nag o'r blaen. Dyw amser ddim yn dod mewn i'r busnes, ti'n gweld."

"Ond beth sy'n digwydd yn y stori?" mynnodd Gayle.

"Ond wrth gwrs. Nawr mae Dydd yn mynd â'r *sheet music* rownd i bawb ond mae'r Milwr yn dweud: 'Na, dim diolch – rwy'n gwybod y geirie'n berffaith!' – ac rhoi'r shiten yn ôl iddi'n ddirmygus."

"Dafydd," meddai Gayle, yn cyffwrdd â'i wyneb, "rwyt ti'n dechre dweud pethau dwl eto."

Daliodd Dafydd yn ei llaw, ac ailddechrau peintio'r darlun â'i fys tywodlyd. "Jyst rhyw fanylyn bach oedd hwnna, fel mae'r artistiaid mawr i gyd yn ei roi yn eu llunie. Ond y pictiwr eang y'n ni moyn nawr, wrth gwrs. Dychmyga'r lle. Mae'r wledd ar fin dechrau, a phawb yn sgwrsio ac y teimlo bod noson wych ar fin dechrau, bod 'na hwyl yn mynd i fod 'ma heno – Crac Cymraeg – ac mae'r Dywysoges – hi yw'r bòs – yn gweud 'tho pawb am eistedd i lawr a bod yn dawel ac yna mae hi'n croesawu'r Milwr lan ati, at yr Uchel Fwrdd..."

Edrychodd Gayle y tu hwnt i Dafydd ar y môr. Tybed oedd hi o'r diwedd yn dechrau deall stori'r *Welsh Nutter*?

"Ac mae hyn i gyd yn digwydd nawr," meddai Dafydd gan bwyntio at y bryn y tu ôl i Gayle, "yr eiliad yma, yn y castell 'na lan fan'na."

"Dwyt ti ddim yn gall, Dafydd," meddai Gayle, gan droi ato. Yna gwthiodd ef i lawr, ei gefn ar y tywod, a'i gusanu'n ysgafn a thwt ar ganol ei wefus. A gwnaeth hynny eto.

Gwthiodd Dafydd ei ffrog i fyny at ei chanol, a dringo'i fysedd i fyny ei chefn at ei bra. Datododd y clipiau ond cyn tynnu'r cerpyn, swingiodd ei bronnau rhydd yn ôl ac ymlaen ynddo, fel llywethau o rawnwin yr oedd yn rhaid, rywsut, eu rhyddhau'n llawn cyn eu bwyta. Am ryw reswm, ni allai odde taflu'r bra i ffwrdd ac fe'i clymodd yn gwlwm am ei gwddw.

Chwarddodd Gayle am ben ei wallgofrwydd ac eistedd i fyny arno, ei bronnau fel eboni arian yn y golau leuad. Ei thro hi nawr oedd chwarae ag e, a phwysodd ei thethau yn ysgafn ar frest flewog Dafydd, gan greu cylchoedd annioddefol o bryfoclyd. Cynhyrfodd Dafydd am yr eildro, ac yn enbyd. Nawr llithrodd yn rhwydd i mewn iddi; yna gafaelodd yn ei dwy ffolen a'i gwthio i fyny ac i lawr holl hyd ei gala.

"Mae'r peth yn bod," meddai Dafydd, wrth geisio arafu eto. "Gŵyl dragwyddol y Cymry – ac mae hi'n para am byth."

"Wel alla *i* ddim para am byth..." meddai Gayle, gan ffyrnigo'i symudiadau rhuthmig yn ei erbyn.

"Dafydd..." ymbiliodd, "*plis*..."

Gyda phob symudiad treiddiai Dafydd ymhellach ac ymhellach i mewn iddi nes daeth yr eiliad anochel, orfelys o ffrwydrad dilywodraeth. Taflodd Gayle ei hun yn llipa drosto a chnoi ei glust.

Yn y man, gofynnodd: "Oedd hwnna'n Grac Cymraeg?"

"Wel," meddai Dafydd. "Mae'n dibynnu... Ti ar y bilsen, Gayle?"

"Na, ddim ar y funud."

"Os hynny – mwy na thebyg 'i fod e..."

A chnodd ei glust eto a chwarddodd y ddau, a'r lleuad hefyd.

UNIVERSITY OF GLAMORGAN
PRIFYSGOL MORGANNWG
Learning Resources Centre

Hefyd gan Robat Gruffudd:

"Nofel hynod ffres ac arloesol sy'n ddarllenadwy ar lefel stori gyffrous ac eto sy'n mynd i'r afael o ddifri â phynciau cyfoes o bwys."

– JOHN ROWLANDS

0 86243 118 2

£6.95

Am resr gyflawn o nofelau cyfoes a llu o llyfrau eraill, mynnwch gopi rhad o'n Catalog lliw-llawn, 48-tudalen — neu hwyliwch i mewn iddo ar y We!